D0314843

LE JARDIN APPRIVOISÉ

DANS LA MÊME COLLECTION

Patrimoine

LES PIONNIERS DU DISQUE FOLKLORIQUE QUÉBÉCOIS
Gabriel Labbé

GREY OWL, L'HOMME QUI VOULAIT ÊTRE INDIEN
Lovat Dickson

LE CANOT D'ÉCORCE À WEYMONTACHING
Camil Guy

LE TRAÎNEAU À CHIENS D'HIER À AUJOURD'HUI
Pierre Lemay

Paysages urbains

DU BICYCLE À PÉDALES AU «DIX VITESSES»
Jean-Paul Laberge et collaborateurs

Le Jardin naturel

LE JARDIN NATUREL
Michel Chevrier

LE LIVRE DU TRAPPEUR QUÉBÉCOIS
Paul Malouin

LES EAUX MERVEILLEUSES
Lise O'Neil

COCA ET COCAÏNE
Recherches : Jean Basile

LA MARIJUANA
Recherches : Georges Khal et Jean Basile

LA TEINTURE NATURELLE AU QUÉBEC
Paulette-Marie Sauvé

LE FILAGE
Paulette-Marie Sauvé

CUISINONS NOS PLANTES SAUVAGES
Denise Allaire

LE CAMPING SAUVAGE
Denise Allaire

Envoyez-nous vos nom et adresse en citant ce livre et nous nous ferons un plaisir de vous faire parvenir gracieusement et régulièrement notre bulletin littéraire qui vous tiendra au courant de toutes nos publications nouvelles.

LES ÉDITIONS DE L'AURORE
1651 RUE SAINT-DENIS, MONTRÉAL, QUÉBEC, H2X 3K4

La Mère Michel

LE JARDIN
APPRIVOISÉ

(LE JARDIN NATUREL, TOME 2)

ILLUSTRATIONS
Philippe Beha, Nicole Morisset, Laurent Vaillancourt
PLANCHES EN COULEURS
Claude Mauffette
RÉDACTION DU PETIT DICTIONNAIRE DES PLANTES D'INTÉRIEUR
Louise Malette
PRÉSENTATION
Georges Khal

Éditions de
L'AURORE

DU MÊME AUTEUR

Oeuvres techniques

LE JARDIN NATUREL
Éd. de l'Aurore, 1976

LES GRANDES PLANTES MÉDICINALES DU QUÉBEC
(dans le *Répertoire Québécois des Outils Planétaires*)
Éd. Mainmise-Flammarion, 1977

LES PLANTES MÉDICINALES DU QUÉBEC
(en préparation)

Oeuvre de fiction

UN BLEU ÉBLOUISSANT
(recueil de nouvelles)
Éd. de l'Aurore, 1978

Traduction

NEUROLOGIQUE
(de Timothy Leary)
Éd. de l'Aurore, 1977

DISTRIBUTION

Les Messageries Prologue Inc.
1651 Saint-Denis, Montréal, Québec.
849-8120 / 849-8129

Montparnasse - Édition
1, Quai de Conti, Paris 75006.
France

Foma - Cédilivres
5, avenue Longemalle, 1020 Renens, Lausanne,
Suisse

Les Presses de Belgique
25, rue du Sceptre, 1040 Bruxelles,
Belgique

© *Les Éditions de l'Aurore, 1978*
Dépôt légal, 2e trimestre 1978
Bibliothèque nationale du Québec
ISBN   0-88532-158-8

SOMMAIRE

à la foi, l'espoir et l'amour

PRÉFACE

Si on avait prédit à Michel la Mère Chevrier, il y a six ou sept ans, qu'il écrirait un jour sur les plantes ou qu'il serait l'auteur d'une série de livres sur les différents «jardins» (naturel, apprivoisé, sauvage...), il aurait certainement mis en branle son formidable rire moqueur et voué à tous les diables de l'illusion le malheureux prophète.

Sept ans plus tard, la Mère Michel, entre deux lignes denses, une pensée nostalgique pour Marie-Victorin, un verre de bière et un joint, ne peut que marmonner quelques vagues excuses de circonstances à l'endroit de ces gens qui se permettent de tout deviner sans qu'on le leur demande.

Les origines d'une oeuvre étoffée sont toujours fascinantes, surtout, comme c'est le cas pour la Mère Michel, lorsqu'elles ont la simplicité d'un événement banal ou presque. Un jour, sa mère lui donne un livre sur les plantes médicinales, comme ça, sans arrière pensée, et lui dit: «Tiens, ça peut t'intéresser.» Ce fut le coup de foudre et le début d'un intense intérêt qui, en quelques années, devaient faire d'un écrivain en herbe un naturaliste autodidacte passionné de classe particulière.

Au premier abord et à la lecture de sa table des matières, la méthode de la Mère Michel peut surprendre, comme si la minutie manquait de rigueur. Et pourtant, si on suit la progression des chapitres, on se rend vite compte qu'il y a là le chemin et le parcours du chercheur amateur qui ne progresse pas selon un plan préétabli mais selon les exigences organiques de la recherche. Le mot est lâché: organique.

Comme une plante qui s'adapte à tous les aléas de son quotidien, à l'imprévisible de son environnement, sans toutefois oublier son «plan de base» ou son code génétique, ainsi la Mère Michel, selon l'innocence et la liberté de l'amateur, n'a aucune honte à s'arrêter et fouiller n'importe où, c'est-à-dire s'adapter aux moments et besoins de sa recherche. Aucun carcan de rigueur, ici, sauf l'exigence principale de toujours revenir au centre et à la perspective générale qui commande l'oeuvre.

L'écriture suit la recherche dans un même mouvement naturel de liberté d'esprit et de fidélité au sujet. S'il faut préciser un point et, pour y arriver, passer par un détour inusité ou dresser une carte simple d'un domaine quelque peu complexe, on y va. Une recette ou une interview sont-elles nécessaires à compléter tel aspect ou l'étoffer, elles y sont mises. Faut-il décrire le corps de la plante, les conditions de sa santé, ses modes de propagation, faut-il parler des plantes curieuses, des champignons, de la «sensibilité» des plantes? Tout y passe, dans la voracité amoureuse d'une curiosité intense et papillonnante.

Le résultat est un mélange fascinant d'informations inédites présentées ici pour la première fois, et d'informations connues mais présentées d'une manière nouvelle comme, par exemple, les premiers chapitres sur l'anatomie, la physiologie, l'écologie et la pathologie des plantes où sont présentés de façon claire et ramassée les fondements généraux de la botanique.

Signalons aussi le chapitre sur les plantes sauvages curieuses du Québec, celui sur les principaux champignons comestibles (une spécialité de la Mère Michel... je me souviens des plats de morilles frites qu'il nous faisait à 3 heures du matin dans la cuisine de Mainmise et qui généraient dans l'équipe les plus belles onomatopées goulues d'étonnement et d'appréciation que la rue Saint-Denis ait jamais entendues), l'entrevue avec René Pomerleau (le plus grand spécialiste québécois des champignons), l'interview traduite de Gordon Wasson (un des grands noms de l'ethnobotanique à qui l'on doit la fabuleuse hypothèse que derrière le breuvage sacré des indo-européens, le soma, se tient l'amanita muscaria, un des plus puissants hallucinogènes végétaux connus) et la bibliographie finale dont l'étendue et la variété donneront une idée du genre de préoccupations derrière les recherches éclectiques de la Mère Michel.

Je connais la Mère Michel depuis plus de douze ans et je me souviens avec beaucoup d'amusement de nos premières soirées au café Prag de la rue Bishop à Montréal où littérature et cosmologies douteuses venaient ponctuer les cafés. Plus tard, une fois la contre-culture démarrée et les différents carburants psychiques répandus, ce fut l'aventure du magazine Mainmise dont Michel devint un précieux collaborateur (articles, traductions et surtout sa «Chronique de la Mère Michel» qui devait en faire une «célébrité» maison) et dont il occupa le poste de rédacteur en chef pendant un an à partir de décembre '75.

Ce que je retiens du personnage et que douze années de fréquentation m'ont appris à apprécier, c'est le côté extrêmement personnel, presque sauvage, du chercheur, sa générosité aveugle, extravagante parfois, son intégrité féroce et têtue, un sens peu commun de la critique et de l'ironie, le tout cachant dans ses replis mouvementés un enfant sage aux yeux grands ouverts, s'étonnant d'exister et s'étonnant de trouver le monde si beau.

Georges KHAL

CHAPITRE PREMIER

LE CORPS DE LA PLANTE

Bien des gens m'ont avoué la difficulté qu'ils avaient à pénétrer, à cause de son langage parfois complexe, *La Flore Laurentienne,* de Marie-Victorin, oeuvre qui demeure et demeurera toujours pour moi la grande source d'inspiration. C'est à leur intention que j'ai écrit ce chapitre, en essayant de donner, le plus clairement possible, une description du «corps» de la plante. À noter cependant que cette description des principales parties de la plante vise surtout, tout en essayant de donner une idée de l'évolution de la vie d'une plante, à permettre à l'amateur d'identifier, soit dans sa *Flore Laurentienne,* soit dans une autre Flore, les plantes inconnues de lui ; c'est ainsi que j'ai délibérément omis de parler en détail de la cellule et du pollen dont les études ne seraient venues qu'alourdir un chapitre déjà bien chargé et, malgré moi, un peu schématique.

A) LA RACINE

Le **rôle** de la racine est, en gros, de **fixer** la plante dans le sol, de la **nourrir,** tout en y emmagasinant des réserves nutritives.

Les **principales parties** de la racine sont :

1. la **coiffe :** c'est un organe de nature épidermique qui protège l'extrémité de la racine contre les accidents du sol, la sécheresse et divers micro-organismes ; elle agit plus ou moins comme un radar.

LE CORPS DE LA PLANTE

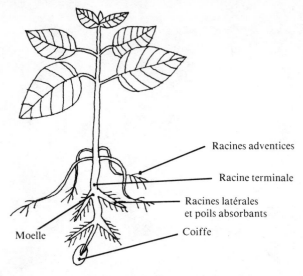

Racines adventices

Racine terminale

Racines latérales
et poils absorbants

Moelle

Coiffe

FORMES DE RACINES

RACINES SIMPLES PIVOTANTES

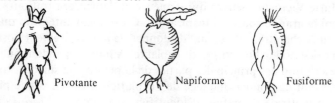

Pivotante   Napiforme   Fusiforme

RACINES MULTIPLES OU FASCICULÉES

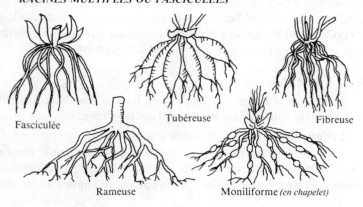

Fasciculée   Tubéreuse   Fibreuse

Rameuse   Moniliforme *(en chapelet)*

2. les **poils absorbants** situés sur les **radicelles** qui, par absorption et osmose nourrissent toute la plante en sève brute puisée dans le sol (sels minéraux en suspension dans l'eau); ils se renouvellent à mesure que la racine croît en longueur et en épaisseur, la zone des vieux poils absorbants devenant, avec le temps, le **liège.**

3. la **moelle** qui est la zone de croissance active, par multiplication des cellules.

Les trois **principaux types** de racines sont:

1. les racines **terminales** ou **primaires** nées de la **radicule** (partie inférieure de l'embryon contenue dans la semence).

2. les racines **latérales (radicelles)** nées de la racine principale.

3. les racines **adventices** qui naissent sur la tige ou, le plus souvent, juste au-dessus du collet de certaines plantes; celles du maïs en sont un bon exemple.

Les **principales formes** de racines sont:

1. les racines **simples** ou **pivotantes**: conique, fusiforme, napiforme, etc.

2. les racines **multiples** ou **fasciculées**: moniliforme (en chapelet), fibreuse, tuberculée, etc.

À noter au passage que les bulbes, les rhizomes et certains tubercules sont considérés comme des tiges souterraines et non comme des racines.

B) LA TIGE

Son **rôle** est multiple: en effet, en plus de **soutenir les feuilles,** c'est elle qui est chargée de **conduire,** vers le bas (par le liber), vers le haut (par l'aubier) les **sèves**, de **collecter divers produits de réserve et de sécrétion** et enfin, d'assumer, avec les feuilles, la respiration et la transpiration de la plante.

En gros, la **transpiration** de la plante consiste en l'élimination par les lenticelles de la tige (ou du tronc) et les stomates des feuilles des surplus d'eau absorbés par une plante pour son alimentation en sels minéraux; elle provoque un refroidissement de la surface de la feuille qui protège la plante contre les chaleurs excessives. Chez les plantes de milieux arides, les stomates sont enfoncés à l'intérieur de l'épiderme, ce qui diminue la transpiration et, par le fait même, empêche une trop grande déperdition d'eau.

——— STRUCTURE EXTÉRIEURE VISIBLE DU TRONC ———

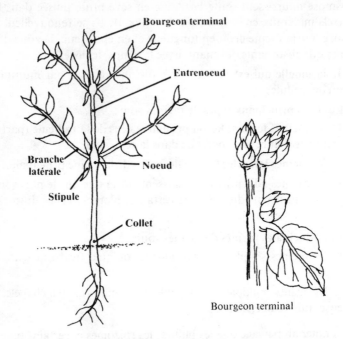

Bourgeon terminal

Entrenoeud

Noeud

Branche latérale

Stipule

Collet

Bourgeon terminal

——————— STRUCTURE INTERNE DU TRONC ———————

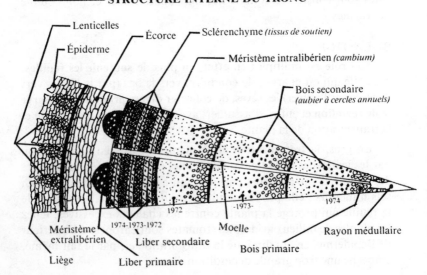

Lenticelles

Écorce

Épiderme

Sclérenchyme *(tissus de soutien)*

Méristème intralibérien *(cambium)*

Bois secondaire
(aubier à cercles annuels)

Méristème extralibérien

1974-1973-1972

1972

-1973-

1974

Moelle

Rayon médullaire

Liège

Liber secondaire

Liber primaire

Bois primaire

La **respiration** de la plante consiste, elle, dans un premier temps (diurne) en l'assimilation, avec le concours de la chlorophylle, des rayons solaires et de l'eau, du bioxyde de carbone essentiel à la nutrition de la plante (synthèse chlorophyllienne ou photosynthèse) et en rejet d'oxygène; dans un deuxième temps (nocturne), en l'assimilation de l'oxygène et dégagement parallèle de bioxyde de carbone.

Les **principales parties** de la tige ou du tronc sont:

a) **structure extérieure visible:**

1. le **collet**: c'est la ligne de démarcation et un centre d'échanges importants entre la tige et la racine; c'est souvent à son niveau que naissent les racines adventices et les rejets (pousses nouvelles).

2. les **noeuds**: ce sont les points d'attache, généralement renflés, des feuilles; ce sont d'eux que naissent les **bourgeons latéraux** et les **branches latérales**.

3. les **entrenoeuds**: les espaces compris entre les noeuds.

4. le **bourgeon terminal** (ou **apical**): le sommet de la tige.

À propos des noeuds et des entrenoeuds, ajoutons qu'on entend par **croissance nodale** (en épaisseur) celle où seuls les noeuds s'allongent, et par **croissance internodale** (en longueur), celle où seuls les entrenoeuds s'allongent; d'autres plantes combinent les deux modes de croissance.

b) **structure interne:** plus complexe que celle de la racine, quoiqu'elle n'en diffère pas fondamentalement, cette structure est constituée des tissus suivants, les uns, vivants, les autres, morts (en allant du centre de la tige vers sa périphérie):

1. la **moelle**, siège de multiplication des cellules chez les jeunes tiges, elle tend à céder la place, dans cette fonction, en particulier chez les arbres, aux deux méristèmes de croissance.

2. le **bois primaire**, aux vaisseaux lignifiés et bouchés; il constitue le **coeur dela tige** (pour plusieurs auteurs les coeurs de la tige — parfois rouges — conservent le terme de moelle au lieu de bois primaire).

3. le **bois secondaire** ou **fonctionnel** (**aubier**); il est constitué d'**anneaux** ou **cercles annuels** qui indiquent l'âge d'un arbre; chacun de ces anneaux comprend du **bois de printemps**, à cellules larges, et du **bois d'automne**, à cellules serrées; c'est par les vaisseaux de ce bois que la sève circule vers le haut de la plante. À noter que les

plantes tropicales qui n'interrompent jamais leur croissance n'ont pas de cercles annuels.

4. **le méristème intralibérien** (cambium): c'est l'une des assises de croissance des cellules qui donne en même temps, d'un côté, le bois secondaire (xylème), de l'autre, le liber.

5. **le liber** (ou **cortex** ou **phloème**) est constitué de **tubes criblés** et de tissus de soutien morts, le **sclérenchyme**; c'est par ces tubes que la sève circule vers le centre et le bas de la plante.

6. **l'écorce** dont le rôle est de protéger le tronc contre l'évaporation, les sauts brusques de température et divers dommages mécaniques.

7. le **liège**, un tissu lignifié protecteur aux cellules mortes.

8. **le méristème extralibérien** donne l'écorce secondaire d'un côté, le liège (ou suber) de l'autre; il apparaît seulement au cours de la croissance et seulement chez les plantes **phanérogames** (à floraison visible comparativement à la floraison cachée des **cryptogames**, c'est-à-dire les algues, les mousses, les champignons).

Les **deux méristèmes** (ou **zone de croissance**) (4 et 7) assurent la croissance en longueur et en épaisseur des plantes en même temps qu'ils sécrètent, au besoin, des produits de cicatrisation. Certains auteurs distinguaient deux types de méristèmes: les primaires, situés aux extrémités des tiges et des racines; les secondaires, décrits plus haut et qui ne sont actifs qu'après une période de repos.

9. **l'épiderme**: c'est un tissu imperméable protecteur que traversent, pour permettre à la plante de respirer et de transpirer non des poils nourriciers comme chez la racine, mais:

10. des **stomates** (ou **cellules de garde**): ce sont de petits organismes de respiration et de transpiration formés d'un orifice limité par deux cellules vivantes à chlorophylle dites de garde; ils s'ouvrent, selon les besoins de la plante, pour laisser passer l'air ou l'eau.

11. des **lenticelles**: elles correspondent aux stomates des feuilles et se retrouvent sur la tige et le tronc; elles assument une partie de la respiration de la plante.

12. des **poils épidermiques** aux **formes** et **fonctions** très diverses: on en connaît des collecteurs, des fixateurs, des laticifères, des tactiles et des urticants; au niveau de leurs formes, il y en a des capités, des

FORMES DES TIGES

TIGES AÉRIENNES

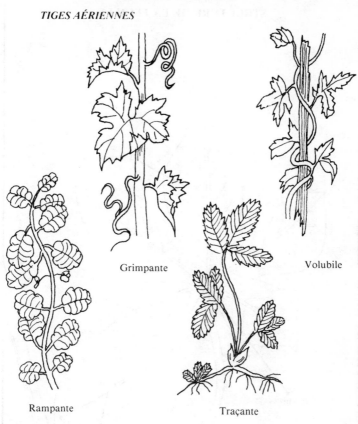

Grimpante

Volubile

Rampante

Traçante

TIGES SOUTERRAINES

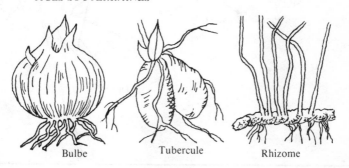

Bulbe

Tubercule

Rhizome

STRUCTURE DE LA FEUILLE

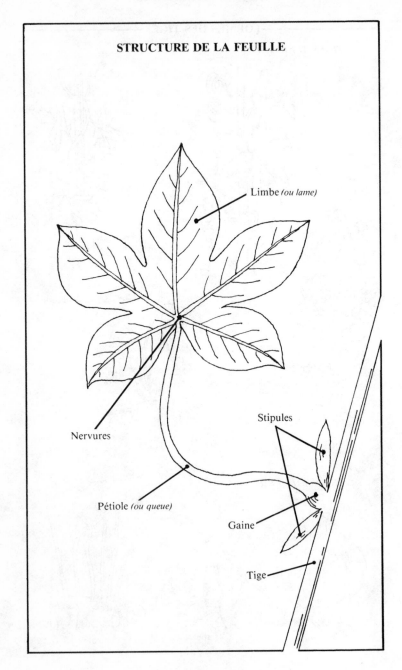

Limbe *(ou lame)*

Nervures

Stipules

Pétiole *(ou queue)*

Gaine

Tige

écailleux, des glanduleux, des fusiformes, etc. : leur **consistance** sert aussi à décrire les organes qui les portent (tige, feuilles, fleurs, fruits) ; on dira de cet organe qu'il est arachnoïde, duveteux, pubescent, tomenteux, velouté, etc. ; un organe sans poil sera dit glabre.

Mentionnons enfin deux tissus de soutien vivants, le **collenchyme** et le **parenchyme** qui se retrouvent en plus ou moins grandes quantités dans diverses parties de la plante.

À noter que cette description ne s'applique intégralement qu'au tronc des arbres, les tiges des plantes herbacées, les annuelles surtout, étant plus rudimentaires.

Il y a plusieurs **formes** et **types** de tiges. Parmi les principaux :

a) les tiges **aériennes,** soit **herbacées** (plantes annuelles surtout), soit **ligneuses** (arbres et arbrisseaux) ; certaines sont **dressées,** d'autres, **grimpantes,** d'autres, **rampantes** ou **traçantes.** Ces dernières se multiplient par émission de stolons au bout de leurs tiges.

b) les tiges **souterraines,** sans chlorophylle et chargées de matières nutritives ; les principales formes en sont le **rhizome,** le **tubercule** et le **bulbe.**

C) LA FEUILLE

Son **rôle** est avant tout de **réaliser la synthèse chlorophyllienne** tout **en contribuant** à la **respiration** et à la **transpiration** de la plante.

Les **principales parties** de la feuille sont :

1. le **limbe** (ou **lame**) constitue la partie élargie de la feuille parfois divisée en plusieurs folioles ; il comprend les **cellules à chlorophylle (parenchyme** et **stomates)** et parfois des **poils.**

2. Le **pétiole** (ou **queue**) qui est comme un prolongement de la tige et qui se subdivise souvent en **nervures** conductrices de sève ; il est parfois absent, parfois très long (comme chez nombre de plantes aquatiques aux feuilles flottantes) ; la feuille sans pétiole est dite **sessile.**

3. la **gaine** est la base du pétiole, parfois de la feuille, le plus souvent élargie, qui la relie au noeud ; parfois, elle entoure complètement la tige, parfois elle est absente.

4. les **stipules** sont le plus souvent de petites feuilles (parfois inexistantes) qui poussent à la base du pétiole.

Les **types** et les **formes** de feuille :

Si la tige et les racines présentent rarement des formes extraordinaires, il n'en va pas de même pour les feuilles. En effet, quel nom donner aux cornets (ou urnes) de la sarracénie pourpre (voir planche couleur) ; sont-ce des feuilles enroulées sur elles-mêmes, des tiges ou des pétioles élargis ou une gaine monstrueuse ? Il semble que dans les cornets de cette plante dite «préhistorique» et qui est par sa taille et ses couleurs l'une des plus belles fleurs sauvages du Québec, toutes ces formes se soient mêlées. De même, quel nom donner au corps central des cactus ; s'agit-il d'une tige, d'un limbe ou d'un pétiole ? Et leurs épines, sont-elles des poils rigides ou des feuilles ? Voilà ce qui illustre bien l'idée de Goethe selon laquelle la forme est la feuille initiale (même dans l'embryon) de toutes les parties de la plante. À toute fin pratique, la forme des feuilles varie d'une plante à l'autre et parfois sur une même plante (**polymorphisme** provoqué par des mutations génétiques parallèlement à des besoins précis d'adaptation au milieu). C'est pourquoi on se sert, pour classifier les feuilles, des facteurs ou des caractéristiques suivants :

a) **selon qu'elles sont simples ou composées** (voir tableaux)

b) **la forme du limbe**

c) **la forme du pourtour du limbe**

d) **la forme et la disposition des nervures**

e) **le mode d'attache à la tige, alterné ou opposé**

f) **leur durée de vie** ; il y a les feuilles **fugaces** qui disparaissent assez tôt dans la saison (ex. : ail des bois), les **caduques** qui tombent à la fin de l'été et en automne, les **persistantes** (conifères, etc.).

g) **l'habitat de la plante** : quoique les feuilles de la majorité des plantes soient **aériennes,** on en connaît aussi des **souterraines** qui sont le plus souvent en forme d'écailles et sans chlorophylle et des **aquatiques nageantes** (ex. : nénuphar) ou **submergées** (ex. : vallisnérie) ; la **taille** et la **coloration** des plantes peuvent aussi être modifiées par l'altitude, les conditions géologiques du sol et d'autres facteurs.

h) **des détails particuliers** : ils servent souvent à décrire les feuilles ; c'est ainsi qu'on a, au niveau de leur **texture,** des feuilles charnues (ex. : orpin), coriaces (ex. : aiguilles de pin), sèches, rugueuses, molles, rigides, etc. ; les **couleurs** et les **teintes** des feuilles serviront aussi à les décrire selon que leur vert est foncé ou pâle, couverte d'une teinte argentée, bleue, grisâtre, etc. Certaines plantes exhalant

FORMES DE FEUILLES

FEUILLES SIMPLES (À LAME UNIQUE)

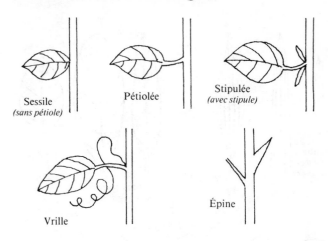

Sessile
(sans pétiole)

Pétiolée

Stipulée
(avec stipule)

Vrille

Épine

FEUILLES COMPOSÉES (À LAME DIVISÉE)

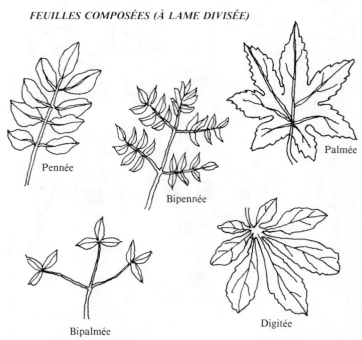

Pennée

Bipennée

Palmée

Bipalmée

Digitée

FORMES DE FEUILLES
SELON LA FORME DU LIMBE

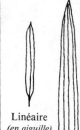

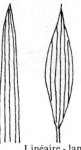

Linéaire
(en aiguille)
(pointe aiguë)

Acérée
(en épée)

Linéaire - lancéolée

Lancéolée
(en forme de lame)

Elliptique

Oblongue
*(pointe
tronquée)*

Ovée
*(en forme
d'oeuf)*

Oborée

Cordée
(en coeur)

Réniforme
(en forme de rein)

Triangulaire
(deltoïde)

Sagittée
*(en forme de
tête de flèche)*

Hastée

Ronde

Spatulée

FORMES DU POURTOUR DU LIMBE

Entière   Ciliée   Crénolée

Serrée
(à dents aiguës)   Dentée   Incisée - lobée   Lobée
*(à découpures profondes
et inégales)*

Lyrée
*(à lobe supérieur plus
grand que les autres lobes)*   Trilobée
(à trois lobes)   Trifoliée

FORMES ET DISPOSITIONS DES NERVURES (NERVATION)

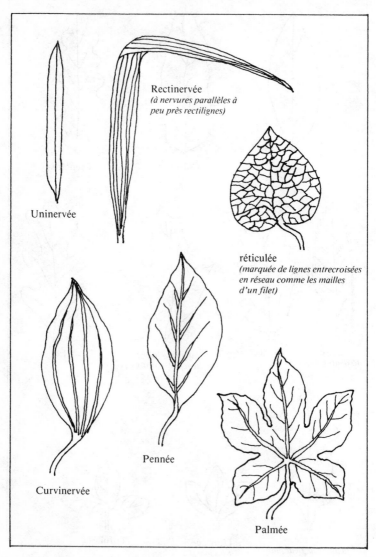

Rectinervée
*(à nervures parallèles à
peu près rectilignes)*

Uninervée

réticulée
*(marquée de lignes entrecroisées
en réseau comme les mailles
d'un filet)*

Pennée

Curvinervée

Palmée

MODES D'ATTACHES DES FEUILLES À LA TIGE

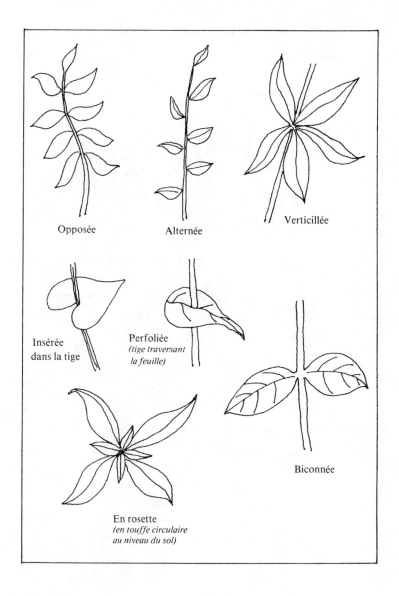

Opposée

Alternée

Verticillée

Insérée
dans la tige

Perfoliée
*(tige traversant
la feuille)*

Biconnée

En rosette
*(en touffe circulaire
au niveau du sol)*

DESCRIPTION DE LA FLEUR

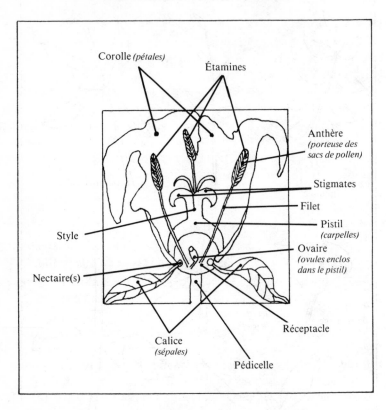

Corolle *(pétales)*

Étamines

Anthère
*(porteuse des
sacs de pollen)*

Stigmates

Filet

Pistil
(carpelles)

Style

Ovaire
*(ovules enclos
dans le pistil)*

Nectaire(s)

Réceptacle

Calice
(sépales)

Pédicelle

un parfum seront dites **aromatiques,** d'autres libéreront, à la cassure, du **latex,** etc.

Comme on peut le voir par les tableaux ici présentés, une bonne partie du langage botanique qui en rebute plus d'un consiste en mots servant à décrire les formes des diverses parties de la plante.

D) LA FLEUR

Comme on a pu le voir jusqu'ici, je ne donne que l'essentiel de la description de chaque partie de la plante. On trouvera cependant dans les dessins beaucoup de détails supplémentaires, en particulier sur les formes diverses prises par les différentes parties de la tige, de la feuille, etc.

En gros, la fleur est un organe composé de feuilles transformées et spécialisées diverses. Le **rôle** de la fleur est avant tout d'**assurer la reproduction sexuée de la plante** par la formation des graines et des semences ; elle **assume aussi,** quoique à un degré moindre, **toutes les fonctions attribuées à la feuille.**

La **structure** d'une fleur, quoique infiniment variable d'une plante à l'autre, est la suivante :

1. le **pédicelle** (ou **queue**) et le **réceptacle** sur lequel s'insèrent les diverses parties de la fleur ; la fleur sans pédicelle est dite sessile.

2. le **calice** composé de **sépales** le plus souvent **libres** (monosépales) mais parfois **soudés** ensemble (gamosépales) ; généralement verts, on les appelle **pétaloïdes** quand ils sont colorés.

3. la **corolle** composée de **pétales** le plus souvent **libres** (monopétales) mais parfois **soudés** ensemble (gamopétales) ; généralement colorés, on les appelle **sépaloïdes** quand ils sont verts ; certaines orchidées forment parfois un pétale de grande taille qui porte le nom de **labelle** (voir la planche couleur du Sabot-de-la-Vierge).

Ensemble, le calice et la corolle forment le **périanthe** qui constitue l'enveloppe protectrice du centre de la fleur ; c'est par les **nectaires** situés au coeur du périanthe que la plante sécrète, pour attirer les oiseaux et les insectes fécondateurs, le **nectar.** Certaines plantes sécrètent au niveau de leurs fleurs de la **résine** qui les protège de la chaleur et du froid excessifs (cas du chanvre).

On rencontre sur certaines plantes des enveloppes qui entourent et parfois remplacent le périanthe. Ces enveloppes florales sont les **bractées,** de petites feuilles rudimentaires insérées à la base

TYPES D'INFLORESCENCES

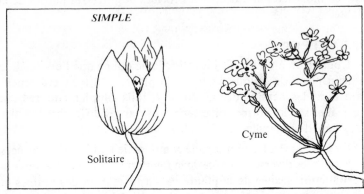

SIMPLE

Cyme

Solitaire

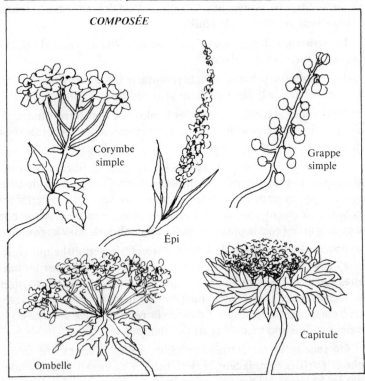

COMPOSÉE

Corymbe
simple

Grappe
simple

Épi

Capitule

Ombelle

de la fleur; deux types de bractées prennent la forme, soit d'une **spathe,** généralement colorée et recouvrant comme d'un capuchon l'inflorescence **(spadice)** de certaines plantes (ariséma, calla des marais...), soit d'un **involucre,** une petite collerette entourant la base de la fleur (comme chez certaines ombellifères).

4. les **étamines** sont les organes mâles de la fleur et sont composées d'un **filet** et d'une **anthère** porteuse de **sacs de pollen;** le pollen, qui assurera la fécondation des ovules de la fleur femelle, se libère des sacs le plus souvent par une fente mais parfois aussi par des valves, des pores ou des couvercles.

5. le **pistil** est l'organe femelle composé d'abord de **carpelles** (un ou plusieurs) insérés dans l'extrémité renflée du pédicelle de la fleur; ce ou ces carpelles portent l'**ovaire,** le **style** et le **stigmate,** organe élargi en son sommet et porteur d'un liquide visqueux dont le rôle est de retenir le pollen; l'ovaire contient les **ovules** (un ou plusieurs) dans lesquels se développeront les graines de la plante fécondée.

À propos de pistil et des étamines, ajoutons qu'on divise les plantes selon qu'elles portent leurs fleurs mâles (staminées) et leurs fleurs femelles (pistillées) sur deux plants différents (plantes **dioïques)** ou sur un même plant (plantes **monoïques** ou **polygames);** les fleurs qui portent à la fois des étamines et un pistil sont dites **hermaphrodites.**

On entend par **inflorescence** la façon dont sont disposées les fleurs sur la tige florale. Sur l'inflorescence **simple,** il n'y a qu'une fleur et la tige est non-ramifiée. L'inflorescence groupée comporte plusieurs fleurs et sa tige s'est ramifiée une fois (capitule, corymbe, épi, grappe, ombelle). L'inflorescence **composée,** ou groupes d'inflorescences simples, comprend une tige ramifiée au moins deux fois et plusieurs fleurs (corymbe de capitules, cymes de formes diverses, grappe de grappes, ombelle d'ombelles).

Quant à la fécondation proprement dite, elle sera assurée soit par le vent ou l'eau, soit par divers insectes (dont le plus important reste, bien sûr, l'abeille), oiseaux, papillons, chauves-souris, etc. Parmi ces agents pollinisateurs, certains ne seront attirés que par le nectar, d'autres seulement par le pollen, d'autres enfin par les deux. Certaines plantes s'autoféconderont tandis que d'autres auront besoin de l'intervention d'un agent extérieur, parfois spécifique, pour être fécondées.

QUELQUES TYPES DE FLEURS SIMPLES

Cruciforme

Campanulée

À Capuchon

Éperonnée

Infundibuliforme

Labiée

Passiflore

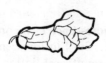
Personnée

Papilionacée

Polypétales

Tubuleuse

Urcéolée

E) LE FRUIT

La **forme** du fruit dont le **rôle** est de **protéger** et de **nourrir l'embryon ou les embryons** contenus dans la ou les semences est relative à la structure de la fleur où il s'est formé. Le mode d'insertion du pistil dans le réceptacle et le nombre et la forme des carpelles (un ou plusieurs, libres ou soudés) la détermine. Certains fruits s'ouvrent à maturité (fruits **déhiscents**), d'autres, pas (fruits **indéhiscents**). Dans le cas des plantes **gymnospermes**, il n'y a pas de fruits mais des ovules (donnant des semences) nus formés directement sur l'inflorescence et requérant, comme chez les pins, un long temps de maturation. Les plantes à fruits sont dites **angiospermes**.

Parmi les **principales formes** de fruits rencontrés, on a :

a) les **fruits simples** qui proviennent d'un pistil à un seul ou plusieurs carpelles :

1. les **fruits simples secs déhiscents,** c'est-à-dire dont la paroi reste mince et formée de cellules desséchées sont des **capsules** qui s'ouvrent, à maturité :

- sur le long, par une seule fente : le **follicule** (ex. : pivoine).
- sur le long, par deux fentes : la **gousse** (ex. : pois).
- sur le long, par quatre fentes : la **silique** (ex. : moutarde).
- sur le large, par un **couvercle** qui s'ouvre (ex. : pourpier gras) ou des **pores** (ex. : pavot).

2. les **fruits simples secs et le plus souvent indéhiscents;** ce sont les akènes (ou achaines) comme :
- la **samare,** munie d'une aile sèche (ex. : érable).
- le **caryopse** dont la graine (germe) est soudée à la partie inférieure du fruit (ex. : blé).

3. les **fruits simples charnus et tendres indéhiscents (rarement déhiscents):**
- les **baies** ou **fruits à pépins;** leurs pépins (semences) sont, soit libres dans la pulpe (ex. : orange), soit enclos dans l'endocarpe (ex. : pomme).
- les **fruits à pulpe tendre et noyau central dur:** le **drupe** (ex. : cerise).
- les **fruits à écorce dure et à centre tendre:** la **noix** (ex. : le noyer) et le **gland** (ex. : chêne), ce dernier monté sur une **cupule.**

FORMES DE FRUITS

FRUITS SECS DÉHISCENTS (CAPSULES)

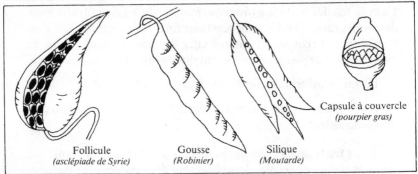

Follicule
(asclépiade de Syrie)

Gousse
(Robinier)

Silique
(Moutarde)

Capsule à couvercle
(pourpier gras)

FRUITS SECS INDÉHISCENTS (AKÈNES)

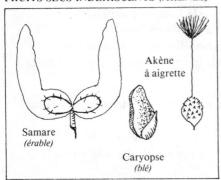

Akène
à aigrette

Samare
(érable)

Caryopse
(blé)

FRUITS CHARNUS (BAIES)

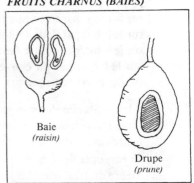

Baie
(raisin)

Drupe
(prune)

FRUITS MULTIPLES

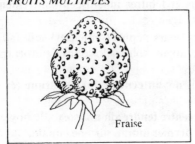

Fraise

FRUITS COMPOSÉS

Mûres de ronce

b) les **fruits multiples** proviennent d'un pistil formé de plusieurs carpelles distincts; chez la fraise, les véritables fruits sont les semences portées en surface du réceptable charnu.

c) les **fruits composés** proviennent, eux, d'une inflorescence groupée (ex.: mûre de ronce).

F) LA GRAINE (OU SEMENCE)

La graine est essentiellement formée de l'**embryon (germe)** et de l'**albumen** (pas toutes les semences cependant), des matières de réserve qui nourriront le jeune plant ou plantule. Elle comprend aussi un ou plusieurs **téguments (enveloppes)**. Très souvent, ces matières de réserve sont assimilées par l'embryon au niveau de ses **cotylédons**. Les plantes à semences comprenant un seul cotylédon sont dites **monocotylédones,** celles à semences en comprenant deux, **dicotylédones.** Selon leur nature, les semences contiennent de l'amidon, de l'huile, des matières azotées, de la cellulose, etc. (voir pour notes supplémentaires sur les semences page 79 et suiv.).

G) MODES DE DISPERSION DES GRAINES ET DES SEMENCES

Ces modes sont très nombreux, qu'ils soient élaborés par les plantes elles-mêmes, ou attribuables au vent, à l'eau, aux oiseaux, aux insectes et enfin à la présence de l'homme dans l'environnement.

Parmi les principaux modes de dispersion élaborés par les plantes, mentionnons la présence sur certaines semences, tantôt de **sacs aériens,** tantôt d'**aigrettes** ou de **soies,** tantôt d'**ailes,** tantôt, enfin, sur les **fruits,** de **piquants** qui s'accrochent à l'homme, aux animaux ou aux oiseaux; tous ces appendices permettent à diverses semences de parcourir des distances parfois très grandes sur l'eau ou dans les airs. D'autres semences sont contenues dans des fruits déhiscents dits «explosifs» (voir pp 255-256). Enfin, la taille même des semences et des fruits aura beaucoup à voir avec leur dispersion, les plus fines pouvant être transportées par le vent, les plus grosses devant souvent compter sur l'intervention de divers animaux ou oiseaux pour dissémination. C'est en en mangeant les fruits et en en rejetant les graines que beaucoup d'animaux (ours, écureuils, etc.) et d'oiseaux assurent la propagation de nombreuses plantes. Enfin, la présence

de l'homme permettra souvent l'introduction délibérée ou acciden-
telle de nombreuses plantes qui pourront même conquérir de vastes
espaces en peu de temps. C'est ainsi que beaucoup de plantes de
la flore québécoise, même très communes, ont été apportées ici lors
de la colonisation du pays.

CHAPITRE DEUXIÈME

LA SANTÉ DES PLANTES

Aimer une plante ne suffit pas à la maintenir en bonne santé. En effet, comme on le verra dans ce chapitre et le suivant, celle-ci peut être compromise par une foule de facteurs négatifs dont les principaux sont un mauvais équilibre du pH du sol, la malnutrition ou la suralimentation, un drainage insuffisant, une mauvaise circulation d'air autour des racines, un manque ou un excès d'eau ou de lumière, une température trop élevée ou trop basse, la sécheresse ou la trop grande humidité du milieu ambiant, une mauvaise ventilation ou la présence de courants d'air, etc. Il faut donc vérifier toutes ces causes possibles d'étiolement ou de dépérissement des plantes avant d'attribuer celles-ci aux insectes et/ou aux maladies qui ne viennent le plus souvent que profiter d'un dérèglement des conditions de vie dans lesquelles la plante n'a plus la force de leur résister.

A. LE SOL: SE NOURRIR

a) **éléments de base du sol**: la composition et la qualité du sol où vit une plante sont deux des éléments-clés de la réussite de sa culture; il faut que ce sol puisse permettre à la plante et de se nourrir et de respirer autant par ses racines que par ses feuilles. L'emploi d'un terreau riche et stérilisé est nécessaire, et celui-ci sera généralement composé, en parties variables (mais égales pour la plupart des plantes) de sable, de terreau noir humique (riche en humus) et d'argile.

Le **sable** assurera une bonne pénétration de l'eau dans le sol et la respiration des racines.

La **terre noire** fournira sa nourriture à la plante en lui assurant l'humidité qui lui est nécessaire.

L'**argile** enfin, en devenant compacte au contact de l'eau, donnera du corps au sol en y assurant les échanges généraux.

b) **Le pH du sol (acidité et alcalinité) et ses amendements:** si la majorité des plantes d'intérieur aiment un sol légèrement acide, tel n'est cependant pas le cas de toutes et certaines exigent un sol alcalin. La façon de mesurer l'acidité ou l'alcalinité du sol consiste à mesurer le pH de celui-ci à l'aide du gabarit vendu à cet effet chez les grainetiers ou les fleuristes (à la campagne, on pourra recourir aux services gratuits d'un agronome du gouvernement). Les coefficients du pH varient de 0 à 14, le coefficient 7 indiquant un sol neutre, le 0, un sol très acide, le 14, un sol très alcalin. Si le sol est trop acide, on l'amendera avec de la pierre à chaux broyée; s'il est trop alcalin, avec du soufre en poudre (qu'il sera préférable de mêler à un peu de terre avant de l'incorporer au sol de surface). L'emploi de mousse de tourbe ou de sphaigne sera, dans un cas comme dans l'autre, indiqué: ces médiums, s'ils sont acides en eux-mêmes, agissent cependant comme régulateurs du sol en absorbant ses surplus d'acidité ou d'alcalinité; ils aident les sols à respirer, tout comme la vermiculite ou la perlite communément vendues sur le marché.

c) **la fertilisation des sols (engrais et sels minéraux):** si la plupart des plantes d'extérieur vont chercher leur nourriture dans le sol, aidées dans ce travail par une foule de micro-organismes, tel n'est pas le cas des plantes d'intérieur qui doivent être, sauf quand elles sont en période de repos ou de récupération (en hiver ou après un rempotage) régulièrement nourries, ceci pour assurer un bon équilibre des éléments minéraux du sol où elles vivent.

Quoique ces éléments soient au nombre de 16, les trois principaux sont (mis à part bien sûr l'oxygène, l'hydrogène et le gaz carbonique qui se retrouvent dans l'air) l'azote, le phosphore et la potasse qui sont à la base de tout engrais dit «complet». Les formules chiffrées des engrais vendus généralement en indiquent les proportions respectives; c'est ainsi que la formule 6-9-6 indique que l'engrais contient, outre d'autres éléments minéraux présents en proportions incontrôlables (calcium, magnésium, fer, puis à l'état de traces et nocifs en trop grande quantité, manganèse, bore, cuivre, zinc, molybdène, soufre et chlore) 6% d'azote, 9% de phosphore et 6% de potasse.

Si ces engrais, presque tous chimiques, sont mauvais pour les plantes destinées à la consommation humaine, il n'en va pas de même pour des plantes d'intérieur qui, coupées de leurs conditions normales de vie, en ont besoin pour croître; de plus, les composts organiques et les fumiers ont mauvaise odeur et peuvent souvent être une source de contamination pour elles; en outre, il est difficile de connaître leur composition exacte, d'en contrôler les quantités et souvent, de s'en procurer.

L'Azote (N): c'est un des acteurs principaux de la synthèse chlorophyllienne (ou photosynthèse); son **manque** se manifeste par la décoloration ou le jaunissement des feuilles et un arrêt progressif de la croissance (quoique, comme on le verra dans le chapitre suivant, les mêmes symptômes d'une maladie peuvent être attribués à plusieurs causes); son **excès** entraîne une croissance exagérée et, comme chez la tomate, une formation des feuilles qui se fait au détriment de celle des fruits; les **principales sources** d'azote sont: la poudre d'os et le sang desséché (tous deux à action lente), l'engrais animal, l'émulsion de poisson, les composts de feuilles et les tontes de gazon.

Le Phosphore (P): c'est le constructeur du «système nerveux» des plantes qui assure une bonne formation des racines, des tiges et des fruits (parties dures de la plante); son **manque** se manifeste par un retardement de la croissance générale et une coloration intensifiée du feuillage; les **principales sources** de phosphore sont: la poudre d'os (à action lente), le phosphore broyé (qui se vend comme tel) et pour les plantes d'extérieur surtout, les composts à base de feuilles de camomille, bourse-à-pasteur, fraisier et pissenlit.

La Potasse (K): elle assure une bonne formation du «système musculaire» des plantes, accroît leur résistance aux maladies et favorise l'abondance du feuillage et la croissance normale de tiges; les **principales sources** de potasse sont: la cendre de bois (qui agit aussi comme insecticide souterrain), les algues et le Kelp et, pour les plantes d'extérieur, le Greensand et les composts à base de feuilles de bardane, chicorée, pissenlit, plantain et tournesol.

Trois autres sels minéraux sont essentiels à la bonne santé des plantes. Ce sont:

Le Calcium (Ca): c'est, sous la forme de pierre à chaux, grossièrement broyée (action lente) ou broyée finement et hydratée (action rapide, mais à contrôler), l'agent correcteur par excellence des sols acides; il favorise la croissance des tiges et un bon développement des fleurs; son **manque** provoque la malformation des feuilles nouvelles, le brunissement et la chute des bourgeons et des boutons floraux et un dépérissement général de la plante; les **principales** sources de calcium sont, outre celles indiquées plus haut, la cendre de bois, les coquillages et les coquilles d'oeuf broyés (qui enrichissent le sol de ce sel sans modifier son pH) et les composts à base de feuilles de bouleau, de bouillon-blanc (molène), de chicorée, de peuplier, de plantain, de prêle, d'ortie et de sarrazin (on sait probablement déjà que cette dernière plante, cultivée, puis enfouie dans le sol, enrichit celui-ci tout en le débarassant des mauvaises herbes dont elle inhibe la germination).

Le Magnésium (Mg): c'est le principal constituant de la molécule de la chlorophylle; son **manque** provoque la chlorose des feuilles. **Principales sources** de magnésium: une trop grande alcalinité du sol empêche l'assimilation du magnésium par les plantes; il faut donc acidifier légèrement celui-ci au besoin avec du soufre en poudre ou une solution d'une cuiller à soupe de sels d'Epsom diluée dans 4 tasses d'eau.

Le Fer (Fe): essentiel à la synthèse chlorophyllienne, il accroît et renforcit la circulation chez les plantes; son **manque,** qui se produit dans un sol trop alcalin, se manifeste par un enroulement anormal puis le jaunissement des feuilles mais non de leurs nervures; les **principales sources** de fer sont: le fer vendu chez les grainetiers ou les fleuristes et les composts à base de feuilles d'achillée (millefeuille ou encore herbe à dindes), de bardane, de chicorée, d'ortie, d'oseille, de pissenlit et de plantain.

Si la fertilisation s'impose pour la plupart des plantes d'intérieur, il faut cependant pratiquer celle-ci avec modération. En fin de compte, les plantes n'absorbent qu'une infime partie des engrais qu'on leur donne et une suralimentation en sels minéraux peut leur être néfaste; il faut se méfier des notices d'emploi des engrais liquides commerciaux et ne pas abuser de ces produits qui, tandis qu'ils font merveille sur certaines plantes peuvent en empêcher d'autres de fleurir ou même les tuer, en y provoquant des brûlures graves, en peu de temps.

Les plantes héliophiles (aimant le soleil) seront fertilisées à toutes les deux ou trois semaines tandis que les plantes de lumière moyenne ou d'ombre le seront à toutes les quatre à six semaines. En hiver, ces délais seront doublés. Les plantes ne seront fertilisées qu'après avoir été profondément arrosées. Des arrosages réguliers et un bon drainage du sol assureront l'écoulement des surplus de sels minéraux.

LE SOL: RESPIRER

d) **le drainage du sol**: si le sol doit être bien équilibré dans sa composition minérale, il convient aussi qu'il soit bien drainé, c'est-à-dire égoutté à fond entre chaque arrosage. Si certaines plantes exigent une humidité constante, la plupart demandent en effet que leur sol soit asséché avant d'être de nouveau arrosé. Une plante au pot sursaturé d'eau, soit parce que son sol est trop compact, soit parce qu'il est mal drainé, a tendance à voir ses racines pourrir. La façon la plus pratique d'assurer un bon drainage du sol consiste à parsemer le fond des pots avec du gravier, des débris de pots cassés, des cailloux ou encore du charbon de bois activé avant d'y installer la plante et son sol auquel on aura mêlé suffisamment de sable ou de mousse de tourbe pour en assurer la perméabilité. De même on verra à ne pas laisser les pots tremper dans l'eau (sauf pour de rares plantes comme par exemple le *Cyperus,* communément appelé *Papyrus* qui exige un tel traitement).

e) **les arrosages**: ce sont les arrosages qui assurent une bonne oxygénation des racines d'une plante et, principe général, les plantes souffrent beaucoup moins d'un manque que d'un excès d'eau. En effet, des arrosages exagérés provoqueront, à plus ou moins long terme, le pourrissement des racines, une flaccidité générale des plantes, le noircissement des tiges et des feuilles puis l'invasion de maladies cryptogamiques (c'est-à-dire provoquées par des champignons microscopiques).

La première chose à faire pour connaître les besoins d'eau de telle ou telle plante (outre de l'observer), c'est d'abord d'en connaître le lieu d'origine, donc le milieu naturel.

Les plantes originaires des lieux secs (déserts, sols pierreux) retiennent généralement beaucoup d'eau dans leurs feuilles (plantes grasses, cactus) et ont donc moins besoin d'arrosages que les plantes originaires des lieux humides (jungles, tourbières) (plantes carnivores, orchidées, violettes africaines) ou des plantes à feuillage abondant (bégonias, fougères) ou à bulbes, qui retiennent beaucoup d'eau (fleurs à bulbes).

Les plantes qui aiment la sécheresse ne seront arrosées qu'une fois le sol complètement asséché (et, en hiver, comme dans le cas des cactus, seulement au besoin, c'est-à-dire environ tous les 2-3 mois). Les plantes qui aiment l'humidité seront arrosées avant que leur sol n'ait eu le temps de s'assécher complètement.

Le premier grand principe dans l'arrosage proprement dit est d'arroser les plantes régulièrement, préférablement à heures fixes et soit tôt le matin, soit après le coucher du soleil.

Le second principe est de toujours arroser les plantes avec de l'eau qui est à la température de la pièce où elles sont gardées.

Le troisième, consiste à toujours arroser les plantes à fond de sorte que tout leur système radiculaire soit imprégné d'eau.

Le quatrième enfin, il faut arroser les plantes doucement de façon à ce que la surface du sol ne devienne pas compacte sous l'effet d'un arrosage trop massif. À cet effet, un arrosoir à long bec fin s'avère précieux. Ce même arrosoir évite que l'on mouille le feuillage de certaines plantes qu'un tel traitement peut faire brunir et pourrir (plantes grasses, violettes africaines, géranium-fraisier). D'autres plantes aiment voir leur feuillage bassiné (vaporisé) d'eau ; ces vaporisations assurent la propreté des feuilles et une meilleure respiration de leurs stomates.

À noter que les plantes qui sont en pleine croissance ou qui commencent à fleurir exigent plus d'eau que celles dont la floraison est achevée et/ou celles qui, après une période de croissance intense ont besoin de se reposer (en automne puis, en hiver, jusqu'à ce que les jours commencent à se rallonger sensiblement). À noter encore que le sol s'assèche plus rapidement dans les pots de terre cuite que dans les pots de plastique et qu'un grand pot retient l'eau plus longtemps qu'un petit.

Une pratique qui viendra contribuer grandement à la santé de la plupart des plantes (sauf les plantes «sèches» ou celles dont le sol ne doit jamais être arrosé, comme par exemple les broméliacées qu'on arrose dans leurs rosettes de feuilles) consiste à leur donner un bain une fois par mois. On remplit la baignoire ou l'évier et on y installe les pots jusqu'à ce que tout leur sol soit détrempé d'eau (de petites bulles apparaîtront à la surface du sol); on laisse ensuite se vider la baignoire ou l'évier et bien s'égoutter les pots avant de les remettre en place.

f) **l'accumulation des sels minéraux**: une autre cause fréquente de dépérissement des plantes est l'accumulation des sels minéraux dans le sol qui se manifeste surtout par la formation d'une croûte dure blanchâtre (mais non jaunâtre ou verdâtre qui révèle plutôt une invasion cryptogamique) en surface du sol. Cette accumulation se produit quand le sol respire mal ou est épuisé, quand on fertilise trop les plantes ou encore quand on les arrose insuffisamment. L'emploi dans les arrosages de l'eau du robinet parfois riche en sels minéraux indésirables (chlore, fluor, etc.) en est souvent la cause lui aussi. À la longue, si on ne corrige pas la situation, les racines de la plante étouffent et peu à peu toute la plante en pâtit. La solution consiste, soit à acidifier légèrement le sol, soit à littéralement l'inonder à plusieurs reprises pour laver le sol de son excès de sels minéraux, soit encore à rempoter la plante dans un sol neuf.

g) **le rempotage et la taille des plantes**: le rempotage est l'opération qui consiste, soit à mettre en pots (dans le cas de semis ou de plantes de jardin qu'on veut garder à l'intérieur pour l'hiver), soit à changer de pot une plante. Ce changement doit être opéré dans plusieurs cas: usure ou compacité trop grande du sol, mauvais drainage, accumulation des sels minéraux, invasion de parasites du sol, pH incorrect, malnutrition et enfin, nécessité pour une plante d'avoir un espace plus grand à mesure qu'elle croît. Dans presque tous les cas, les symptômes de mauvaise santé de la plante sont l'étouffement et/ou le pourrissement des racines, le jaunissement puis la chute des feuilles, un étiolement et un dépérissement progressif de la plante.

Étapes du rempotage: pour les plantes obtenues par semis, voir chapitre 4, p. 85. Pour les plantes qui doivent, à un moment de leur croissance, être changées de pot, procéder comme suit:

1. Regarder sous le pot pour voir si les racines ne poussent pas à travers les trous de drainage; si tel est le cas, rempoter la plante dans un pot un peu plus gros, mais pas trop grand. Habituées à croître dans un espace restreint et mises dans un espace trop grand, les racines deviendront paresseuses et la croissance comme la floraison de certaines plantes en seront compromises.

2. Si les racines ne poussent pas à travers les trous de drainage, vérifier si le sol n'est pas infesté de parasites. Puis mesurer le pH du sol. Il se peut que la plante ne soit que mal nourrie ou dans un sol qui ne lui convient pas.

3. Dépoter la plante avec tout son sol après l'avoir arrosé à fond et préférablement la veille de l'opération. Secouer délicatement la terre qui enserre le réseau de racines et vérifier leur état. Si elles sont endommagées, en enlever délicatement, à l'aide d'une lame tranchante et stérilisée, les parties mortes ou blessées et sans jamais donner aux racines le temps de sécher (ce qui peut les tuer en peu de temps), tailler la plante proportionnellement à son réseau de racines. Cette taille renforcira la plante et l'on pourra se servir des parties taillées pour en faire des boutures.

4. Après avoir renouvelé le mélange de sol, en gardant un peu du sol originel (sauf, bien sûr, s'il était parasité), remettre la plante dans son nouveau pot en prenant soin de laisser les racines dans leur position originale et en tassant bien la terre sur elles (dans le cas des racines de plantes délicates, l'emploi d'hormones d'enracinement sera indiqué). De même, garder le col de la tige de la plante à la même hauteur que celle où il était auparavant.

5. Détremper à fond le pot et dans le cas des plantes aimant l'humidité (plantes hygrophiles) et dont le feuillage peut être mouillé, enfermer la plante dans un sac de plastique perforé de trous (pour assurer la respiration des feuilles) pendant quelques jours et ce, à l'ombre, en voyant à ce que le plastique ne touche pas aux feuilles. Au bout du temps requis, réinstaller la plante dans son habitat originel; dans le cas des plantes aimant le soleil, ne les y remettre que progressivement, pour leur donner le temps de s'adapter. Les arroser modérément et éviter toute fertilisation pendant quelques semaines.

B. LE MILIEU AMBIANT :
VIVRE ET MOURIR

Si les facteurs de santé des plantes étudiées jusqu'ici concernaient le milieu dans lequel elles vivent directement, les prochains, concernant le milieu ambiant, n'en sont pas moins importants. Ce n'est qu'en les connaissant bien qu'on saura quelles plantes conviennent le mieux au lieu où l'on habite, que ce soit dans une maison ou un appartement, à la ville ou à la campagne.

Ces grands facteurs sont au nombre de quatre, soit: la **lumière**, l'**humidité**, la **température** et la **qualité de l'air**. Il va sans dire que tous ces facteurs, de même que ceux de l'eau et du sol sont tous inter-reliés. On en a vu des exemples plus haut; on en verra d'autres ici.

a) **la lumière et l'ombre**: le manque de soleil ou de lumière intense est souvent une cause majeure d'échec de la culture de beaucoup de plantes; ce sont en effet les rayons solaires, qu'ils soient directs ou indirects, qui permettent aux plantes de réaliser la synthèse chlorophyllienne. Une plante qui manquera de lumière aura une croissance lente, ses feuilles jauniront puis tomberont et elle ne donnera ni fleurs, ni fruits; les plantes à feuillage bigarré deviendront entièrement vertes.

Si l'on a des fenêtres des quatre côtés de sa maison, pas de problème: on pourra cultiver à peu près n'importe quelle plante. Par contre, si l'on a une seule fenêtre, orientée vers le nord de surcroît, on ne pourra cultiver que des plantes d'ombre ou des plantes qui se satisfont d'un éclairage artificiel. Enfin, on pourra cultiver dans les fenêtres orientées vers l'est ou vers l'ouest des plantes se contentant de la lumière solaire indirecte ou directe de l'avant-midi ou de l'après-midi. La plupart des plantes d'intérieur (plantes ornementales ou fines herbes) appartiennent à cette catégorie.

Plantes de plein soleil (pour les trois catégories de plantes, voir chapitre 5): comme on l'a vu plus haut, les plantes héliophiles exigent d'être arrosées et engraissées plus souvent que les autres. Ce qu'il faut encore savoir sur elles, c'est qu'il est parfois nécessaire de pallier au manque de lumière par un éclairage artificiel, particulièrement en hiver. Les plantes grasses et la plupart des plantes cultivées d'abord pour leurs fleurs exigent cette lumière et cette chaleur, quoique certaines apprécient une fraîcheur nocturne.

Plantes de lumière moyenne: la plupart des plantes appartiennent à ce groupe; ce sont pour la plupart des plantes qui ne fleurissent pas ou à floraison peu intéressante et qui sont avant tout cultivées pour leurs feuillages. Elles se contentent le plus souvent de lumière solaire indirecte.

Plantes d'ombre: quoique leur nombre soit relativement peu élevé, ce sont les plantes qui se contentent d'une lumière faible ou d'un éclairage artificiel. Ce sont en général des plantes «froides», à cycle lent et résistantes.

À noter que beaucoup de plantes poussant vers le soleil (phénomène connu sous le nom d'héliotropisme), il faut fréquemment en tourner les pots pour éviter qu'elles ne croissent que d'un côté.

b) **l'humidité et la sécheresse**: si l'humidité ou la sécheresse requise par chaque plante dépendent en grande partie du drainage du sol et des arrosages, deux autres facteurs importants contribuent à leur contrôle, soit, la qualité de l'air (voir un peu plus loin) et les conditions du milieu où vit une plante.

L'excès d'humidité est rarement un problème; c'est son manque surtout qui est dommageable à nombre de plantes. Ce manque se manifeste principalement par le brunissement du bout des feuilles, la chute des bourgeons et le flétrissement général de la plante qui en souffre (ces symptômes ne doivent pas être confondus avec ceux provoqués par un excès d'arrosage).

Plusieurs facteurs contribuent au manque d'humidité. Le principal est que les maisons sont, surtout en ville, surchauffées, ce qui entraîne, par dessèchement, une raréfaction des ions négatifs de l'air qui est nocive autant pour les plantes que pour les humains chez qui elle peut, à la longue, provoquer des troubles nerveux graves (le sentiment de bien-être profond éprouvé quand vers la fin d'un orage, la pluie se met à tomber, tient à ce que l'air est alors chargé d'ions négatifs). La solution à ce problème du dessèchement de l'air consiste, si l'on a seulement quelques plantes, à placer celles-ci dans un bassin rempli de gravier ou de cailloux et d'eau, en évitant toutefois que le fond des pots n'y baigne. Si l'on a beaucoup de plantes, l'achat d'un humidificateur s'imposera de même que celui d'un hygromètre, instrument servant à mesurer le degré d'humidité de l'air. À défaut d'un humidificateur, on pourra regrouper ses plantes dans une seule pièce, surtout pendant l'hiver. On placera sur les calorifères, si l'on en a, des bassins remplis d'eau. Règle générale, on abaissera la température de la maison ou de la pièce. Des bassinages (vaporisations) quotidiens contribueront de plus à maintenir le degré d'humidité requis par les plantes de même qu'ils empêcheront l'infestation des plantes par certains parasites (araignées rouges en particulier). Les plantes qui se contentent d'un éclairage moyen pourront être gardées dans la salle de bain, endroit humide par excellence d'une maison.

Si c'est d'un excès d'humidité que souffrent les plantes, il suffit souvent de réduire les arrosages et d'assurer, tout en évitant les courants d'air, une bonne ventilation du lieu où on les garde.

c) **la température**: comme celui du manque de lumière ou d'humidité, le problème de la température se pose surtout en hiver. La plupart des plantes d'intérieur s'accomodent d'une température variant idéalement de 68 F à 72 F (20 C à 22 C); cette température pourra être abaissée jusqu'à 40 F ou 5 C pendant la nuit. Une température inférieure à 40 F (5 C) est dangereuse pour la plupart des plantes de même qu'une excédant 100 F (38 C), surtout si la plante est exposée en plein soleil.

Certaines plantes exigent une fraîcheur nocturne pour fleurir, en particulier les plantes de jour court, c'est-à-dire ceux où le soleil n'est présent dans le ciel qu'une dizaine d'heures par jour (ces plantes devront encore, pour fleurir, en particulier le cactus de Noël, les chrysanthèmes, les kalanchoés, les oeillets et les poinsetties, être gardées dans l'ombre totale le reste du temps).

Une autre chose importante à contrôler est l'endroit où l'on place ses plantes. Sont à éviter les rebords des fenêtres (surtout si les pots touchent aux vitres) qui, si elles sont mal calfeutrées, laissent entrer de l'air froid qui peut être mortel pour de nombreuses plantes; de même, on ne placera jamais ses plantes près d'une source de chaleur (radiateur, fournaise, foyer, calorifère) ou d'un climatiseur d'air ou d'un ventilateur. On se rappellera que le plancher est toujours l'endroit le plus froid d'une pièce et que beaucoup de plantes peuvent y trouver la fraîcheur qui leur est nécessaire (à condition, bien sûr, de ne pas avoir de chat).

d) **l'air (la qualité de)**: c'est le dernier grand facteur de bonne ou mauvaise santé des plantes. L'air joue un rôle capital dans la photosynthèse et l'on se méfiera particulièrement des sources de pollution intérieure (contre l'extérieure, on ne peut pas grand chose) que sont la fumée de foyer ou de cigarettes, les émanations nocives de gaz et de produits chimiques ménagers et enfin la poussière et la graisse de cuisson (aucune plante ne sera gardée dans la cuisine). Une bonne aération des pièces où sont gardées les plantes suffira le plus souvent à assurer la propreté de l'air de même qu'un nettoyage fréquent des feuilles des plantes à l'aide d'un chiffon doux et d'une solution d'eau dans laquelle on aura fait fondre un peu de savon (mais non de détergent qui est dommageable). Les plantes à feuillage qui ne tolèrent pas l'eau seront nettoyées avec un pinceau fin ou des cure-oreilles. Ainsi traitées, les plantes respireront mieux et contribueront même par leur dégagement nocturne d'oxygène à assurer une meilleure qualité de l'air.

À noter qu'il faut éviter de laisser un plat de pommes près de ses plantes; celles-ci, en mûrissant, dégagent un gaz, l'éthylène, qui peut provoquer le jaunissement ou la décoloration de leurs feuillages. On pourra cependant se servir de pommes qui, mises avec certaines plantes (broméliacées en particulier) sous un sac de plastique, accéléreront, par dégagement du même gaz, leur floraison.

e) **les avaries physiques et la mort naturelle**: il faudra voir enfin, pour assurer une longue vie aux plantes, à les mettre à l'abri des accidents et des avaries dus aux déplacements des gens dans une maison, aux chats qui en mangent les feuilles ou déposent leurs excréments dans les pots, aux bâtons piqués dans les pots qui souvent endommagent les racines, etc. Une plante blessée sera débarassée de toutes ses parties endommagées. On se méfiera de l'abus d'insecticides et de fongicides. Il sera souvent préférable d'éliminer une plante trop gravement blessée ou trop vieille.

Certaines plantes, celles obtenues par forçage (fleurs à bulbes) seront éliminées après leur floraison de même que les annuelles.

Enfin, si, après avoir bien contrôlé tous les facteurs plus haut décrits, on se rend compte qu'une plante dépérit inexorablement, on se dira qu'elle est peut-être atteinte de nécrose et qu'est venu pour elle le temps de mourir.

f) **notes sur la culture intérieure des fines herbes**: se cultivent bien à l'intérieur les fines herbes suivantes: le basilic, le cerfeuil, la ciboulette, l'estragon, la marjolaine, le persil, le romarin, la sauge et le thym. Toutes ces fines herbes ont besoin de beaucoup de lumière, d'humidité, d'air et d'un sol riche. Il sera préférable de les semer à l'intérieur et de les y garder, comme les autres plantes d'intérieur, même en été. Aucun insecticide ou engrais chimiques ne seront, bien sûr, employés dans leur culture et on les gardera dans un lieu frais, préférablement à l'écart des plantes ornementales.

CHAPITRE TROISIÈME

LES MALADIES DES PLANTES ET LES INSECTES ET ANIMAUX ENNEMIS DES PLANTES D'INTÉRIEUR

A. MALADIES

Comme on l'a vu dans le chapitre précédent, les facteurs de santé inhérents aux plantes sont nombreux et l'on doit toujours les passer en revue avant de conclure que celles-ci sont attaquées par des maladies ou des insectes, quoique ces derniers manifestent généralement leur présence assez tôt. Secouera-t-on une plante et verra-t-on s'élever au-dessus d'elle comme un nuage de fine neige blanche, on saura à coup sûr qu'elle est infestée de mouches blanches; de même, si la plante est victime d'une attaque d'araignées rouges, on trouvera sous ses feuilles, autour des nervures surtout, une manière de fin réseau de fils blanchâtres. Il sera aussi parfois nécessaire de prélever un peu du sol où vit une plante et de le regarder à la loupe avant de pouvoir y déceler la présence de parasites des racines.

Pour les maladies, les choses se compliquent un peu puisque les mêmes symptômes peuvent être attribuables à des causes diverses. On verra donc à déterminer s'il s'agit de maladies non-contagieuses provoquées par des causes d'ordre mécanique, physiologique ou climatique ou de maladies contagieuses, parfois très graves, provoquées par des cryptogames (champignons microscopiques), des virus ou des insectes ou animaux parfois microscopiques.

Dans le cas des maladies contagieuses, il sera souvent nécessaire, surtout pour les plantes d'extérieur, d'éliminer les plantes atteintes même si chaque plante a ses ennemis particuliers et même si ces ennemis ont chacun leurs préférences.

Dans le cas des maladies non-contagieuses, on verra à régler le problème de la plante le plus rapidement possible, une plante blessée étant, malgré son pouvoir de cicatrisation, un terrain d'attaque idéal pour les divers micro-organismes ou insectes qui cherchent à en tirer leur subsistance.

1. Maladies non-contagieuses et dues à des causes d'ordre mécanique, physiologique et climatique

A) **CAUSES PRINCIPALES**: plusieurs de ces causes ont été traitées dans le chapitre précédent. Ce sont, pour mémoire:

a) **l'excès ou le manque d'un élément nutritif**
b) **l'excès ou le manque d'arrosage**
c) **l'accumulation des sels minéraux**
d) **la dimension des pots**
e) **l'excès ou le manque de lumière**
f) **l'excès ou le manque d'humidité**

g) **les blessures physiques**: celles-ci peuvent être occasionnées par des machines aratoires, des instruments de jardinage (il faut bien connaître la forme des racines d'une plante avant de la biner), des animaux (chats, chiens, rongeurs qui mangent l'écorce des arbres en hiver, vers de terre qui dérangent les jeunes plants, oiseaux qui arrachent les plantes, etc.).

h) **les effets chimiques nocifs causés par les vaporisations ou les saupoudrages d'herbicides, fongicides et insecticides**: l'abus et parfois même le seul emploi de produits chimiques sont souvent une cause de dépérissement des plantes; il ne faut employer ces produits qu'au besoin, en leur préférant toujours des produits organiques biodégradables.

i) **les difformations produites par**: la foudre, les fuites de gaz lumineux émanant du sol (feux-follets), les lignes de haute-tension, la grêle, etc.

j) **l'absence ou la présence d'une plante-compagne favorable ou néfaste** (voir page 207 du *Jardin Naturel*).

k) **l'emploi de semences infectées**: l'emploi de mauvaises semences est souvent une cause de maladies de plantes.

l) **une mauvaise rotation des cultures**: celle-ci est souvent la cause de nombreuses maladies; il faut savoir qu'on ne doit jamais planter de la menthe ou des épinards, plantes particulièrement sensibles à la rouille, deux années de suite au même endroit; de même, à une culture épuisant le sol (artichaut, céleri, poireau...), il faut faire succéder une culture le régénérant ou même, laisser ce sol se reposer pendant un an (principe de la jachère).

m) **la pollution de l'air, du sol et de l'eau.**

B) PRINCIPALES MALADIES ET ACCIDENTS PHYSIOLOGIQUES ATTRIBUABLES À CES CAUSES:

Absence de fleurs: manque ou excès d'engrais, manque de lumière, irrespect des exigences particulières de chaque plante (fraîcheur nocturne pour les plantes de jour court, grandeur des pots...). **Autres causes possibles (ACP)** (pour toutes les autres causes possibles, voir plus loin dans ce chapitre): parasites des bulbes ou des racines, thrips.

Brûlures: ce sont, soit les racines, soit les plantes entières qui sont attaquées; elles sont provoquées par l'abus d'engrais ou de produits chimiques.

Brunissement des extrémités ou des bords des feuilles: accumulation de sels minéraux dans le sol, excès d'arrosages, manque de lumière, manque d'humidité, température inadéquate, pollution de l'air. **ACP**: anthracnose.

Brunissement des feuilles entières: les feuilles de la plante brunissent, soit par épuisement des tissus cellulaires trop vieux, soit par déshydratation, soit par carence d'éléments minéraux; il faut éliminer les feuilles ainsi attaquées en voyant à corriger la situation de la plante. **ACP**: anthracnose.

Chlorose: les feuilles de la plante se décolorent ou jaunissent puis meurent; la maladie est due à une carence d'azote, de fer, de magnésium ou de potasse, une humidité excessive, un manque d'espace ou un mauvais drainage entraînant l'asphyxie des racines, un manque d'arrosage, un manque ou un excès de lumière et la pollution de l'air. **ACP**: bactériose, jaunisse, mites.

Chute des bourgeons ou des boutons floraux: manque de calcium, d'arrosages, d'humidité ou de lumière. **ACP**: mites, mouches blanches, parasite des bulbes, thrips, bactériose.

Chute des feuilles : manque d'engrais, compacité trop grande du sol, manque d'arrosages, manque de lumière, température trop élevée, pollution de l'air.

Décoloration des fleurs : manque de lumière. **ACP :** parasites du sol, thrips.

Dépérissement progressif : toutes les causes possibles.

Dessèchement : provoqué par un soleil trop ardent ou un éclairage artificiel excessif, il s'attaque aux jeunes plants qu'il peut tuer en quelques heures.

Enroulement des feuilles : excès d'arrosages, température trop basse, courants d'air. **ACP :** rouleuses de la feuille, thrips.

Flaccidité et faiblesse des tiges : manque de sels minéraux et d'arrosages.

Flétrissure : provoquée par un manque d'eau ou d'humidité ou d'un excès de soleil, la maladie fait perdre sa forme et ses couleurs à la plante ; le meilleur exemple de flétrissure est celui de l'abutilon (érable à fleurs) dont les feuilles deviennent flasques dès qu'il manque d'eau ; celles-ci reprennent leur forme rapidement après que la plante a été arrosée.

Intensification de la coloration du feuillage : manque de phosphore, froid.

Jaunissement des feuilles (voir Chlorose)

Jaunissement des nervures seules des feuilles : sol trop alcalin ou fertilisation inadéquate (manque de magnésium ou de fer surtout).

Maladies des semis : la pauvreté et un mauvais drainage du sol, un excès d'arrosages et un manque de lumière encouragent l'apparition des cryptogames qui peuvent tuer les jeunes plants en peu de temps.

Malformation des feuilles nouvelles : manque de calcium ou d'autres sels minéraux dans le sol.

Nécrose : c'est la maladie des plantes qui, par usure des tissus cellulaires, meurent de leur mort naturelle.

Noircissement : qu'il s'attaque aux tiges ou aux plantes entières, il est dû, soit à des fuites de gaz (les plants de tomate noircissent en quelques heures), soit à des cryptogames.

Pourrissement des feuilles et/ou des racines : pour les feuilles ou les racines : mauvais drainage du sol, excès d'arrosages donc d'humidité, température trop élevée ou trop basse ; pour les racines seulement : manque d'espace (pots trop petits) et ACP : bactéries, parasites du sol et pourritures provoquées par des cryptogames.

Rabougrissement et épaississement des feuilles nouvelles : accumulation de sels minéraux.

Ralentissement de la croissance : toutes les causes possibles.

Taches brunes et flasques sur les feuilles : excès d'arrosages et d'humidité, bassinage de feuilles qui ne tolèrent pas un tel traitement. **ACP :** brûlure bactérienne.

Tachetures sur les feuilles : manque d'arrosage, suralimentation du sol, excès de soleil et pollution de l'air. **ACP :** kermès, mites, rouille.

2. Maladies contagieuses causées par...

a) **les cryptogames** (champignons microscopiques) : de nombreuses maladies sont causées par ceux-ci. Parmi les causes principales de leur propagation, mentionnons : l'emploi de semences infectées, le mauvais état et le mauvais drainage du sol, la manipulation des plantes pendant les temps humides (concombre, haricots, pois...), des arrosages ou des pluies excessifs, les vents ascendants qui propagent les spores des champignons, les foyers d'infection tels que : eaux stagnantes, composts mal entretenus, déchets, excréments, les plantes voisines néfastes (certains champignons font souvent un stage sur une plante sauvage avant de s'attaquer à une plante cultivée) et enfin les insectes et les animaux qui les transmettent (insectes suçeurs surtout).

Principales maladies

Alternariose : la maladie s'attaque à la pomme de terre et à la tomate en provoquant des taches noires sur les feuilles et le pourrissement des fruits ou des tubercules.

Anthracnose (ou **Charbon**, ou **Rouille noire**) : les feuilles des plantes se couvrent de taches brunes ou noires et s'affaissent ; la maladie se propage par un excès d'humidité ou la manipulation des plantes mouillées (après une chute de rosée, une pluie, un arrosage).

Black-rot : cette maladie s'attaque surtout à la vigne : les feuilles se couvrent de boursouflures décolorées devenant des taches de couleur brique bordées de brun ; les fruits se couvrent de taches rose violacé et ne parviennent pas à maturité.

Chancres (Cancers) : ils s'attaquent surtout aux arbres où ils provoquent des lésions pouvant se répandre et détruire la plante entière; on les traite en éliminant les parties atteintes et en enduisant les cicatrices d'un enduit protecteur permettant la cicatrisation. **ACP**: bactériose.

Charbon: nom donné à diverses maladies dont l'anthracnose, la carie et la rouille. Le nom «charbon» vient du fait que les cryptogames responsables de cette affection sont noirs ou ont une sporée noire dont ils couvrent les parties des plantes atteintes. Il ne faut pas confondre cette maladie avec la glu sucrée noire sécrétée par certains pucerons.

Coulée des fleurs de pruniers (ou **Cloque**) (voir page 210).

Ergots: genre de champignons visibles à l'oeil nu et parasitant surtout les céréales. Le plus célèbre des ergots est le *Claviceps purpurea,* parasite du seigle, dont est extrait le LSD 25. Les céréales contenant de l'ergot sont souvent très intoxicantes et provoquèrent, dans les derniers siècles, une maladie connue sous le nom du «mal des ardents».

Fonte: cette maladie qui s'attaque aux très jeunes plants les fait littéralement fondre sur place (voir Maladies de semis).

Fumagine: appelée encore «noir» ou «suie» ou «charbon», cette maladie se caractérise par l'apparition d'un enduit grisâtre ou noir velouté sur les plantes et qui constitue le mycélium du champignon; les insectes suçeurs (pucerons, cigales, cochenilles) sont en grande partie responsables de sa propagation.

Gale: maladie causée par des bactéries ou des cryptogames et qui se manifeste par l'apparition sur les plantes atteintes de petits points ou de pustules; la pomme de terre, la tomate et le céleri sont particulièrement sujets à cette maladie qu'il ne faut pas confondre, à cause de son nom, avec les galles (voir plus loin).

Hernie: maladie qui s'attaque surtout aux crucifères (chou, navet...) où elle provoque une hypertrophie des racines menant toujours à la mort de la plante attaquée; sa cause principale est un sol trop acide ou inondé.

Mildiou: le mycélium du cryptogame responsable de cette maladie s'attaque surtout à la pomme de terre, à la betterave, à l'oignon, aux cucurbitacées (concombre, melon...), aux fèves de Lima et aux arbres fruitiers; il couvre les feuilles des plantes atteintes comme d'un feutre blanc ou grisâtre; à la longue, les pores des feuilles s'obstruent et elles se ratatinent puis meurent.

Pied-noir: comme la fonte, ce cryptogame s'attaque surtout aux jeunes plants: la base des plants s'étrangle en noircissant et les feuilles s'enroulent sur elles-mêmes. Il n'est pas d'autre recours contre cette maladie que de détruire tous les plants atteints et de désinfecter à fond ou de changer le sol.

Pourritures (diverses): les pourritures produites par les cryptogames sont nombreuses et elles s'attaquent autant aux fruits et aux racines qu'à diverses parties de la plante; une humidité excessive en est la cause générale de même qu'un mauvais entretien du sol ou des plantes. La **pourriture d'entrepôt** s'attaque, comme son nom l'indique, aux fruits, légumes ou racines entreposés pour l'hiver, principalement la pomme de terre, la pomme (ces deux dernières ne doivent jamais être entreposées ensemble), les oignons et de nombreux bulbes de fleurs. Les plantes d'intérieur sont aussi très sujettes à diverses pourritures. Parmi les plus communes, mentionnons: la **pourriture grise,** qui s'attaque au col et à la tige de la plante et les rend flasques; la **pourriture de la racine,** elle, s'attaque aux racines qui noircissent et meurent, entraînant la mort de la plante.

Rhizoctomie: le champignon s'attaque aux racines de certaines plantes couvrant celles-ci de petits nodules (sclérotes) qui les parasitent et les épuisent; l'asperge, la pomme de terre, le trèfle de même que de nombreux arbres sont souvent victimes de ces champignons.

Rouille: provoquée par un grand nombre de cryptogames tous plus ou moins spécialisés, la maladie s'attaque à beaucoup de plantes (asperges, haricots, arbustes fruitiers, arbres, plantes d'intérieur); elle se manifeste sous forme de taches de couleur rouille ou rouge; une mauvaise rotation des cultures et une humidité excessive en sont les causes principales.

Soins préventifs généraux et thérapie

Comme on a pu s'en rendre compte, les cryptogames ne s'attaquent le plus souvent qu'aux plantes dont les conditions de vie sont déjà perturbées (par un excès d'arrosages et d'humidité en particulier); cependant, même en ayant soin de respecter les exigences de chaque plante, on pourra prendre la précaution suivante: de temps à autre, on arrosera le sol avec de l'infusion de prêle qui est un des meilleurs fongicides naturels connus.

Si une plante est déjà attaquée, on en éliminera les parties atteintes et, au besoin seulement, on se servira de fongicides chimiques;

pour les plantes d'extérieur, on éliminera, en les faisant brûler, les plantes atteintes ; pour les arbustes et les arbres fruitiers, on gardera le sol propre, en prenant soin de détruire tous les foyers d'infection possibles (voir plus haut). Ici encore, on n'emploiera de fongicides qu'en cas d'extrême besoin et toujours tôt le printemps (ou en automne, après les récoltes) avant ou après la formation des fleurs et des fruits (il s'agit de ne pas empoisonner les insectes pollinisateurs précieux d'une part, de ne pas s'empoisonner soi-même de l'autre). Les plantes atteintes seront sévèrement taillées, qu'il s'agisse de leurs racines ou de leurs tiges. La diversification et le mélange des cultures (pour celles, bien sûr, qui s'accomodent ensemble) contribuera de même à la résistance générale des plantes aux maladies.

b) **les bactéries** : bien qu'il soit souvent difficile de déterminer si une maladie est causée par un cryptogame, une bactérie ou un virus, on peut en identifier quelques-unes avec facilité ; à noter que les bactéries qui jouent souvent un rôle capital dans la décomposition des matières mortes sont aujourd'hui de plus en plus employées dans le contrôle des insectes dévastateurs des cultures ou des forêts.

Principales maladies

Bactériose : c'est le nom général donné aux maladies causées par les bactéries ; parmi celles-ci, mentionnons : le flétrissement des plantes par obstruction des feuilles, diverses pourritures et les cancers (chancres) végétaux qui se manifestent sous forme de plaies vives, de gales ou de noircissement des pousses et des bourgeons et boutons floraux ; les bactéries se multipliant rapidement, il est souvent préférable d'éliminer les plantes atteintes et de les brûler.

Brûlure bactérienne : les feuilles des plantes attaquées se couvrent de grandes taches irrégulières et sèches, brunes et lisérées de jaune. La manipulation des plants mouillés est la principale cause de cette maladie.

Pourriture noire : les principaux légumes attaqués sont l'oignon, la pomme de terre et les crucifères (choux, etc.) ; beaucoup d'arbres fruitiers en sont aussi les victimes ; les fruits pourrissent, soit sur place, soit en entrepôt, en dégageant une odeur nauséabonde.

c) **les virus** : ce sont, de toutes les maladies provoquées par des micro-organismes, celles dont les causes sont les moins connues puisque les virus ne sont visibles qu'au microscope ; ils sont très souvent amenés sur les plantes par les insectes ; trois maladies graves leur sont attribuées.

Principales maladies

Bigarrure: le feuillage des plantes atteintes (oignon, pomme de terre...) se couvre de taches allongées qui, peu à peu, se transforment en lésions; les pucerons sont en grande partie responsables de cette maladie contre laquelle il n'y a aucun recours que de détruire les plants atteints.

Jaunisse: les plants atteints jaunissent peu à peu et se rabougrissent; il faut détruire les plants atteints et désinfecter le sol (avec de la chaux vive ou un autre désinfectant).

Mosaïque: comme son nom l'indique, cette maladie provoque sur les feuilles et les fleurs des plants atteints des taches mosaïquées jaunâtres; les principales plantes victimes de cette maladie principalement due à des insectes transmetteurs et une mauvaise rotation des cultures sont: les cucurbitacées, le haricot, le tabac et la tomate.

d) **des insectes transmetteurs de cryptogames, bactéries et virus:** comme je l'ai mentionné au passage plus haut, certains insectes et animaux sont souvent responsables de la transmission de certaines maladies; trois leur sont directement attribuables.

Acariose: la vigne et la tomate sont les principales plantes attaquées par cette maladie due à la présence d'acariens (araignées rouge et jaune); les symptômes généraux en sont le dépérissement et la chute des feuilles, de même qu'une mauvaise fructification des plantes.

Galles: à ne pas confondre avec la gale (voir plus haut), cette maladie très facilement observable sur les saules poussant au bord de l'eau se manifeste sous forme d'excroissances boursouflées que provoquent certains insectes qui y déposent leurs oeufs; elles sont, en général, peu dommageables.

Maladies d'arbres: plusieurs arbres étant attaqués par les insectes le sont ensuite par d'autres micro-organismes; le meilleur exemple en demeure la maladie de l'orme (voir page 300).

Pour les soins préventifs généraux et la thérapie, procéder comme pour les cryptogames.

B. INSECTES ET ANIMAUX ENNEMIS DES PLANTES D'INTÉRIEUR

J'ai déjà publié, dans mon premier livre sur les plantes, un dossier sur les insectes et les animaux utiles et nuisibles. Ayant mis un accent particulier, dans ce chapitre et le précédent, sur les plantes d'intérieur, et pour ne pas me répéter, je ne donne donc ici que la description des principaux insectes et animalcules s'attaquant aux plantes d'intérieur.

1. Soins préventifs et principaux insecticides organiques (et leurs modes d'application)

Je préconise plus haut l'emploi, dans l'alimentation des plantes d'intérieur, des engrais chimiques. Tel n'est pas le cas pour les insecticides chimiques car, s'ils sont généralement considérés très efficaces, ils sont, en plus de laisser des traces dans l'air, l'eau et le sol, dangereux autant pour les plantes que pour la personne qui les manipule. De même, je décommande l'emploi des aérosols sous pression dont on sait maintenant l'action néfaste qu'ils exercent sur la couche d'ozone de l'atmosphère. On ne trouvera donc ici que la description d'insecticides organiques, à n'employer, eux aussi, car ils sont loin d'être inoffensifs, qu'avec prudence.

Les conditions extérieures qui assurent aux plantes sauvages ou aux plantes de jardin une partie de la protection qui leur est nécessaire (conditions climatiques comme le froid et la chaleur, intervention des auxiliaires utiles comme les coccinelles, les fourmis rousses, les mantes religieuses, les oiseaux, les crapauds, les couleuvres, etc.) ne jouant pas pour les plantes d'intérieur, des précautions élémentaires seront à prendre contre l'invasion des insectes.

1. Les lieux où sont gardées les plantes devront être d'une propreté absolue et ne présenter aucune source d'infestation possible (échoueries qui abritent parfois des oeufs de fourmis, bûches de bois, fruits etc.).

2. Une trop grande humidité ou une sécheresse excessive favorisant souvent l'apparition et le développement de nombreux insectes, on verra à maintenir ces lieux frais et bien aérés. Des vaporisations et des bains complets contribueront ici à la résistance des plantes.

3. On verra ensuite à garder la surface du sol des pots ou des boîtes de plantes (ces dernières, toujours surélevées) libre de toute feuille morte et de tout débris.

4. À l'achat d'une plante, surtout si c'est dans une serre, on l'examinera soigneusement et au moindre signe de maladie ou de présence d'insectes, on l'écartera. Quoique la plupart des insectes ne s'attaquent qu'à quelques types de plantes, d'autres s'en prennent à plusieurs et il serait ridicule de compromettre la santé de toutes ses plantes à cause d'une seule. Afin d'éviter le même accident, on examinera bien les plantes apportées de l'extérieur, que ce soient des plantes qui ont séjourné sur une galerie, un patio, etc., ou qui proviennent du jardin (fines herbes en particulier).

5. Il faut encore savoir qu'il suffit d'avoir touché à une plante parasitée ou malade pour en infecter une autre et que l'emploi de vieux pots de terre, de vieux sols ou de sol de jardin représente, s'ils ne sont pas stérilisés convenablement dans l'eau bouillante ou au four, de nombreux dangers. Mentionnons au passage que si les pots de plastique s'infectent beaucoup moins que les pots de terre cuite, ils ne sont pas poreux et, retenant donc l'eau plus longtemps, ne conviennent qu'aux plantes recherchant l'humidité.

6. Un examen minutieux et fréquent de ses plantes assurera le contrôle des insectes. Car si on ne se rend parfois compte que trop tard de la présence de nématodes dans le sol, la plupart des insectes manifestent la leur assez tôt. Une plante attaquée sera aussitôt isolée, préférablement dans une pièce fermée. Dans les cas d'infestation grave, même si c'est une plante à laquelle on tient beaucoup, on envisagera son élimination.

7. On sera, enfin, dans la manipulation des insecticides, très prudent, surtout dans celle du sulfate de nicotine et du malathion. Parmi les principaux insecticides couramment employés, mentionnons:

1. **L'huile minérale blanche** diluée, à raison d'une cuiller à thé dans quatre tasses d'eau, en vaporisations. À ne jamais employer sur les cactus ou les plantes grasses.

2. Le **pyrèthre** et la **roténone,** deux insecticides d'origine végétale, en infusion puis en vaporisations, ou en saupoudrages.

3. La **chaux** et l'**eau de chaux,** à manipuler avec de grandes précautions et toujours au niveau du sol, jamais sur les feuilles.

4. Le **sulfate de nicotine** généralement associé à de l'eau savonneuse, en vaporisations.

5. Le **malathion,** un produit à base de phosphate, en vaporisations. À ne jamais employer sur les fougères.

Dans tous les cas, il faut suivre scrupuleusement les indications fournies avec ces produits et, si nécessaire, demander conseil au marchand.

Pendant les traitements, on s'isolera avec ses plantes et on assurera, tout en évitant d'inhaler les émanations de ces insecticides, une bonne aération des lieux. Après les traitements, on se lavera soigneusement les mains et on nettoiera bien, dans de l'eau chaude savonneuse, tous les instruments employés. Tous ces produits seront gardés hors de la portée des enfants et à l'écart des autres produits ménagers courants.

Parmi d'autres insecticides organiques non mentionnés ici et qui pourraient aussi servir pour le traitement des plantes : les **algues (Kelp),** les **diatomées en poudre,** la **mélasse noire amère** (1 partie diluée dans 50 parties d'eau), le **poivre de Cayenne** dilué dans une grande quantité d'eau savonneuse.

Un mot enfin sur les **huiles essentielles** dont beaucoup, tout en contribuant, par évaporation, à l'assainissement de l'air, contribuent au contrôle de divers parasites ; ces huiles proviennent des plantes suivantes : cannelle, citron, eucalyptus, genévrier (huile de Cade), girofle, lavande, menthe, origan, romarin, tanaisie, térébenthine et thym. Certaines de ces huiles se vendent à Wide World of Herbs, 11 Sainte-Catherine Est, Montréal et, à défaut de s'en procurer, on peut se servir, surtout si on les cultive ou les récolte dans la nature, des herbes fraîches suivantes, en bouquets accrochés sur les murs : genévrier, lavande (culture difficile au Québec), menthe, origan, romarin, tanaisie (plante sauvage parfois très abondante) et thym. Des citrons piqués de clous de girofle auront les mêmes effets bénéfiques.

Parmi les insectes et animaux présentés ici, les plus dangereux sont : *les acariens (araignées rouge et jaune, et cirons), l'aleurode (ou mouche blanche), les cochenilles, diverses mouches et leurs larves, les nématodes, les pucerons et le thrips.*

2. Principaux insectes ennemis des plantes d'intérieur

Acariens (Araignées rouge et jaune, Ciron) : ce ne sont pas vraiment des insectes mais de minuscules araignées qui épuisent les plantes et en font jaunir puis tomber les feuilles en en suçant la sève. On les reconnaît à ce que le dessous des feuilles qu'elles parasitent sont couvertes, autour des nervures surtout, comme d'une poussière blanche ou grisâtre constituée par leurs toiles. Le pire des acariens est le *tétranyque,* ou araignée rouge, qui s'attaque à un grand nombre de plantes, en particulier le lierre et le rosier. Une sécheresse excessive de l'air en encourage l'apparition et la prolifération. Il suffit souvent d'ailleurs pour s'en débarrasser de bassiner (vaporiser) les feuilles (dessus et dessous) avec de l'eau froide légèrement savonneuse deux ou trois fois par jour pendant quelque temps. Dans les cas d'infestation plus graves, on baignera la plante dans une solution d'eau savonneuse tiède pendant quelques minutes et à plusieurs reprises. L'huile minérale blanche, la roténone et le pyrèthre sont aussi efficaces contre eux. Des sachets des herbes suivantes — ou des branches de thuja (cèdre) — contribueront à les tenir à distance de même que d'autres insectes : absinthe, lavande, mélisse, menthe, romarin et sauge. Un autre acarien très nuisible est le *ciron,* araignée microscopique qui s'attaque aux bulbes en provoquant le pourrissement et le jaunissement et le rabougrissement de leurs feuilles. Les bulbes attaqués doivent être détruits.

Aleurode (Mouche blanche ou de serre): il ne s'agit pas d'une mouche vraie mais d'un puceron sauteur et volant, blanc à l'état adulte, vert pâle et transparent à l'état larvaire. Outre qu'il produit une glu sucrée qui peut attirer les fourmis noires, il suce la sève de nombre de plantes (jeunes plants tendres, fines herbes, solanacées...) en en faisant jaunir le feuillage et en en empêchant la floraison. Comme il se cache dans d'autres plantes lors des vaporisations d'insecticides, il faut isoler les plantes parasitées plusieurs jours avant de les traiter. Celles-ci pourront être immergées pendant deux ou trois minutes dans de l'eau savonneuse. En cas d'infestation plus avancée, on emploiera de la roténone ou du malathion.

Aphidiens (voir Cochenilles et Pucerons)

Araignées rouge et jaune (voir Acariens)

Blatte (ou Cafard, ou Coquerelle): trop connue pour être ici décrite, elle est rarement dangereuse pour les plantes à moins d'avoir complètement envahi une maison. Elle peut alors mastiquer les feuilles des plantes. L'huile de pin suffit généralement à la tenir à distance (elle n'est évidemment pas vaporisée sur les plantes mais badigonnée aux endroits par où on les soupçonne de s'introduire).

Ciron (voir Acariens)

Cloporte: ce n'est pas un insecte mais un crustacé au corps ovale, plat et gris-brunâtre qui vit généralement sous les pierres ou les vieilles planches; c'est la nuit qu'il peut s'attaquer aux plantes (surtout celles gardées à l'extérieur dans des boîtes de bois ou des pots) en en rongeant les racines et les tiges. Pour s'en débarrasser, on les attire sous une vieille planche et, si nécessaire, on emploie du malathion.

Cochenilles: espèces de pucerons appartenant à l'ordre des Aphidiens et non à celui des Coccidés auquel appartient la **cochenille vraie,** insecte duquel on tirait autrefois une teinture rouge écarlate et qui n'existe pas au Québec. Deux espèces surtout s'attaquent aux plantes. Ce sont:

la **Cochenille farineuse**: couverte d'une substance blanche et cireuse, elle forme comme des masses ouateuses le long des nervures des feuilles et des tiges de certaines plantes; comme l'aleurode (mouche blanche) avec lequel il ne faut pas la confondre, elle suce la sève des plantes, en en faisant jaunir puis tomber les feuilles, et attire les fourmis noires par ses sécrétions de nectar. Elle est difficile à éliminer (une femelle peut pondre jusqu'à 600 oeufs à la fois) et, si les vaporisations de sulfate de nicotine n'agissent pas, les plantes infestées devront être éliminées.

le **Kermès** (ou **Cochenille de serre**): plus faciles à éliminer que la cochenille farineuse, les kermès se présentent sur les plantes attaquées comme de petites coques dures fixées aux feuilles et aux tiges qu'ils sucent et peuvent épuiser puis tuer. S'ils sont peu nombreux, on peut les enlever avec une pincette (en ne les confondant pas, sur les fougères, avec les spores de celles-ci); s'ils infestent une plante, l'huile minérale blanche ou le malathion seront efficaces contre eux.

Collemboles (Podures): petit insecte sans ailes blanc et ressemblant à une minuscule écrevisse, il se complaît dans les sols humides où il se nourrit de débris de plantes auxquelles il ne s'attaque pas; une façon simple de s'en débarasser consiste à inonder le pot et, quand les collemboles y flottent, à vider l'eau de surface, en répétant l'opération à plusieurs reprises.

Coquerelle (voir Blatte)

Criquet (Grillon): les criquets ne sont dangereux que s'ils pullulent dans les plantes dont ils mastiquent alors les feuilles; comme ils mènent une vie nocturne, on peut s'en débarrasser comme les cloportes et les forficules. En France, on donne le nom de «criquet» à la sauterelle.

Forficule (Perce-oreilles): insecte brun-rougeâtre assez gros et facilement reconnaissable à ce que son abdomen se termine en forme de pince; il vit dans les lieux humides et ne sort de son repaire que la nuit tombée; il est à la fois utile, parce qu'il chasse les acariens et les pucerons, et nuisible, parce qu'il lui arrive de mâchonner les feuilles des jeunes plants surtout. Sa pinçure est douloureuse.

Fourmis noires: alors que les fourmis rousses, carnassières féroces, sont utiles puisqu'elles dévorent nombre d'insectes, les fourmis noires, elles, sont dangereuses puisque ce sont elles qui viennent souvent installer des colonies de pucerons sur les plantes; elles sont aussi souvent porteuses de maladies cryptogamiques ou bactériennes. On s'en débarasse, d'abord en éliminant les araignées rouges, les aleurodes ou les pucerons qui, tous, les attirent par leurs sécrétions de glu sucrée, ensuite, avec une soucoupe d'eau sucrée qui les attire et où elles se noient. La menthe et la tanaisie, contribuent aussi à leur contrôle (en essence ou en bouquets accrochés aux murs). Si l'attaque est grave, le malathion en vient à bout.

Grillon (voir Criquet)

Hanneton (voir Larves)

Kermès (voir Cochenilles)

Larves: nom général donné à la progéniture de plusieurs insectes dont l'état larvaire constitue l'une des métamorphoses; les plus connues, puisqu'elles sont très nuisibles (quoiqu'elles s'attaquent rarement aux plantes d'intérieur) sont: la **larve du hanneton,** un coléoptère, gros **ver blanc** à tête rousse, et celle de l'**agrotide** (un papillon) ou **ver gris** (voir aussi Aleurode, Cochenilles, Mouches, Pucerons et Rouleuses).

Limaces: bien que l'atmosphère sèche des maisons en empêche l'invasion, il arrive que certaines plantes récemment achetées en soient porteuses; il faut alors les éliminer soigneusement car elles peuvent en peu de temps faire des ravages sur certaines plantes, en particulier celles à feuillage tendre; on peut en venir à bout à l'aide de plusieurs trucs: celui de la soucoupe de bière reste le plus efficace: les limaces viennent y boire et s'y noient. À l'extérieur, le sel, la cendre de bois et la chaux contribuent à leur destruction; il suffit de les saupoudrer de ces produits puis de laver les plantes attaquées avec un jet d'eau fin et assez puissant, ou d'en faire des cercles autour des carrés (choux, laitues surtout) à protéger.

Lithobie à pinces (voir Mille-pattes)

Lombric (voir Ver de terre)

Mille-pattes (Lithobie à pinces): le très petit animal auquel on donne ce nom au Québec est en réalité la **lithobie à pinces,** alors que le vrai mille-pattes est beaucoup plus gros, cylindrique, brun et dur et, par ailleurs, moins commun; la lithobie à pinces, elle, est d'un beau roux brillant et se déplace sur l'eau ou sur le sol en serpentant rapidement; elle mène une vie nocturne se cachant, pendant le jour, sous les pierres, les planches pourries et les matières en décomposition où elle voisine souvent avec le cloporte; quoiqu'elle s'attaque rarement aux plantes d'intérieur, elle peut, à l'occasion, se nourrir des racines et des tiges de certaines plantes; on évitera de laisser dans les pots des feuilles mortes ou autres débris et si l'on en trouve, généralement sous les pots ou les boîtes à fleurs, on les détruira ou les fera fuir mais sans y toucher (leur piqûre est douloureuse).

Mineuses de la feuille (voir Rouleuses)

Mites: nom général donné à divers insectes ou à la progéniture d'autres (mouches, papillons...). (voir Acariens, Mouches, Papillons et Thrips)

Mouches (et leurs Larves ou Mites): nom donné à divers insectes volants dont certains déposent leurs larves dans le sol; comme certains s'attaquent aux racines des plantes dont ils se nourrissent, il faut les éliminer, soit avec de l'eau de chaux, soit avec du sulfate de nicotine.

Mouche blanche (voir Aleurode)

Nématodes: un des pires ennemis de plusieurs plantes d'intérieur, puisqu'il faut généralement détruire celles qui en sont infestées; les nématodes sont des vers microscopiques qui se nourrissent des racines en y provoquant des galles (nodosités); ce n'est généralement que trop tard qu'on se rend compte de leur présence. Un nématode est responsable de la nielle du blé.

Papillons (voir Larves, Mites, Rouleuses)

Perce-oreilles (voir Forficule)

Podures (voir Collemboles)

Pucerons: on en connaît des verts, des rouges et des noirs; tous ont un corps mou en forme de poire et de longues pattes (comparativement aux cochenilles à corps dur qui sont en même temps de fausses cochenilles et de faux pucerons) et sucent la sève des plantes qu'ils peuvent finir par épuiser et tuer; comme l'aleurode et les cochenilles, ils sécrètent une glu sucrée qui attire les fourmis noires; dans leur cas, cette glu est noirâtre et permet de les identifier et de les déloger des nouvelles pousses, des tiges tendres et des bourgeons floraux où ils s'installent le plus souvent; ils peuvent aussi provoquer, par sécrétion d'une toxine, des galles (remplies de leurs oeufs) sur plusieurs plantes; la roténone, le pyrèthre, le malathion et le contrôle des fourmis noires en viennent généralement à bout.

Rouleuses (ou Tordeuses) et Mineuses de la feuille : quoiqu'elles s'attaquent surtout aux arbres, il peut arriver, à la campagne surtout, qu'elles s'en prennent aux plantes d'intérieur. Les **mineuses** sont des larves (ou mites) de mouches, de papillons ou de scarabées qui creusent dans les feuilles dont elles se nourrissent de longues galeries; il suffit souvent d'éliminer les parties de la plante infestée et de réduire l'humidité ambiante pour s'en débarrasser, de même que des **rouleuses** (ou **tordeuses),** larves ou mites de papillons qui s'enroulent dans les feuilles pour y poursuivre, dans leurs cocons, leur métamorphose. Le bien connu cerisier à grappes est souvent leur victime.

Tétranyque rouge (voir Acariens)

Thrips : petits insectes suceurs et volants qui se reconnaissent à ce qu'ils ont la grosseur d'une tête d'épingle et provoquent des égratignures sur les feuilles en y laissant aussi des excréments noirs; ils provoquent l'enroulement du bout des feuilles et la chute des bourgeons floraux; certains s'attaquent aux bulbes. On en vient à bout avec des vaporisations d'eau tiède ou d'huile minérale diluée dans l'eau (sur le dessus et le dessous des feuilles); les cas d'attaque grave seront résolus avec le malathion.

Vers de terre (Lombrics) : très utiles dans le jardin, les vers de terre sont indésirables dans les pots des plantes d'intérieur dont ils dérangent les réseaux de racines, ce qui peut les amener, par la création de poches d'air souterraines, à se dessécher; on en vient à bout avec de la moutarde sèche diluée dans l'eau qui les fait monter à la surface du sol; il ne suffit ensuite que de les ramasser et de s'en débarrasser.

En bref:

Insectes et animaux suceurs: acariens, aleurode, cochenilles, pucerons et thrips.

Insectes et animaux mangeurs ou masticateurs de feuilles (vivant sous abri le jour): blatte, criquet, forficule, limaces, rouleuses et mineuses de la feuille.

Insectes et animaux rongeurs de racines: cloporte, larves ou mites de mouches ou de papillons, mille-pattes, nématodes.

CHAPITRE QUATRIÈME

MODES DE PROPAGATION
DES PLANTES D'INTÉRIEUR ET D'EXTÉRIEUR

La plupart des plantes couramment utilisées par l'homme à des fins utilitaires ou ornementales sont le plus souvent obtenues par leurs semences, même si, comme on le verra dans ce chapitre, il y a bien d'autres manières de les multiplier.

1. LES SEMENCES

La récolte des semences se fait de plusieurs manières selon, d'abord la forme du fruit qui les porte puis l'intérêt qu'il y a à le faire. Car s'il vaut la peine de récolter les semences de la plupart des fleurs de son jardin et de certaines plantes d'intérieur, il n'en va pas de même pour beaucoup de légumes. Les semences obtenues de variétés hybrides de légumes ne valent, à toute fin pratique, rien puisque celles-ci dégénèrent rapidement. Il est préférable, surtout dans le cas des plantes d'origine lointaine, d'en acheter de nouvelles chaque année. Récoltées dans la nature ou dans le jardin, certaines semences peuvent aussi avoir été infectées par diverses maladies. De même, si on peut récolter les semences des plantes comestibles vivaces (asperge, rhubarbe, petits fruits), il est souvent avantageux, pour gagner du temps et la première année de culture surtout, d'acheter de jeunes plants. Plus tard, ces plantes pourront être multipliées végétativement (par division de touffes ou de racines, etc.). À noter qu'une plante obtenue par sa semence est toujours plus vigoureuse qu'une obtenue par les autres techniques de multiplication.

Du point de vue de leur récolte et de leur sélection en vue de la culture, on distingue deux types principaux de semences :

a) les **semences nues** : c'est-à-dire prêtes à être plantées dès que cueillies (certaines, en particulier celles des arbres, devront être plantées aussitôt, d'autres devront ou pourront être plantées plus tard). Elles seront récoltées, soit par battage des plants qui les portent (cas de presque toutes les fines herbes), soit par écrasement des capsules (ex. : pavot) ou des gousses (ex. : haricot, pois) qui les contiennent. Ces semences seront conservées à l'abri de l'air, de la lumière, de l'humidité et des températures excessives jusqu'au moment du semis. La plupart des semences gardent leur pouvoir de germination sur une période allant de un à cinq ans.

b) **les semences contenues dans des fruits secs ou charnus** : en général, ces semences ne sont pas extraites de leur péricarpe. Le fruit entier sera convenablement séché et planté tel quel en temps voulu, qu'il s'agisse d'un fruit sec (ex. : gland) ou charnu (ex. : baie). Dans le cas de fruits qui ne se sèchent pas, comme ceux de la tomate ou du Cerisier de Jérusalem, ceux-ci seront écrasés et mêlés dans de l'eau ; rien ne sera plus facile ensuite que d'extraire puis de faire sécher leurs semences.

Certaines semences «capricieuses» devront être plantées aussitôt cueillies, sans avoir eu le temps de sécher (ex. : gland, semences de riz sauvage), d'autres devront être maintenues dans une humidité constante jusqu'au moment du semis (ex. : semences de ginseng), d'autres enfin devront être gardées dans l'eau froide (ex. : semences de plantes aquatiques). Certaines semences devront subir des traitements avant d'être plantées ; certaines doivent connaître une période de froid intense, tandis que d'autres doivent être soumises à la chaleur avant de pouvoir germer ; dans les deux cas, il s'agit d'affaiblir la résistance parfois extrême de l'enveloppe de ces semences.

Mentionnons enfin que beaucoup de plantes se multipliant végétativement par leurs racines ou leurs tiges, soit par leurs bulbes (ail, fleurs à bulbes), leurs rhizomes (iris) ou leurs tubercules (pomme de terre, topinambour), on ne se donne pas la peine d'en obtenir les semences et même, comme dans le cas des bulbes et des rhizomes d'iris, on en empêche la formation, ce qui a pour effet de les renforcir.

2. LES SEMIS INTÉRIEURS

Il y a plusieurs avantages à faire soi-même ses semis. On réalise d'abord une certaine économie. On peut ensuite obtenir des variétés de plantes difficiles à trouver ou épuisées sur le marché au moment de l'installation de son jardin intérieur ou extérieur. De plus, on est assuré, pour peu qu'on ait pris les précautions qui s'imposent, de la santé de ses plantes. Enfin, en les voyant croître jour après jour, on apprend à mieux connaître ses plantes et leurs exigences.

Même si le matériel requis représente un assez gros investissement la première année, celui-ci s'amortit avec les années et devient presque nul surtout si l'on apprend à récolter, quand la chose est possible, ses semences.

Quoique, en fin de compte, pour peu qu'elles obtiennent la lumière qui leur est requise, toutes les plantes d'intérieur fleurissent, peu donnent des fruits utilisables pour les semis, sauf celles qui ont été fécondées (par les insectes ou artificiellement) ou celles qui s'auto-fécondent ; il suffira parfois, dans le cas des plantes dioïques dont les fleurs mâles et les fleurs femelles sont portées par des plants différents (ex. : chanvre), de prélever un peu de pollen sur les fleurs mâles avec un cure-oreille et de le transporter sur les fleurs femelles. D'ailleurs, dans le cas des plantes qui donnent des semences utilisables — asperge ornementale, bégonias, broméliacées, cerisier de Jérusalem, ficus, fougères (spores formées sous les feuilles fertiles), violette africaine, etc. —, il est souvent préférable, afin de les voir continuer à fleurir ou tout simplement prospérer, de les empêcher de former leurs fruits.

Par contre, les semences de beaucoup de fruits vendus sur le marché pourront être utilisées même si les plantes qu'on en obtiendra ne fleuriront probablement jamais ; parmi les fruits dont on peut récupérer les semences, généralement en les extrayant de leur pulpe ou dans le cas de noyaux très durs (pêche), en en fêlant délicatement la coque, puis en les lavant, les asséchant puis les plantant aussitôt, mentionnons : les avocats, les agrumes (citron, mandarine, orange...), les cerises, les dattes (non-pasteurisées telles que les vendent les marchands d'aliments naturels), les mangues, les papayes, les pêches, les prunes et le raisin.

Pour les fleurs de jardin, comme je l'indiquais plus haut, les semences de la plupart seront utilisables de même que celles d'un grand nombre d'herbes et de légumes, surtout ceux qui s'adaptent bien à notre climat, qu'ils soient bisannuels (carvi, cerfeuil, panais, persil, salsifis) ou vivaces (asperge, ciboulette, pissenlit, rhubarbe). Il vaudrait peut-être même la peine d'essayer de cultiver certaines plantes indigènes ou devenues sauvages après avoir été cultivées, en en récoltant les semences (angélique, camomille, chicorée, consoude, menthe(s), oseille et celles mentionnées plus haut).

Pour les arbustes et les arbres fruitiers ou ornementaux, il sera plus facile de les multiplier par prélèvement de rejets (jeunes pousses se formant annuellement autour du tronc du plant-mère), ou, plus simplement, d'en prélever dans la nature (pour ceux, bien sûr, qui s'y trouvent). Pour ceux qui ne s'y trouvent pas, il sera préférable d'en acheter chez les pépiniéristes, leur culture par semis exigeant souvent des soins particuliers et, pour la plupart (sauf des arbustes à croissance rapide, comme le pimbina et le sureau), beaucoup de temps avant d'atteindre une taille intéressante (chêne, pin...).

Si un certain nombre de plantes se sèment directement en pleine terre, il est souvent nécessaire de partir ses plants à l'intérieur comme dans le cas des plantes à long cycle de croissance et généralement très sensibles au froid (artichaut, aubergine, piment, tomate...) et des plantes d'intérieur, quoiqu'un certain nombre de ces dernières peuvent aussi bien vivre à l'extérieur qu'à l'intérieur (chrysanthèmes, coléus, impatientes, etc.).

ÉTAPES DU SEMIS

a) **achat du matériel requis (instruments et semences)**: le meilleur moment de l'année pour l'achat des semences, si l'on veut être sûr d'en être fourni, c'est dès la parution des catalogues de grainetiers, soit vers le début de février. Le choix des variétés et de leurs quantités s'établit selon les critères suivants: les dimensions de son jardin (en visant à une occupation maximale du terrain), le type de sol qu'on a, l'exposition et l'élévation de son sol et enfin la zone climatique qu'on occupe. On calcule le nombre de jours requis à la croissance d'une plante par rapport à cette zone donnée. Inutile de cultiver des aubergines au nord, à moins de le faire en serre. Par contre, on peut cultiver certaines variétés très rustiques d'abricotier à Montréal.

Pour l'achat des semences proprement dit, il faut toujours aller chez un grainetier ou un pépiniériste de confiance. On s'assure ainsi de la fraîcheur des semences. Par ailleurs, au moment de planter, on calcule le nombre de plants désirés et on le multiplie par deux; les semences qui restent pourront être utilisées l'année suivante, à condition d'avoir été gardées dans de bonnes conditions.

On peut se procurer des adresses de marchands de semences organiques (non traitées aux insecticides) en écrivant au M.A.B. (Mouvement pour l'Agriculture Biologique), 340 Willowdale, Montréal.

Parmi les instruments de base requis pour les semis, mentionnons: petites boîtes de bois de 8 x 12 pouces (20 x 30 cm), plateaux de plastique pour installer les pots de tourbe individuels, vaporisateur à jet très fin, arrosoir à pomme à trous fins d'une capacité de deux gallons (9-10 litres), boîtes à néons de 24 ou 48 pouces (60 ou 120 cm environ) et deux néons spéciaux combinant les rayons ultra-violets et les infra-rouges. Parmi les médiums où semer: du terreau stérilisé, de la vermiculite (médium très léger capable d'absorber 15 fois son poids d'eau), de la perlite et, enfin, du sable et de la mousse de tourbe). Les pots de tourbe s'avéreront particulièrement utiles pour les plantes semées à l'intérieur qui doivent plus tard être installées au jardin (aubergine, piment, tomate); ils leur éviteront le choc, parfois mortel, de la transplantation. Dans certains cas, celui des cucurbitacées (concombre, courges, melon) par exemple, leur emploi sera même nécessaire, ces plantes se transplantant très difficilement en pleine terre. Dans le cas des légumes plus «froids» et à croissance très lente (céleri, chou, poireau), le repiquage dans des boîtes de bois, en laissant environ deux-trois pouces (5-7 cm) entre les plants, en tous sens, sera suffisant.

b) **préparation du terreau et des contenants:** préparer le terreau en mélangeant bien une fois de terre, 1/2 fois de mousse de tourbe ou de vermiculite, et 1/2 fois de sable. Tout mélange à semis doit être poreux, léger, propre et bien drainé. Remplir ensuite le fond des boîtes ou des pots à semis de débris de pots cassés ou de gravier puis du mélange préparé jusqu'à un demi-pouce (1 cm) de leurs bords. Tremper les pots ou arroser les boîtes avec un jet fin jusqu'à ce que la terre soit tout imprégnée d'eau. Éviter de laisser les contenants en contact direct avec le sol ou la surface utilisée. Les surélever sur des briques, ceci afin d'assurer un bon drainage et une bonne aération des plantes.

c) **semis proprement dit**: à l'aide d'un crayon ou d'une baguette chinoise, tracer des sillons de 1/4 de pouce (1/2 cm environ) de profondeur, en laissant 2 pouces (5 cm) entre les sillons et en évitant de semer aux bords des boîtes ou des pots qui se dessèchent toujours plus vite que leur centre. Semer les graines fines à l'aide d'un semoir et les couvrir très légèrement d'un mélange de sable et de mousse de tourbe. Pour les semences très fines, ne pas les couvrir mais les placer en surface du sol où, suite aux arrosages, elles s'enfonceront elles-mêmes dans la terre; pour les semences moyennes et grosses qui se sèment individuellement à la main, le principe est de couvrir celles-ci d'une épaisseur de terre équivalant à trois fois leur taille. Vaporiser le sol d'eau très chaude (ce qui active la germination des semences) puis couvrir les boîtes ou les pots de morceaux de plastique percés à plusieurs endroits ou de vitres. Les garder à la lumière, mais pas au soleil, jusqu'à la germination, plus ou moins longue selon les cas (de quelques jours à plusieurs mois pour certaines).

d) **après la germination**: deux ou trois semaines après la germination, une fois que les plants auront formé au moins une paire de vraies feuilles, les transplanter, soit en pots de tourbe individuels, soit en boîtes contenant, en mélange égal, de la terre, de la mousse de tourbe et du sable. Laisser deux à trois pouces (5 à 7 cm) entre les plants, en tous sens. Bien presser la terre sur les racines qui doivent être bien enfouies, dans leur position originale, le col à la même hauteur qu'auparavant, dans le sol. La transplantation favorise un bon développement des racines. Dans certains cas, comme celui du poireau, les racines et les tiges devront, pour en renforcir les jeunes plants, être taillées. Pour permettre une bonne réadaptation des jeunes plants à la lumière du soleil, les garder deux ou trois jours à l'ombre ou à la seule lumière ambiante puis les installer progressivement au soleil.

À noter qu'à partir du moment où ils auront germé, les plants doivent être mis, soit au soleil, soit sous un éclairage artificiel, c'est-à-dire un néon (il faut éviter d'employer les lampes solaires qui peuvent brûler les plants). Ce néon sera placé à 18 pouces (45 cm environ) au-dessus de la tête des plants et sera élevé à mesure de la croissance de ceux-ci. Si on installe ses plants au soleil, on verra à ne pas les placer directement au bord des fenêtres: la lumière y est trop diffuse, l'air, trop sec, et la température généralement trop élevée. Le temps d'exposition quotidien des plants à la lumière est idéalement de dix-huit heures par jour. Voilà pourquoi l'éclairage artificiel est avantageux.

Quant à l'arrosage, il se pratique toujours à l'aide d'un vaporisateur, de préférence tôt le matin et, si possible avec de l'eau de pluie ou de rivière, l'eau du robinet étant généralement trop riche en sels minéraux. L'emploi d'un arrosoir ne se fera qu'une fois que les plants seront robustes. Toutes les transplantations doivent se faire une fois seulement que la terre des boîtes est mouillée à fond, de préférence le soir. L'eau employée doit toujours être à la température de la pièce.

Quant à la température ambiante, celle de la germination doit être de 65-70 F (21 à 25 C); quand les plantules ont formé deux vraies feuilles, elle peut varier de 50-60 F (10 à 15 C) la nuit, et de 70-75 F (21 à 25 C) le jour. Certaines plantes exigent de la chaleur (aubergine, piment...) tandis que d'autres préfèrent une certaine fraîcheur (choux, oignon, poireau...). À noter enfin que la pièce où sont gardées les plantes doit être bien aérée mais sans courants d'air.

e) **transplantation en pots ou en pleine terre**: la transplantation en pleine terre commençant, pour la plupart des plantes d'extérieur, vers la mi-mai et se poursuivant jusqu'à la deuxième semaine de juin, c'est du 1er au 30 mars qu'il faut faire ses semis (on calcule de huit à douze semaines entre le moment où l'on sème et celui où l'on met en terre). On plantera d'abord les plantes «froides» (oignon, poireau...) puis les plantes «chaudes» (aubergine, piment, tomate...), ces dernières une fois seulement que tout danger de gel est passé. Ce sera aussi le temps idéal pour planter la plupart des fleurs et d'un bon nombre de plantes d'intérieur qui profiteront ainsi de la grande montée d'énergie printanière.

On recommande souvent de nourrir ses jeunes plants avec des engrais liquides. À moins que les semences aient germé dans un milieu complètement stérile (perlite, mousse de tourbe, sable...), et sauf dans le cas de plantes très exigeantes, je déconseille cette pratique. Un sol riche suffit à la bonne croissance des jeunes plants.

Quant aux maladies qui s'attaquent aux semis, voir au chapitre 3 les items suivants: Maladies des Semis, Fonte et Pied-noir.

Tableau des temps de vitalité
des semences

Asperge	4-5 ans
Aubergine	5-6 ans
Betterave	5-6 ans
Carotte	3-4 ans
Céleri	7-8 ans
Cerfeuil	2 ans
Chicorée	8-9 ans
Chou	4-5 ans
Concombre	8-9 ans
Courge	4-5 ans
Épinard	4-5 ans
Fève	5-6 ans
Fraisier	1-3 ans
Haricot	2-3 ans
Laitue	4-5 ans
Melon	4-5 ans
Navet	4-5 ans
Oignon	1-2 ans
Oseille	1-2 ans
Persil	2-3 ans
Pissenlit	1-2 ans
Poireau	1-2 ans
Pois	2-3 ans
Radis	4-5 ans
Salsifis	1-2 ans
Thym	2-3 ans
Tomate	3-4 ans

Nota bene: ne jamais employer les semences de plantes hybrides et de celles achetées au marché.

3. AUTRES MODES DE PROPAGATION

A. LE BOUTURAGE

Le bouturage est la technique la plus employée pour la multiplication des plantes. Il consiste à prélever un fragment sur une plante et à lui faire former des racines. Que ce prélèvement soit celui d'une simple feuille, d'une tige, etc., il s'opère toujours à peu près de la même façon.

À l'aide d'une lame de rasoir préférablement montée sur un manche (ou d'un couteau) bien tranchante et stérilisée (afin de réduire les risques d'infection), on taille la partie désirée en prenant bien soin qu'elle soit très saine et provienne d'un plant ni trop jeune, ni trop âgé et qu'elle n'ait pas le temps de voir son extrémité sécher sauf dans le cas des plantes qui sécrètent du latex et dont on laisse sécher les fragments avant de les planter. On pourra même, pour accélérer l'assèchement de ces boutures à latex en chauffer l'extrémité avec la flamme d'une allumette mais sans la brûler.

Les boutures prélevées mesureront généralement de 3 à 6 pouces (7-15 cm) et ne comporteront que 4 ou 5 feuilles, ceci pour accélérer la formation des racines. Une autre façon d'y contribuer consistera à se servir d'hormones d'enracinement dont on enduira l'extrémité des boutures après l'avoir mouillée. Enfin, les boutures de tige seront taillées en biseau, ceci pour agrandir leur surface d'enracinement.

Si certains bouturages réussissent assez bien dans l'eau (coléus, dracaena, impatiente, lierre, etc.), d'autres, la plupart en fait, doivent être réalisés dans un sol spécial généralement composé de 1/4 de terre noire, 1/4 de perlite, 1/4 de vermiculite et 1/4 de sable. D'autres mélanges de sol peuvent être employés, soit : 1/2 fois de mousse de tourbe et 1/2 fois de sable ; 2 1/2 fois de perlite et 1/2 fois de sable ; 3 1/2 fois de perlite et 1/2 fois de vermiculite. L'adjonction d'un peu de terre noire à tous ces mélanges conditionnera les nouveaux plants à celle-ci.

Pour assurer un bon développement de ces nouveaux plants, il faudra fournir aux boutures beaucoup d'humidité et de chaleur. C'est ainsi qu'après les avoir plantées dans le médium choisi et dans des contenants peu profonds de 2-3 pouces (5-7 cm environ) de hauteur dont on aura garni le fond de gravier ou encore de gravier puis d'une mince couche de terre noire, on recouvrira le tout d'un morceau de plastique perforé de trous en plusieurs endroits en évitant, à l'aide de baguettes chinoises plantées dans le sol, que le plastique ne touche aux feuilles. Les arrosages ne se pratiqueront que par le fond des contenants ou à l'aide d'un vaporisateur, ceci afin d'éviter que le sol (mousse de tourbe en particulier) ne se tasse et étouffe les racines. On évitera de même de mouiller le feuillage. Le temps requis pour la formation des racines est généralement de 2 à 3 semaines et il ne faudra pas attendre trop longtemps pour transplanter ses plants une fois qu'elles se seront formées. Jusqu'à la transplantation, les boutures seront gardées sous le plus de lumière possible mais jamais au soleil. Par la suite, les nouveaux plants seront adaptés progressivement aux conditions dans lesquelles vivait la plante-mère.

Disons enfin que le meilleur temps de l'année pour pratiquer le bouturage de même que la plupart des autres modes de propagation plus loin décrits est la période de vie active des plantes, c'est-à-dire du début du printemps jusque vers le milieu de l'été. D'autres se pratiquent surtout en automne, en particulier pour les plantes d'extérieur qu'il faut tailler ou diviser.

a) **bouturage de feuille**: il se pratique sur un grand nombre de plantes à feuilles épaisses et aqueuses. Dans certains cas, c'est la feuille avec son pétiole qu'on place dans l'eau ou dans le sol, dans d'autres, ce sont les feuilles sans pétioles, comme celle de la sansevière ou des cactus, ou les feuilles dont on ne prélève que des fragments et qu'on place, soit debout dans le sol (bégonia rex) ou en surface de celui-ci, après avoir pratiqué des incisions dans la feuille qu'on garde en contact avec le sol avec un petit caillou en prenant soin de ne pas boucher les incisions (violette africaine). À noter le cas particulier du cyperus (ou papyrus) dont on place les feuilles la tête en bas dans l'eau pour leur faire former des racines.

b) **bouturage de tige feuillée**: applicable à toutes les plantes à feuillage persistant (conifères y compris), ce mode peut se pratiquer d'avril à septembre à l'extérieur, et n'importe quand en serre; on prélève des tiges latérales des plantes munies de bourgeons et de quelques feuilles et on les plante dans le médium choisi (en prenant toujours soin de bien presser la terre sur les racines). Ces boutures ne doivent être ni trop tendres, ni trop ligneuses et comporter au moins trois noeuds (donc 6 feuilles environ) et aucune fleur. Dans certains cas, la bouture (alors dite **à talon**) devra être munie d'un fragment du tronc de la plante-mère.

c) **bouturage de tige non-feuillée**: applicable aux plantes à feuillage caduc, ce mode se pratique très tôt le printemps, pendant la période de sommeil des plantes d'extérieur. Les boutures sont généralement plantées en pleine terre ou enterrées. Pour les plantes d'intérieur, certaines se reproduisent à partir de segments de tiges (dracaena). Ces segments seront plantés dans un bassin plat, à demi-enfouis dans le sol puis couverts d'un plastique. Chacun donnera une plante nouvelle. Le plant-mère, c'est-à-dire l'extrémité feuillue de la plante sera replanté dans un contenant plus petit où il formera de nouvelles racines (quoiqu'il soit préférable de le faire marcotter, tel qu'expliqué plus loin). Quant au segment de tige qui reste attaché au réseau radiculaire, il formera de nouvelles feuilles. Un type de bouturage (bouture-*plançon*) consiste tout simplement à prélever les tiges de certains arbres (aulne, saule...) et à les planter directement dans le sol où elles reprendront toutes seules.

d) **bouturage de racine**: à ne pas confondre avec la division de racines traitée plus loin; il s'agit de prendre la racine d'une plante qui peut supporter un tel traitement, de la sectionner en plusieurs segments en voyant à ce que chacun soit muni de racines et d'un bourgeon; ce mode s'applique surtout aux rhizomes (ex.: muguet), qui sont des tiges plutôt que des racines, ou à des plantes très fortes comme le raifort dont chaque fragment de racine, même petit, peut donner un nouveau plant.

e) **autres modes de bouturage**: les autres modes employés sont généralement réservés aux spécialistes et servent surtout à multiplier des plantes rares, qu'il s'agisse du bouturage d'**écaille** (écailles des bulbes de certaines Liliacées) ou d'**oeil**.

B. LA DIVISION DE TOUFFES

Ce mode de multiplication s'applique surtout aux plantes vivaces rustiques qui croissent en touffes. Il s'effectue de préférence très tôt le printemps, avant le réveil des bourgeons mais aussi en automne, après la chute des feuilles, sur certaines fleurs et fines herbes (ciboulette, estragon vivace, sarriette vivace, sauge, etc.). Cette division se pratique en général à tous les trois ou quatre ans. On prend les plants et on les divise à la main en voyant à ce que chaque éclat soit muni de racines et de bourgeons. Après la transplantation, il faut arroser abondamment ses jeunes plants qui, à leur tour, en quelques années, formeront de nouvelles touffes. Cette division est nécessaire à la bonne santé de ces plantes.

C. LA DIVISION DE TIGES SOUTERRAINES

Ici, ce sont les tiges souterraines qui forment des touffes ou des masses compactes, qu'il s'agisse de bulbes (ail, fleurs à bulbes), de tubercules (pomme de terre, topinambour) ou de gros rhizomes (iris) qu'il faut diviser en automne. Dans certains cas, ils seront entreposés pour l'hiver (cas des fleurs à bulbes non-vivaces comme le glaïeul, le lis, l'oxalyde, etc.), dans d'autres, ils seront replantés après avoir été séchés en surface (iris, tulipe, etc.).

D. LE DRAGEONNAGE

Ce mode de multiplication qui se rapproche beaucoup de la division de touffes s'applique surtout à certains arbustes comme le lilas, le rosier, le sureau, le framboisier qui produisent chaque année, autour de la plante-mère, des rejets (jeunes pousses) munis ou non de racines. On taille ces rejets à l'aide d'une lame tranchante, en biseau de préférence, et on les installe directement en pleine terre, soit au tout début du printemps, soit en automne, en prenant toujours des sujets d'un an. Des arrosages abondants sont nécessaires à un bon enracinement de ces nouveaux plants dans le sol.

E. LE MARCOTTAGE

C'est en observant la nature que l'homme a élaboré ce mode de multiplication : en effet, un certain nombre de plantes se propagent en émettant des jeunes pousses (stolons) qui vont, tout en restant reliées au plant-mère par des tiges nourricières, former des racines autour d'elle ; parmi les plus connues, mentionnons les araignées (chlorophytum), le géranium fraisier (saxifraga sarmentosa) et le fraisier. **Marcottage par couchage** : dans ce mode, il s'agit de choisir sur un plant quelques tiges latérales à tissu tendre et, sans les détacher du plant-mère, de les enfouir dans le sol et de les y maintenir avec une fourche de bois jusqu'à la formation de racines. Il est préférable, pour accélérer cette formation des racines d'entailler légèrement le dessous des tiges ainsi enfouies. Les plants obtenus sont retirés du plant-mère et mis en place à la fin de l'été. Ce mode s'applique à divers arbustes (genévrier, rosier, sureau) et certaines fleurs (oeillet). **Marcottage aérien:** bien qu'il se pratique surtout sur les plantes d'intérieur (dracaena, ficus...), ce mode peut s'appliquer à plusieurs arbustes. Il s'agit de faire, en biseau, une entaille assez profonde dans le tronc de la plante à multiplier, d'installer dans l'incision un petit morceau de bois (cure-dent...) pour empêcher la cicatrisation naturelle du tronc; on entoure ensuite l'entaille d'un sac de plastique noir qu'on remplit d'un mélange de mousse de tourbe et de sable et qu'on tient humide jusqu'à l'apparition de racines (quelques ou plusieurs semaines plus tard).

QUELQUES TYPES DE BOUTURAGE

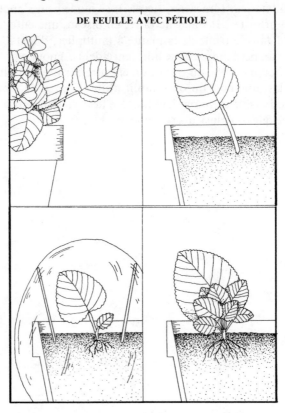

DE FEUILLE AVEC PÉTIOLE

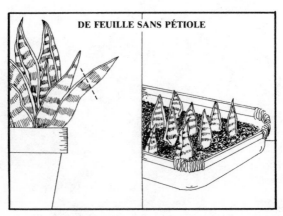

DE FEUILLE SANS PÉTIOLE

DE FEUILLE EN CONTACT AVEC LE SOL

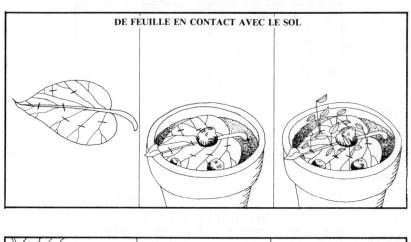

DE TIGE NON-FEUILLÉE

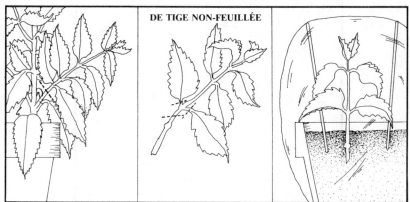

LA DIVISION DES TOUFFES

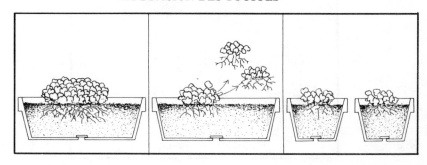

LE DRAGEONNAGE

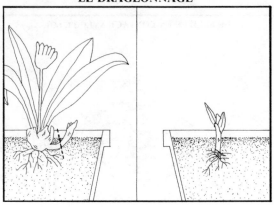

LE MARCOTTAGE AÉRIEN

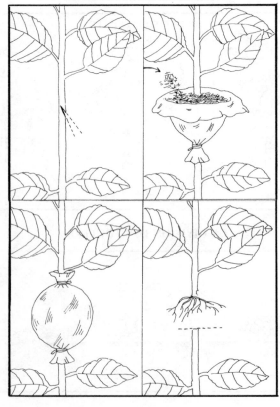

CHAPITRE CINQUIÈME

**PETIT DICTIONNAIRE
DES PLANTES D'INTÉRIEUR**
(texte de Louise Malette et de l'auteur)

ABUTILON (ÉRABLE FLORIFÈRE)

Nom français: Abutilon (érable florifère)
Nom latin: Abutilon hybridum
Famille: Malvacée
Lieux d'origine: Brésil et Guatémala
Culture: facile
Arrosages: abondants en été et moins fréquents le reste de l'année tout en gardant le sol humide.
Éclairage: emplacement mi-ombragé en été, bien éclairé durant les autres saisons.
Humidité: normale; la plante exige de l'air frais.
Températures: 10-13 C la nuit, 20-22 C le jour.
Sol: terreau et mousse de tourbe.
Engrais: nourrir la plante régulièrement de février à août.
Propagation: semis, bouturage de tiges dans l'eau ou dans du sable humide.
Insectes et animaux ennemis: araignées rouges, pucerons.
Accidents physiologiques: chute des feuilles due à de trop brusques changements de température.
Détails: la variété ici décrite est hybride et c'est la seule qui se prête à la culture intérieure (voir *Plantes à fleurs).*

ACHMEA

Nom français : Achmea
Nom latin : Aechmaea fasciata
Famille : Broméliacée
Lieu d'origine : Amérique centrale
Culture : très facile
Arrosages : maintenir le médium humide ; toujours garder de l'eau non calcaire dans le coeur de la plante en prenant bien soin de la changer complètement une fois par semaine.
Éclairage : ne demande que peu de lumière.
Humidité : assez élevée ; bassiner régulièrement les feuilles.
Températures : entre 12 et 15 C ; éviter les courants d'air.
Sol : pH : 4-4.5 ; sol léger ; à noter que le rempotage est inutile puisque la plante n'a presque pas de racines.
Engrais : aucun.
Propagation : par rejets qu'on prélève sur la plante-mère et qu'on plante dans un sol léger recouvert de mousse de tourbe.
Détails : la bractée rose sur laquelle apparaîtront les petites fleurs bleues a une durée de vie de 6 mois à 1 an. La plante ne produira qu'une bractée pendant sa vie ; par contre, les rejets pourront, si maintenus dans les bonnes conditions, fleurir. Au lieu d'être plantés dans le sol, les rejets pourront être fixés avec une broche sur un morceau de bois puis entourés de mousse de sphaigne. On les traitera ensuite comme le plant-mère. Une autre variété fréquemment rencontrée est l'*Aechmaea Chantinii (voir Broméliacées).*

AGAVE AMÉRICAIN

Nom français : Agave Américain
Nom latin : Agave americana
Famille : Agavacée
Lieu d'origine : Mexique
Culture : facile
Arrosages : normaux pendant l'été tout en laissant sécher le sol entre les arrosages ; garder le sol sec en hiver.
Éclairage : lumière ou soleil.
Humidité : la plante supporte très bien la sécheresse de l'air.
Températures : 4-8 C en hiver ; en été, la plante exige de la chaleur et une bonne aération.
Sol : pH : 7-8 ; terreau sablonneux.

Engrais : nourrir régulièrement en été.

Propagation : semis, division des rejets produits par la plante-mère.

Accidents physiologiques : pourriture due à des arrosages excessifs.

Détails : la plante fleurit rarement à l'intérieur ; pour le mode de semis voir *Cactus et Plantes Grasses.*

AESCHYNANTHE

Nom français : Aeschynanthe

Nom latin : Aeschynanthus speciosus

Famille : Gesnériacée

Lieu d'origine : Amérique centrale

Culture : facile

Arrosages : normaux, en évitant que le sol ne s'assèche entre les arrosages ; modérés de septembre à novembre ; toujours arroser avec de l'eau tiède.

Éclairage : ombre partielle.

Humidité : normale.

Températures : 18 à 21 C la nuit, 24 C ou plus le jour ; garder au frais de septembre à novembre.

Sol : léger et granuleux.

Engrais : fertiliser la plante de la fin de l'automne jusqu'à la floraison.

Propagation : bouturage de tiges piquées dans le sol et gardées à 20-25 C jusqu'à la formation des racines.

Insectes et animaux ennemis : araignées rouges, pucerons.

Détails : les fleurs n'apparaissent qu'à l'extrémité des tiges.

AGLAONÉMA

Nom français : Aglaonéma

Nom latin : Aglaonema

Famille : Aracée

Lieux d'origine : Îles Malaises

Culture : facile

Arrosages : garder le sol humide en été et le laisser sécher à fond entre les arrosages en hiver.

Éclairage : ombre partielle.

Humidité : suffisante pendant la période de croissance ; ne jamais bassiner les feuilles.

Températures: 12-15 C en hiver.

Sol: pH: 4-4.5; sol léger.

Engrais: nourrir avec un engrais non calcaire à tous les 15 jours pendant l'été; réduire de moitié la fertilisation en hiver.

Propagation: semis, division de tiges, bouturage de tiges.

Insectes et animaux ennemis: araignées rouges, cochenilles farineuses, pucerons.

Détails: lors du rempotage, utiliser des pots plats, l'Aglaonéma ayant un réseau radiculaire étalé.

ALOÈS TIGRE

Nom français: Aloès Tigre

Nom latin: Aloes variegata

Famille: Liliacée

Lieu d'origine: Afrique du Sud

Culture: facile

Arrosages: modérés; toujours laisser sécher le sol entre les arrosages; ne jamais mettre d'eau dans le coeur de la plante.

Éclairage: lumière ou soleil.

Humidité: air ambiant très sec.

Températures: 6-10 C l'hiver, avec de la fraîcheur; en été, la plante se plaît dans un lieu chaud et aéré.

Sol: 1/3 de terreau et 2/3 de sable grossier.

Engrais: pendant la période de croissance, fertiliser chaque semaine.

Propagation: bouturage de feuilles, division des rejets qui poussent autour de la plante-mère.

Insectes et animaux ennemis: pucerons.

Accidents physiologiques: pourriture due à des arrosages excessifs.

Détails: le latex produit par l'Aloès à la cassure des feuilles est un excellent cicatrisant (voir *Cactus et Plantes Grasses*).

ANANAS

Nom français: Ananas

Nom latin: Ananas comosus

Famille: Broméliacée

Lieu d'origine: Amérique tropicale

Culture: facile

Arrosages: maintenir le sol humide.

Éclairage: ombre partielle ou lumière.

Humidité: moyenne; bassiner régulièrement le feuillage et garder le coeur de la plante empli d'eau non calcaire.

Températures: la plante apprécie une certaine fraîcheur.

Sol: terreau à base de feuilles et de sable.

Engrais: nourrir la plante une fois au début de l'été.

Propagation: prélèvement des rejets qui poussent au col de la plante-mère; on peut encore se servir d'un ananas acheté au marché; on coupe la tête de celui-ci à deux pouces (5 cm) sous la base des feuilles; on couvre le dessous de cette tête de charbon de bois broyé puis on laisse sécher le tout pendant un bon mois; on plante ensuite la bouture dans un mélange de terreau à base de feuilles et de sable et on entoure la base des feuilles de mousse de sphaigne ou de tourbe.

Détails: l'ananas cultivé que nous connaissons aujourd'hui a perdu le caractère épiphyte qu'il avait à l'origine; néanmoins, il peut être cultivé en pots comme toutes les autres *Broméliacées* (voir cet item).

ARALIE ÉLÉGANTE

Nom français: Aralie élégante

Nom latin: Aralia elegantissima

Famille: Aracée

Lieu d'origine: Nouvelle-Calédonie

Culture: difficile

Arrosages: réguliers mais en petites quantités à chaque fois.

Éclairage: lumière filtrée.

Humidité: la plante exige une bonne humidité ambiante.

Températures: 16-18 C la nuit, 21-24 C le jour.

Sol: pH: 5-6; terreau tout usage; la plante aime vivre à l'étroit dans son pot.

Engrais: fertiliser légèrement à quelques reprises pendant l'été.

Propagation: semis, bouturage de feuilles mais assez difficile à réaliser.

Insectes et animaux ennemis: araignées rouges.

ARAUCARIA DE L'ÎLE DE NORFOLK
(PIN DE NORFOLK)

Nom français: Araucaria de l'Île de Norfolk (Pin de Norfolk)

Nom latin : Araucaria heterophylla

Famille : Araucariacée

Lieux d'origine : Île de Norfolk, Australie, Nouvelle-Zélande

Culture : très facile

Arrosages : maintenir le sol humide pendant l'été ; arroser moins souvent en hiver.

Éclairage : exposer la plante au nord de préférence.

Humidité : bien que l'Araucaria supporte assez bien l'air aride des appartements, il convient d'en bassiner le feuillage régulièrement.

Températures : entre 6 et 10 C ; fraîcheur requise en hiver.

Sol : pH : 4.5-5 ; mélange contenant des parties égales de compost de feuilles, du sable et de la vermiculite.

Engrais : fertiliser pendant la période de croissance.

Propagation : bouturage des tiges.

Insectes et animaux ennemis : cochenilles farineuses.

Détails : l'Araucaria se cultive facilement comme plante Bonsaï (voir cet item).

ASPARAGUS DE SPRENGER
(ASPERGE ORNEMENTALE, GRIFFES DE CHAT)

Nom français : Asparagus de Sprenger (asperge ornementale, griffes de chat)

Nom latin : Asparagus Sprengeri

Famille : Liliacée

Lieux d'origine : Afrique, Australie

Culture : facile

Arrosages : abondants en été ; l'hiver, maintenir le sol humide.

Éclairage : à l'intérieur, la plante requiert beaucoup de lumière ; néanmoins, comme elle préfère vivre à l'extérieur pendant la belle saison, il faut alors éviter de la placer directement au soleil.

Humidité : beaucoup d'humidité et de fraîcheur ambiante.

Températures : l'Asparagus exige de la chaleur pendant sa période de croissance ; en période de repos, il sera préférable de le maintenir à une température de 8-10 C.

Sol : riche et léger.

Propagation : semis, division de touffes.

Insectes et animaux ennemis : pucerons.

Détails : ainsi qu'expliqué plus haut, l'Asparagus préfère vivre à l'extérieur pendant l'été ; comme il réagit mal lorsqu'on le rentre à l'intérieur à la fin de l'été, il est préférable de le tailler et de l'entreposer dans un lieu très frais et sec pour le remettre à l'extérieur le printemps suivant.

ASPLENIE (FOUGÈRE NID D'OISEAU)

Nom français: Asplenie (Fougère nid d'oiseau)
Nom latin: Asplenium nidus
Famille: Aspléniacée
Lieux d'origine: Asie, Afrique, Australie
Culture: facile
Arrosages: abondants pendant l'été; en hiver, maintenir le sol constamment humide.
Éclairage: ombre partielle.
Humidité: maintenir l'air ambiant humide et bassiner le feuillage chaque jour.
Températures: 10-13 C la nuit, 20-22 C le jour.
Sol: léger et composé de compost de feuilles et de mousse de tourbe.
Engrais: nourrir la plante deux fois l'an avec de l'émulsion de poisson ou des coquilles d'oeuf broyées.
Propagation: semis de spores sur de la mousse de tourbe humide et gardé à l'ombre.
Insectes et animaux ennemis: cochenilles.

BÉGONIA GLOIRE DE LORRAINE

Nom français: Bégonia Gloire de Lorraine
Nom latin: Begonia Dregei (var. hybride: socotriana)
Famille: Bégoniacée
Lieux d'origine: tropiques
Culture: facile
Arrosages: copieux pendant la floraison; toujours arroser en remplissant la soucoupe d'eau.
Éclairage: ombre partielle.
Humidité: pour une bonne floraison, maintenir l'air ambiant humide.
Températures: 18 à 20 C.
Sol: pH: 4-4.5; mélange de compost de feuilles et de mousse de tourbe ou de sphaigne.
Engrais: fertiliser légèrement avant la floraison.

Propagation : bouturage de feuilles ou de tiges.

Accidents physiologiques : la plante est particulièrement sensible à la pollution de l'air.

Détails : la plante fleurit d'octobre à janvier ; comme pour les autres bégonias décrits, il faut enlever les fleurs à mesure qu'elles commencent à faner pour empêcher la formation des semences (celles de certaines variétés valent jusqu'à $2,000.00 l'once) ; une autre espèce très populaire de bégonia est le *B. semperflorens* originaire du Brésil qui, comme son nom l'indique, peut, dans de bonnes conditions, fleurir continuellement (voir *Plantes à fleurs*).

BÉGONIA MÉTALLIQUE

Nom français : Bégonia métallique
Nom latin : Begonia metallica
Famille : Bégoniacée
Lieu d'origine : régions tropicales
Culture : facile
Arrosages : abondants en été et pendant la floraison ; réduire les arrosages pendant la période de repos de la plante en maintenant toutefois le sol constamment humide.

Humidité : normale ; bassiner les feuilles de temps à autre mais ne jamais mouiller les fleurs.

Températures : ambiante en été ; l'hiver, entre 12 et 15 C.

Sol : pH : 6.5 ; mélange de terreau et de mousse de tourbe.

Engrais : fertiliser à tous les 15 jours pendant l'été avec un engrais liquide non calcaire.

Propagation : semis, bouturage (procéder comme pour le *Bégonia Rex).*

Insectes et animaux ennemis : araignées rouges.

Détails : le Bégonia métallique est cultivé autant pour son feuillage que pour ses fleurs et fleurit durant tout l'été et une partie de l'automne ; même si la plante peut aussi vivre à l'extérieur, il est préférable de toujours la garder à l'intérieur ; après l'essor végétatif du printemps, on peut tailler une plante devenue inesthétique.

BÉGONIA REX

Nom français : Bégonia rex
Nom latin : Begonia rex (variété hybride)
Famille : Bégoniacée

Lieux d'origine: forêts tropicales humides

Culture: facile

Arrosages: abondants pendant l'été; les réduire en hiver; arroser avec de l'eau tiède de préférence.

Éclairage: lumière ou ombre partielle; l'exposition au nord est la plus recommandée.

Humidité: assez élevée; bassiner le feuillage, surtout en hiver.

Températures: fraîche; assurer une bonne aération du lieu où l'on garde la plante.

Sol: pH: 4.5-5; mélange de terreau et de mousse de tourbe; pour éviter les risques de pourrissement, garnir le fond du pot de morceaux de charbon de bois.

Engrais: nourrir régulièrement la plante pendant l'été; toujours diluer l'engrais employé dans le double de la quantité d'eau indiquée.

Propagation: bouturage de feuilles soit entières, soit coupées en morceaux qu'on fixe debout dans le médium choisi; recouvrir le bassin d'un plastique perforé à quelques endroits et placer le tout sur une source de chaleur dont la température varie de 22 à 23 C.

Insectes et animaux ennemis: araignées rouges.

Détails: bien qu'il fleurisse, le Bégonia Rex est avant tout cultivé pour son feuillage.

BÉGONIA TUBÉREUX

Nom français: Bégonia tubéreux

Nom latin: begonia tuberhybrida (variété hybride)

Famille: Bégoniacée

Lieux d'origine: régions tropicales

Culture: très facile à l'extérieur (tubercules non rustiques)

Arrosages: abondants pendant l'été; les réduire en automne puis les suspendre complètement en hiver pour les reprendre progressivement au printemps.

Éclairage: ombre partielle si cultivé à l'extérieur; lumière abondante mais sans soleil direct à l'intérieur.

Humidité: normale.

Températures: ambiante pendant l'été.

Sol: pH: 6.5; bon terreau avec une partie de sable.

Engrais: fertiliser les variétés à fleurs d'avril à août.

Accidents physiologiques: chute des feuilles.

Détails: d'autres Bégonias tubéreux hybrides comme le *B. boliviensis* et le *B. Davassii* se cultivent très facilement autant à l'intérieur qu'à l'extérieur.

BONSAÏ (PLANTES)

L'art du Bonsaï consiste à retarder la croissance normale d'un arbre ou d'un arbuste en lui gardant une forme naine ou miniature. Les premières traces de sa pratique se sont perdues mais l'on est assuré que dès le 14e siècle, les Japonais qui l'avaient emprunté aux Chinois et l'ont poussé au plus haut point de sa perfection, le connaissaient. C'est probablement, comme pour beaucoup d'autres techniques élaborées par l'homme, par l'observation de certaines plantes poussant dans des conditions particulièrement difficiles (exposition au vent, à la sécheresse, etc.) et demeurant naines et difformes, qu'il a été découvert.

Pour freiner ainsi le développement d'un arbre qui parfois, à son état naturel, pourrait être d'une taille immense, une technique particulièrement délicate est requise. Elle consiste essentiellement en la taille des racines et des branches (proportionnellement les unes aux autres), le rognement des feuilles, le pincement et la courbure des tiges ou des branches.

Les plantes qui se prêtent bien à un tel traitement sont les conifères (cèdre, if, pin, sapin, etc.), certains arbustes à feuilles persistantes (eucalyptus, pyracantha, rhododendron, romarin, etc.) ou caduques (abélia, bouleau à papier, diverses plantes du genre *Prunus*, etc.).

On peut se procurer des plantes bonsaï sur le marché mais leurs prix sont très élevés. Dépendant de l'âge et du genre de la plante, on peut devoir payer de $75.00 à $350.00 pour un bonsaï âgé de 5 à 10 ans. Les bonsaï japonais âgés de 50 ans et plus sont d'une valeur inestimable (il y en a de huit siècles d'âge).

Le matériel requis pour la pratique de l'art du Bonsaï est le suivant: une terrine de terre cuite (glacée ou non), du fil de cuivre, un sécateur, des pierres, des figurines chinoises, etc. (pour la décoration de la terrine).

Le Pin de Norfolk (Araucaria) que l'on trouve sur le marché s'avère une plante idéale pour un débutant.

Étapes

Dépoter la plante achetée (un jeune plant). Enlever la terre autour des racines et, tout en les maintenant humides, les tailler mais sans exagération. Placer ensuite la plante dans la terrine qui doit être percée de deux trous de drainage qu'on aura recouverts d'un léger grillage pour empêcher la terre de s'écouler. Utiliser un sol pauvre qu'il faut bien presser sur les racines. Mouiller à fond le sol pour permettre aux racines de bien reprendre.

Ne jamais utiliser d'engrais à moins d'avoir affaire à une plante florifère (comme le rhododendron); une plante trop bien nourrie aurait tendance à reprendre sa croissance normale, ce qu'il faut précisément empêcher. Il s'agit avant tout de maintenir la plante dans un état de stricte survie.

Une fois la plante installée dans la terrine, on attendra quelque temps avant de procéder à la taille de ses branches. Lorsqu'on est assuré qu'elle a passé à travers la première épreuve en soi très difficile, c'est-à-dire la taille des racines, on peut tailler légèrement les branches ainsi que les aiguilles. On attendra plusieurs mois avant de se risquer à arquer les branches et le tronc. L'art du Bonsaï est avant tout une affaire de patience.

Entretien et exigences

Les plantes bonsaï sont des arbustes ou des arbres d'extérieur. C'est pourquoi leur emplacement intérieur sera, soit une lumière moyenne ou une ombre partielle. Tous exigent de l'air frais et craignent la sécheresse de l'air ambiant. On doit les arroser modérément mais fréquemment en utilisant de l'eau de pluie ou de source (aucune autre). Le rempotage doit être régulier (en mars ou en avril), à tous les deux ou trois ans pour les pins. Dans presque tous les cas, on se servira d'une terrine légèrement plus petite que la précédente. C'est alors qu'on répétera la taille des racines puis, plus tard, celle des tiges. Les aiguilles seront taillées au fur et à mesure de la croissance.

La courbure des branches et du tronc se pratiquera avec un fil de cuivre enroulé autour de la branche choisie (en partant du tronc) qui sera tendue dans la direction voulue. Il s'agit de faire dévier la branche ou le tronc de sa direction naturelle et de donner à la plante des formes aussi sophistiquées que baroques tout en respectant l'équilibre et l'harmonie de la plante. Il faudra plusieurs mois, voire plusieurs années, avant que l'on puisse libérer la branche ou le tronc de son fil de cuivre. Il n'y a pas de limite à cette technique : entaille du tronc, greffe, utilisation de pesées au bout des branches, etc. Mais ce sont là des techniques délicates réservées aux spécialistes ou pratiquées seulement après plusieurs années d'expérience.

Période de repos

Elle est essentielle et dure du début de l'automne jusqu'en février. Les plantes Bonsaï devront être gardées au frais dans une pièce (idéalement une véranda) éclairée et peu chauffée.

Sol requis pour les différents types de Bonsaï

Plantes à feuillage caduc : 1/3 de sable et 2/3 de terreau.

Plantes à feuillage persistant et conifères : 1/3 de sable, 1/3 de compost de feuilles et 1/3 de terreau.

Arbustes de terre de bruyère : 2/3 de terre de bruyère et 1/3 de sable.

Arbres à fleurs et à fruits : 2/3 de terreau et 1/3 de compost de feuilles.

Se cultivent bien comme plantes Bonsaï au Québec : le *Chrysanthème*, le *Citronnier*, le *Fatchedera*, le *Ficus Benjamini*, l'*Oranger*, le *Polycias chinensis*, le *Pyracantha* et le *Romarin*.

BOUGAINVILLÉE

Nom français : Bougainvillée
Nom latin : Bougainvillea Alexandra
Famille : Nyctaginacée
Lieu d'origine : Brésil
Culture : facile
Arrosages : copieux durant l'été, modérés pendant la période de repos.
Éclairage : plein soleil pendant l'été, même à l'extérieur ; éclairage indirect en hiver.
Humidité : la plante exige beaucoup d'humidité pendant l'été ; bassiner régulièrement le feuillage.
Températures : 16-18 C la nuit, 21 C et plus le jour.
Sol : argileux et calcaire.
Engrais : nourrir la plante à chaque semaine pendant l'été.
Propagation : bouturage de tiges.

108

Accidents physiologiques: la plante est sensible à la sécheresse.

Détails: pour activer la floraison, il est recommandé d'arquer les tiges de la plante avec un tuteur métallique.

BROMÉLIACÉES (les)

La famille des Broméliacées, plantes originaires d'Amérique du Sud, compte quelques centaines d'espèces dont plusieurs sont disponibles sur le marché. Outre les caractères spécifiques botaniques qui les regroupent dans cette famille, les Broméliacées sont toutes des plantes épiphytes qui vivent sur des rochers ou sur des arbres sans pour autant parasiter ces derniers.

Les Broméliacées sont des plantes très résistantes et exigent toutes les mêmes soins ou à peu près que l'*Aechmea fasciata* plus haut décrite.

Pour des raisons pratiques de culture et de mise en marché, on cultive aujourd'hui ces plantes dans le sol mais certaines espèces peuvent encore vivre à l'état épiphyte; leur réseau radiculaire très rudimentaire est alors fixé dans les fissures d'une bûche de bois ou d'une échouerie ou même d'une roche et entouré, de même que toute la base de la rosette de feuilles, de mousse de sphaigne qu'il faut maintenir constamment humide (pour les autres soins, voir *Achméa).*

Parmi les espèces les plus fréquemment rencontrées, mentionnons *Ananas sativum* (traité plus haut), *Cryptanthus* (petite espèce facile à cultiver en terrarium), *Guzmania minor* (qu'il faut cultiver dans le sol) et enfin *Vrieses splendens.*

CACTUS ET PLANTES GRASSES (les)

La réputation des cactus et des plantes grasses n'est plus à faire. Leur facilité d'entretien, leur grande résistance aux conditions souvent aléatoires de nos maisons, la beauté de leurs fleurs en font des plantes de plus en plus recherchées, en particulier par ceux qui n'ont pas beaucoup de temps à consacrer à leur jardin intérieur.

Les Cactacées sont des plantes vivaces de formes très diverses capables de résister à la sécheresse grâce à leurs organes et tissus aquifères. On évalue aujourd'hui à 2 000 et plus le nombre d'espèces connues et qui se répartissent dans plusieurs genres, surtout selon leurs formes. Ces principaux genres sont: les *Céreus* (en forme de cierge simple ou arbustif, 300 espèces), les *Echinocactus* (en forme de boule allongée, ronde ou aplatie, 500 espèces), les *Échinocéreus* (en forme de touffe ramifiée, 60 espèces), les *Échinopsis* (en forme de boule ou de cylindre, 25 espèces), les *Mammillaria* (en forme de boule forme d'arbre ou de buisson, 300 espèces) et enfin, les *Phyllocactus* (aux rameaux en forme de feuille épaisse et crénelée, 27 espèces).

Presque toutes ces espèces, sauf les *Épiphyllum* et les *Phyllocactus* qui sont épiphytes et vivent dans les forêts tropicales, se rencontrent dans les déserts et les montagnes. Quoique le pays de prédilection des cactus soit le Mexique, on en rencontre, sur une distance de 10 000 kilomètres, de l'Amérique du Nord (même au Canada) jusqu'au Sud de l'Amérique du Sud. Certaines variétés peuvent atteindre 12 mètres de hauteur, d'autres, 2 mètres de diamètre à leur base. Certaines donnent de petites fleurs, d'autres, de très grandes.

Les plantes grasses ou «succulentes» sont des plantes à feuillage et à tiges épaisses et charnues poilues, épineuses ou glabres capables, elles aussi, grâce à leurs tissus aquifères, de retenir l'eau. Elles proviennent de divers lieux du monde (d'Afrique du Sud notamment) et regroupent des genres appartenant à diverses familles de plantes. Ces principaux genres sont : les *Agaves* (300 espèces), les *Euphorbes* (800 espèces), les *Ficoïdes* (genre *Mesembryanthemum*, 500 espèces), les *Joubarbes* (genre *Sempervivum)* et les *Orpins* (genre Sedum) (tous deux de la famille des *Crassulacées),* et enfin les *Stapéliées* (genres *Caralluma* et *Stapelia* qui regroupent 200 espèces). Un grand nombre d'autres plantes, comme l'*Aloès,* le *Yucca* etc., sont considérées comme des plantes grasses. Cependant, nous ne parlerons ici que des plantes grasses dont le mode de culture se rapproche, quoiqu'il soit plus délicat, de celui des cactus. En effet, les plantes grasses sont plus sensibles à la sécheresse et exigent des arrosages plus fréquents de même qu'une période de repos hivernal moins longue. Contrairement à certains cactus qui peuvent survivre à une température de -15 C, les plantes grasses ne supportent pas le gel.

Les cactus et les plantes grasses sont sujets à la pourriture provoquée par des arrosages excessifs (dans le cas des plantes grasses, le symptôme en est le flétrissement des feuilles et des tiges). De même, une humidité trop élevée provoque souvent l'apparition des cochenilles (à noter au passage que l'huile minérale blanche ne doit jamais être appliquée, comme insecticide, sur les cactus ou les plantes grasses). Enfin, les cactus et les plantes grasses aiment vivre à l'étroit dans leurs pots ou mieux, à plusieurs sujets dans le même pot.

Floraison des cactus

Il est relativement facile de faire fleurir les cactus à l'intérieur à condition expresse de leur accorder une période de repos pendant laquelle, sauf dans le cas des petits cactus, aucun arrosage ne leur sera dispensé. C'est ainsi qu'entre le début d'octobre jusqu'à la fin de février, on ne leur fournira ni eau, ni engrais. De plus, il est essentiel que la température connaisse un décalage de 5 à 10 C pendant la nuit. S'il est impossible de contrôler la température, on placera les cactus dans la pièce la plus fraîche de la maison et, le soir venu, on les disposera sur le plancher pour la nuit. Il faudra éviter qu'ils soient exposés aux courants d'air ou à l'air froid. À la fin de février, on recommencera les arrosages et nourrira les cactus avec un mélange d'émulsion de poisson et de sang séché. Certains cactus fleuriront tôt le printemps (le *Notocactus,* par exemple), d'autres, en été, et quelques-uns, en hiver (le *Zygocactus* ou *Cactus* de Noël).

Semis de cactus

Disposer au fond d'un bocal qui peut se fermer hermétiquement 1 pouce (2.5 cm) de charbon de bois naturel (érable brûlé de préférence).

Recouvrir le charbon de 2 pouces (5 cm) d'un mélange humide de terre noire, sable, argile et brique pilée.

Couvrir la surface du sol d'un nuage de mousse de tourbe fine.

Semer les graines sur la mousse de tourbe en laissant 1/4 de pouce entre chaque graine.

Fermer le bocal et le placer à la lumière mais jamais sous les rayons directs du soleil. La germination demandera 6 mois et plus. Il suffira ensuite de repiquer les cactus dans un sol sablonneux.

Le succès de l'opération dépend d'abord du degré d'humidité du mélange employé et de la qualité des semences. À propos de celles-ci, disons qu'il est préférable d'acheter deux marques différentes de graines qu'on sèmera dans deux pots afin de pouvoir déterminer les marques de bonne et de moindre qualité.

Un sachet de semences de cactus comprend des espèces différentes qu'il est impossible de connaître avant que les petits cactus n'aient atteint une dimension qui permette de les identifier. Par

111

contre, il est certain que ceux qui germeront les premiers seront les *Cereus,* les deuxièmes pouvant être les *Opuntia;* quant aux autres espèces, il faudra souvent attendre plusieurs années avant de pouvoir les identifier.

Greffes de cactus

Le corps des cactus est constitué d'environ 80% d'eau. En mettant bout à bout les centres de leurs racines principales qui se prolongent dans leurs tiges sous forme d'un petit cercle de couleur différente, on parvient à les faire vivre. C'est ce qu'on appelle une greffe. Si elle est bien réalisée, le greffon (cactus du dessus) continue à croître en puisant ses ressources directement dans la terre par l'intermédiaire du porte-greffe (cactus du dessous) auquel il est soudé.

Choisir le porte-greffe qui doit être, pour des raisons esthétiques, plus petit que le greffon; on emploie de préférence un *Tricocereus* (cierge à trois côtés) avec une racine bien visible. À l'aide d'une lame de rasoir (préférablement montée sur un manche), on pratique des incisions sur les trois côtés de celui-ci de façon à faire apparaître la racine.

Couper la base du greffon qui sera de forme ronde de manière à faire apparaître sa racine.

Poser le greffon sur le porte-greffe et l'y fixer délicatement avec deux cordes placées par-dessus en forme de croix. Placer le tout dans l'obscurité et la fraîcheur (8-10 C) pendant 2 semaines, à l'abri des courants d'air.

Après deux semaines, défaire les cordes (le greffon se sera soudé au porte-greffe) et le ramener graduellement dans un endroit plus clair et plus chaud.

Les très populaires cactus de couleur rose ou orangée sont des chimères (terme technique) qui croissent spontanément dans la nature mais ne peuvent se cultiver seules. Tôt ou tard, le porte-greffe donnera des signes de dépérissement. Le plus simple consiste alors à le renouveler (voir *Agave américain, Crassule argentée, Croton, Dragonniers, Echinocactus, Kalanchoé, Opuntia, Orpin, Poinsettie, Zygocactus).*

CACTUS DE NOËL

Nom français: Cactus de Noël
Nom latin: Zygocactus truncatus
Famille: Cactacée
Lieu d'origine: Brésil
Culture: facile
Arrosages: réguliers pendant l'été, avec de l'eau tiède non calcaire; modérés pendant les quelques mois de repos (après la floraison).
Éclairage: ombre partielle en été, bonne luminosité en automne et en hiver.
Humidité: normale; bassiner régulièrement juste avant l'apparition des boutons floraux.
Températures: 16 C la nuit, 21 C le jour; éviter les courants d'air et les changements brusques de température.
Sol: mélange de terreau, de mousse de sphaigne et de sable.
Engrais: nourrir la plante avec un engrais liquide lorsque la plante est en boutons.
Propagation: bouturage de têtes piquées dans un sol riche et poreux.
Accidents physiologiques: chute des boutons floraux avant leur éclosion due au dessèchement du sol ou à un changement de place.
Détails: après la fin de la floraison, cesser tout apport d'engrais, réduire les arrosages et garder la plante au frais pendant deux mois; vers mars, recommencer les arrosages et donner plus de chaleur à la plante; recommencer à fertiliser en automne; dans la nature, le Cactus de Noël vit en épiphyte.

CAFÉIER D'ARABIE

Nom français: Caféier d'Arabie
Nom latin: Coffea arabica
Famille: Rubiacée
Lieu d'origine: Afrique
Culture: facile
Arrosages: abondants; toujours maintenir le sol humide.
Éclairage: éviter l'ensoleillement direct; la plante préfère une ombre partielle.
Humidité: beaucoup d'humidité en été; la plante supporte l'aridité de l'air en hiver.
Températures: entre 12 et 18 C; éviter à tout prix d'exposer la plante aux courants d'air ou à l'extérieur.

Sol : riche et légèrement argileux.

Engrais : Nourrir la plante régulièrement pendant l'été.

Propagation : semis à partir de graines de café vert les plus fraîches possibles ; bouturage de la tige centrale.

Insectes et animaux ennemis : cochenilles farineuses.

Détails : le caféier n'a qu'une durée de vie limitée (2-3 ans) et ne fleurit pas à l'intérieur.

CALADIUM

Nom français : Caladium

Nom latin : Caladium bicolor

Famille : Aracée

Lieux d'origine : Amazonie et Brésil

Culture : facile

Arrosages : généreux de mai à août.

Éclairage : lumière ou ombre partielle ; ne pas exposer au soleil.

Humidité : normale.

Températures : chaleur ambiante en été.

Sol, engrais, propagation : on peut se procurer des bulbes de caladium sur le marché dès février. Le sol qui leur convient le mieux en est un composé de 50% de terre noire, de sable fin et de mousse de tourbe et de 50% de sable grossier. On ajoute à ce mélange de l'oscomote (formule 7-7-7), un engrais dont les petites particules blanches ont la particularité d'éclater à la chaleur humide. Planter les bulbes dans ce mélange dans des pots assez bas (à mi-hauteur des pots), la partie chevelue vers le haut. Dans le cas des petits bulbes, en mettre deux ou trois par pot ; dans le cas des gros, un seul. Placer les pots à la noirceur et à une température de 15 C ; ne pas arroser jusqu'à la formation des racines et des bourgeons qui peu à peu se transformeront en feuilles enroulées sur elles-mêmes. Quand ces dernières auront atteint 6 pouces (15 cm) de hauteur, sortir les pots de l'obscurité et les arroser généreusement et régulièrement tout le temps de la vie active des feuilles, c'est-à-dire environ six mois. Après ce temps, c'est-à-dire vers la fin de l'été, cesser d'arroser les plants puis les dépoter et les laisser sécher entiers dans un lieu sec et ombragé. Récupérer ensuite les bulbes et les remiser dans un lieu sec (mais pas trop pour éviter qu'ils ne se dessèchent complètement) jusqu'en février. En suivant la méthode ici décrite, les bulbes donneront de nombreuses petites feuilles solides. Par contre, il est possible, pour obtenir de grandes feuilles, de placer les bulbes directement à la chaleur et à la lumière après les avoir plantés ; les feuilles seront dans ce cas plus faibles et la plante aura besoin d'apports réguliers de phosphate.

Insectes et animaux ennemis: pucerons, thrips.

Détails: la variété blanche *C. candidum* est spécialement conseillée car elle donne beaucoup de feuilles (voir *Plantes à fleurs).*

CALATHEA

Nom français: Calathea
Nom latin: Calathea Makoyana
Famille: Marantacée
Lieux d'origine: Brésil et Pérou
Culture: facile
Arrosages: maintenir le sol humide mais non détrempé; toujours utiliser de l'eau douce et tiède.
Éclairage: ombre partielle.
Humidité: très élevée; bassiner régulièrement les feuilles.
Températures: bonne chaleur durant l'été; 16-18 C l'hiver.
Sol: mélange de terreau, de compost de feuilles et de sable granuleux.
Engrais: nourrir la plante à toutes les deux semaines en été; diluer l'engrais dans deux fois la quantité d'eau prescrite.
Propagation: par division de touffes.

Insectes et animaux ennemis: araignées rouges.

Accidents physiologiques: la mousse de tourbe mêlée au sol peut provoquer le jaunissement du pourtour des feuilles.

Détails: la plante produit des petits drageons appelés «gourmands» qui se nourrissent à même la plante-mère mais ne deviendront jamais adultes.

CAPILLAIRE (ADIANTE OU CHEVEUX DE VÉNUS)

Nom français: Capillaire (Adiante ou Cheveux de Vénus)
Nom latin: Adiantum raddianum «decorum»
Famille: Adiantacée
Lieux d'origine: forêts humides sud-américaines
Culture: difficile
Arrosages: abondants; ne jamais laisser s'assécher le sol; une fois par semaine, tremper le pot dans un seau d'eau tiède jusqu'à saturation du sol; bassiner fréquemment le feuillage.
Éclairage: ombre.
Humidité: essentielle; maintenir un bassin d'eau plat près de la plante.

Températures: l'été, la plante apprécie la fraîcheur; l'hiver, elle réclame une température de 18 à 22 C.

Sol: mélange de compost de feuilles, de mousse de tourbe et de sable.

Engrais: nourrir la fougère à tous les 15 jours à partir de mars; employer de l'émulsion de poisson.

Propagation: semis de spores; les récolter dans une assiette remplie de mousse de tourbe humide placée sous la fougère.

Insectes et animaux ennemis: limaces.

Détails: les variétés «Brillant-Else» et «Fritz Luethli» sont les plus faciles à cultiver à l'intérieur; l'une, sinon la plus belle de nos fougères sauvages du Québec est l'*Adiante pédalé* qui forme parfois, dans les bois feuillus riches, de grandes colonies; c'est une plante à protéger.

CERISIER DE JÉRUSALEM

Nom français: Cerisier de Jérusalem

Nom latin: Solanum pseudocapsicum

Famille: Solanacée

Lieu d'origine: Madère

Culture: facile

Arrosages: abondants en été et moins fréquents en automne; d'octobre à février, maintenir le sol humide.

Éclairage: plein soleil ou bonne luminosité.

Humidité: normale au printemps et en été; la plante supporte bien la sécheresse de l'air pendant l'hiver.

Températures: 4 C la nuit, 10 C et plus le jour.

Sol: mélange de terreau, de compost de feuilles et de mousse de tourbe.

Engrais: nourrir la plante une fois par semaine en été.

Propagation: semis, bouturage de tiges.

Insectes et animaux ennemis: aleurodes (mouchés blanches), pucerons.

Détails: pincer l'extrémité des tiges pour favoriser une bonne ramification de la plante; on peut, pendant l'essor végétatif (à partir de février), tailler la plante et la rempoter dans un pot n'ayant pas 1 pouce (2.5 cm) de diamètre de plus que l'ancien; les fruits rouge orangé vénéneux du Cerisier de Jérusalem se développent jusqu'en automne et si la plante est gardée au frais (8 à 10 C) peuvent persister longtemps; on peut se servir des semences contenues dans les baies pour propager la plante qui peut être gardée à l'extérieur pendant l'été (voir *Plantes à fleurs*).

CHAMÉDORÉE

Nom français: Chamédorée
Nom latin: Chamaedorea elegans
Famille: Palmier
Lieu d'origine: Mexique
Culture: facile
Arrosages: généreux en été; le sol doit toujours rester humide.
Éclairage: lumière abondante mais sans soleil direct.
Humidité: la plante est sensible à la sécheresse de l'air; la bassiner le plus souvent possible.
Températures: ambiante, l'été; elle ne doit pas dépasser 12 ou 14 C en hiver.
Sol: mélange, en parties égales, de terreau, de sable et de compost de feuilles.
Engrais: nourrir la plante à tous les 15 jours mais en été seulement.
Propagation: semis.
Insectes et animaux ennemis: araignées rouges, rouille.

CHLOROPHYTE OU PHALANGÈRE (ARAIGNÉE)

Nom français: Chlorophyte ou Phalangère (Araignée)
Nom latin: Chlorophytum comosum
Famille: Liliacée
Lieu d'origine: Cap Bon (Afrique)
Culture: très facile
Arrosages: laisser sécher le sol entre les arrosages; ne jamais bassiner le feuillage.
Éclairage: bonne lumière mais filtrée.
Humidité: normale.
Températures: 15 C; la plante résiste bien aux écarts de température.
Sol: terreau et sable.
Engrais: nourrir la plante deux ou trois fois en été; cependant, si l'on veut que la plante donne des stolons, il faut éviter de la nourrir.
Propagation: prélever des stolons, leur faire former des racines dans l'eau ou alors, disposer autour de la plante-mère de petits pots dans lesquels les stolons s'enracineront d'eux-mêmes.
Insectes et animaux ennemis: pucerons des racines (contre eux, mêler un peu de poudre de tabac au sol de surface).
Détails: le chlorophyte aime vivre à l'étroit dans son pot; la formation des stolons de même que celles des fleurs épuise la plante-mère.

CINÉRAIRE

Nom français : Cinéraire
Nom latin : Senecio cruentus
Famille : Composée
Lieux d'origine : Îles Canaries
Culture : facile
Arrosages : arrosages quotidiens avec de l'eau tiède pendant la floraison.
Éclairage : beaucoup de lumière pendant la floraison ; ombre partielle auparavant.
Humidité : bassiner régulièrement le feuillage pendant la saison chaude.
Températures : entre 8 et 10 C.
Sol : terreau, compost de feuilles et mousse de tourbe.
Engrais : aucun.
Propagation : semis.
Insectes et animaux ennemis : pucerons.
Détails : le Cinéraire fleurit de mars à juin ; ses fleurs peuvent durer de 4 à 6 semaines ; la plante ne fleurit qu'une fois et devient sans intérêt après la floraison.

CISSUS (OU VIGNE)

Nom français : Cissus (ou Vigne)
Nom latin : Cissus rhombifolia
Famille : Vitacée
Lieu d'origine : tropiques
Culture : facile
Arrosages : laisser sécher le sol entre les arrosages.
Éclairage : lumière ou ombre partielle.
Humidité : bassiner régulièrement le feuillage.
Températures : 12-15 C la nuit, 22-24 C le jour.
Sol : pH : 6—6.5 ; terre sablonneuse.
Engrais : nourrir la plante une fois par semaine pendant l'été.
Propagation : bouturage de tiges feuillées qu'on plante directement dans un médium d'enracinement.
Insectes et animaux ennemis : maladies cryptogamiques provenant d'un excès d'arrosages.
Détails : le Cissus est grimpant et peut être cultivé sur un tuteur maintenu humide ou en pots suspendus dans des jardinières.

CITRONNIER

Nom français: Citronnier
Nom latin: Citrus limonia
Famille: Rutacée
Lieu d'origine: Asie de l'Est
Culture: facile
Arrosages: abondants du printemps jusqu'à la mi-août; l'hiver, maintenir le sol humide mais non détrempé; arroser avec de l'eau tiède.
Éclairage: lumière abondante et soleil en été; lumière abondante mais sans soleil direct en hiver; la plante peut vivre à l'extérieur pendant l'été.
Humidité: nécessaire en été et en hiver; bassiner régulièrement le feuillage.
Températures: elle ne devrait pas dépasser 4 à 6 C en hiver.
Sol: mélange de terre argileuse, de mousse de tourbe et de sable.
Engrais: nourrir la plante à chaque semaine pendant l'été.
Propagation: semis, bouturage de tiges.
Insectes et animaux ennemis: pucerons et cochenilles.
Accidents physiologiques: chute des feuilles due à un excès de chaleur ou à un excès d'arrosages pendant la période de repos.
Détails: si un Citronnier a perdu trop de feuilles pendant l'hiver, on peut en rabattre les tiges au printemps. L'*Oranger (Citrus sinensis)* et le *Mandarinier (Citrus nobilis)* appartiennent évidemment à la même famille et se cultivent comme le Citronnier. À noter que les semences prélevées sur des fruits achetés au marché peuvent parfois donner des plantes qui fleuriront puis fructifieront, après six ans ou plus de culture (voir *Bonsaï).*

COLEUS (AMARANTE)

Nom français: Coleus (Amarante)
Nom latin: Coleus Blumei (plante hybride)
Famille: Labiacée
Lieux d'origine: Inde, Java, Asie tropicale
Culture: facile
Arrosages: abondants en été; toujours maintenir le sol humide.
Éclairage: une très bonne lumière est essentielle pour une bonne coloration du feuillage; à l'intérieur, la plante peut même bénéficier de soleil direct; à l'extérieur, elle préfère l'ombre.
Humidité: bassiner quotidiennement le feuillage pendant la saison chaude.
Températures: 18-21 C la nuit, 24-27 C le jour.
Sol: terreau non calcaire et compost de feuilles.

Engrais: nourrir la plante pendant sa période de croissance avec un engrais dilué dans beaucoup d'eau.

Propagation: semis, bouturage de tiges mais sans fleurs.

Insectes et animaux ennemis: cochenilles.

Détails: pour donner une forme buissonnante à la plante, pincer régulièrement l'extrémité de ses tiges.

CORDYLINE

Nom français: Cordyline
Nom latin: Cordyline terminalis
Famille: Liliacée
Lieu d'origine: Polynésie
Culture: facile
Arrosages: maintenir le sol humide pendant l'été; en hiver, le laisser sécher entre les arrosages.

Éclairage: donner à la plante au moins 12 heures de lumière par jour afin d'assurer une bonne coloration du feuillage.

Humidité: assez élevée; bassiner souvent le feuillage.

Températures: 18-21 C la nuit, 24-29 C le jour.

Sol: mélange de terreau, de sable grossier et de mousse de tourbe.

Engrais: à toutes les 2 semaines d'avril à juillet.

Propagation: bouturage de tiges, marcottage aérien de têtes.

Insectes et animaux ennemis: araignées rouges.

CRASSULE ARGENTÉE

Nom français: Crassule argentée
Nom latin: Crassula arborescens
Famille: Crassulacée
Lieu d'origine: Afrique du Sud
Culture: facile
Arrosages: modérés et dépendant de la grosseur du pot; une Crassule vivant dans un pot de 6 pouces (15 cm) de diamètre doit être arrosée une fois à tous les 15 jours; le sol doit toujours sécher complètement entre les arrosages; en hiver, la fréquence des arrosages sera réduite de moitié.

Éclairage: la plante exige 12 heures de lumière par jour (16 heures, s'il s'agit de lumière artificielle); la plante supporte quelques heures de soleil direct par jour; en hiver, il faudra pourvoir la plante en lumière artificielle.

Humidité : ne bassiner la plante que pour la nettoyer.

Températures : 10-13 C la nuit, 20-22 C le jour.

Sol : 50% de sable, 25% de terreau et 25% de compost de feuilles.

Propagation : bouturage de tiges avec ou sans feuilles (en procédant comme pour le *Dragonnier «Warneckii»).*

Insectes et animaux ennemis : cochenilles, pucerons.

Accidents physiologiques : flétrissure des feuilles due à des arrosages excessifs (voir *Cactus et Plantes Grasses).*

CROTON

Nom français : Croton
Nom latin : Codiaeum variegatum
Famille : Euphorbiacée
Lieux d'origine : Archipel de Malaisie, Îles du Pacifique
Culture : facile
Arrosages : maintenir le sol humide mais non détrempé.
Éclairage : abondante lumière indirecte.
Humidité : bassiner régulièrement le feuillage.
Températures : 16-18 C la nuit, 21-24 C le jour ; éviter les courants d'air.
Sol : parties égales de terreau, de compost de feuilles et de sable.
Engrais : nourrir la plante avec de l'engrais dilué à tous les deux mois entre le printemps et le début de l'été.
Propagation : bouturage de tiges, marcottage aérien.
Insectes et animaux ennemis : araignées rouges.

CYCLAMEN

Nom français : Cyclamen
Nom latin : Cyclamen persicum (plante hybride)
Famille : Primulacée
Culture : difficile
Arrosages : abondants pendant la floraison avec de l'eau tiède et douce ; arroser par le fond du pot et ne jamais bassiner la plante.
Éclairage : bonne luminosité mais sans soleil direct.
Humidité : normale.

Températures: 4 à 13 C la nuit, 18 C et plus pendant le jour; éviter les courants d'air.

Sol: ph: 5-6; terreau acide et poreux.

Engrais: nourrir la plante régulièrement pendant la croissance.

Propagation: semis.

Insectes et animaux ennemis: pucerons.

Détails: le Cyclamen peut fleurir de l'automne jusqu'à la fin de l'hiver; lorsque la floraison est achevée et que les feuilles commencent à jaunir, coucher la plante sur le côté, la laisser sécher puis l'entreposer dans un lieu sec et obscur jusqu'en mai; sortir alors la plante, reprendre graduellement les arrosages, la fertilisation puis l'exposition à la lumière (voir *Plantes à fleurs)*.

DATURA (STRAMOINE)

Nom français: Datura (Stramoine)

Nom latin: Datura stramonium

Famille: Solanacée (plante annuelle)

Lieux d'origine: Mexique, Pérou, Inde

Culture: facile

Arrosages: copieux pendant l'été.

Éclairage: plein soleil, à l'intérieur ou à l'extérieur.

Humidité: normale

Température: 10-12 C en hiver; plus chaude en été.

Sol: la plante s'adapte à toutes les sortes de terreau comprenant une partie de mousse de tourbe.

Engrais: nourrir la plante au printemps avec un engrais riche en potasse, ceci afin d'assurer une bonne floraison.

Propagation: semis; les semences demandent de 6 à 8 semaines pour germer; elles peuvent garder leur pouvoir de germination pendant au moins 5 ans.

Insectes et animaux ennemis: araignées rouges, pucerons; à l'extérieur, l'altise, petit insecte qui troue les feuilles, s'attaque au Datura comme à toutes les autres Solanacées (tomate, piment, etc.).

Détails: toutes les parties de la plante sont hautement vénéneuses pouvant provoquer la cécité et la mort; on devrait donc éviter de la cultiver si l'on a des enfants. La plante exigeant beaucoup d'espace pour atteindre ses pleines dimensions, il est préférable de la cultiver en pleine terre; une variété de Datura à fleurs blanches (alors que celles de la variété cultivée sont violettes) se rencontre occasionnellement à l'état sauvage.

DIEFFENBACHIE (ARUM VÉNÉNEUX)

Nom français: Dieffenbachie (Arum vénéneux)
Nom latin: Dieffenbachia picta
Famille: Aracée
Lieux d'origine: Colombie, Équateur, Venezuela
Culture: facile
Arrosages: abondants en été; en hiver, laisser sécher le sol entre les arrosages.
Éclairage: bonne luminosité mais en évitant le soleil direct.
Humidité: bassiner le feuillage régulièrement.
Températures: 18-21 C la nuit, 21-27 C le jour; la plante est très sensible au froid.
Sol: pH: 4.4-5; mélange de 25% de terreau, 25% de mousse de tourbe et 50% de compost de feuilles.
Engrais: nourrir la plante à toutes les deux semaines en été avec un engrais non calcaire.
Propagation: bouturage de tiges.
Insectes et animaux ennemis: araignées rouges, cochenilles.
Détails: la sève de la plante est toxique.

DRAGONNIER (DRACENA) «WARNECKII»

Nom français: Dragonnier (Dracena) «Warneckii»
Nom latin: Dracaena Deremensis «Warneckii»
Famille: Agavacée
Lieu d'origine: Afrique
Culture: facile
Arrosages: laisser sécher le sol entre les arrosages.
Éclairage: lumière ou ombre partielle; une fois que la plante s'est adaptée à un endroit, ne pas la changer de place.
Humidité: plante de climat sec; ne jamais bassiner les feuilles et éviter l'électricité statique.
Température: 22-24 C la nuit et plus chaude durant le jour.
Sol: mélange de terre de bruyère, de terreau et de sable.
Engrais: nourrir la plante avec un engrais à base de sulfate de fer, à toutes les deux semaines mais en été seulement.

Propagation: marcottage aérien; bouturage de tronçons de tige.

Insectes et animaux ennemis, Accidents physiologiques: la plante est très sensible à diverses maladies cryptogamiques et a parfois tendance à sécher.

Détails: ne jamais vaporiser le coeur de la plante de fongicides ou d'insecticides; les petites taches blanches situées sous les feuilles sont naturelles.

DRAGONNIER (DRACENA) «JANET CRAIG»

Nom français: Dragonnier (Dracena) «Janet Craig»

Nom latin: Dracaena Deremensis «Janet Craig»

Famille: Agavacée

Lieu d'origine: Afrique de l'Est

Culture: facile

Arrosages: abondants durant l'été; l'hiver, laisser sécher le sol entre les arrosages; utiliser de l'eau de pluie de préférence à toute autre.

Éclairage: ombre partielle.

Humidité: normale; ne bassiner la plante que pour nettoyer ses feuilles.

Températures: ambiante le jour; la nuit, la plante préfère la fraîcheur.

Sol: terre de bruyère, terreau et sable.

Engrais: fertiliser à chaque semaine à partir du printemps avec un engrais organique.

Propagation: bouturage de têtes (en utilisant de très petits pots).

Accidents physiologiques: perte normale des feuilles du bas; brunissement des extrémités de feuilles.

DRAGONNIER (DRACENA) «MASSANGEANA»

Nom français: Dragonnier (Dracena) «Massangeana»

Nom latin: Dracaena fragrans «Massangeana»

Famille: Agavacée

Lieux d'origine: Afrique, Asie, Australie

Culture: facile

Arrosages: normaux, en laissant sécher le sol entre les arrosages; utiliser de l'eau de pluie.

Éclairage: bonne luminosité.

Humidité: tolère assez bien la sécheresse de l'air; ne jamais bassiner les feuilles.

Températures: 18-21 C la nuit, 21-24 C le jour.

Sol: terreau léger et compost de feuilles.

Engrais: si la plante est cultivée dans un mélange à forte teneur en mousse de tourbe, la fertiliser à tous les 15 jours.

Propagation: bouturage de tiges ou de tronçons de tronc.

Accidents physiologiques: la plante est sensible aux maladies cryptogamiques.

DRAGONNIER (DRACENA)

Nom français: Dragonnier (Dracena)
Nom latin: Dracaena marginata
Famille: Agavacée
Lieu d'origine: Madagascar
Culture: facile
Arrosages: normaux; laisser sécher le sol entre les arrosages.
Éclairage: bonne luminosité.
Humidité: normale; ne jamais bassiner le feuillage sauf pour nettoyer la plante.
Températures: 18-21 C la nuit, 21-24 C le jour.
Sol: parties égales de compost de feuilles, de mousse de tourbe, de terreau et de sable.
Engrais: fertiliser à toutes les deux semaines à partir du printemps.
Propagation: bouturage de têtes assez difficile à réaliser.
Insectes et animaux ennemis: araignées rouges.
Accidents physiologiques: perte normale des feuilles du bas.

DRAGONNIER (DRACENA) «SONG OF INDIA»

Nom français: Dragonnier (Dracena) «Song of India»
Nom latin: Dracaena reflexa «Song of India»
Famille: Agavacée
Lieu d'origine: Île Maurice
Culture: facile
Arrosages: normaux; éviter que le sol ne se dessèche entre les arrosages; utiliser de l'eau de pluie.
Éclairage: bonne luminosité.
Humidité: normale; ne jamais bassiner les feuilles; la plante peut être placée dans une cuvette d'eau à condition bien sûr que le fond du pot ne trempe pas dans l'eau.

Températures: 18-21 C la nuit, 21-24 C le jour.

Sol: parties égales de terreau, de compost de feuilles et de sable.

Engrais: nourrir la plante régulièrement à partir du printemps.

Propagation: bouturage de tronçons de tige.

Insectes et animaux ennemis: araignées rouges.

Détails: cette espèce est l'une des plus belles du genre *Dracaena*.

DRAGONNIER (DRACENA)

Nom français: Dragonnier (Dracena)

Nom latin: Dracaena Sanderiana

Famille: Agavacée

Lieu d'origine: Congo

Culture: facile

Arrosages: modérés; laisser sécher le sol entre les arrosages; utiliser de l'eau de pluie.

Éclairage: bonne luminosité.

Humidité: normale; ne jamais bassiner le feuillage.

Températures: 18-21 C la nuit, 21-24 C le jour.

Sol: mélange de terreau et de sable.

Engrais: nourrir la plante à chaque semaine pendant toute l'année avec un engrais organique ou un engrais chimique très dilué.

Propagation: bouturage de tiges difficile à réaliser.

Accidents physiologiques: dessèchement des feuilles.

ÉCHINOCACTUS (COUSSIN DE BELLE-MÈRE)

Nom français: Échinocactus (Coussin de belle-mère)

Nom latin: Échinocactus Grusonii

Famille: Cactacée

Lieu d'origine: Mexique

Culture: très facile

Arrosages: arroser la plante à toutes les 2 semaines en été; en automne, 1 fois par mois; en hiver, suspendre complètement les arrosages.

Éclairage: plein soleil pendant l'été; en hiver, une bonne luminosité suffit à la plante.

Humidité: ambiante pendant l'été; en hiver, sécheresse de l'air.

Températures: maintenir la plante au froid sec (8-10 C) pendant l'hiver.

Sol: terre sablonneuse.

Engrais: fertiliser une fois l'an, au début du printemps.

Propagation: semis mais difficile à réaliser pour un amateur.

Insectes et animaux ennemis: pucerons.

Détails: la plante est une espèce à croissance très lente; c'est ainsi qu'on peut évaluer à une quarantaine d'années l'âge d'un Échinocactus ayant un diamètre d'un pied (30 cm environ) (voir *Cactus et Plantes Grasses*).

ÉPISCIA

Nom français: Épiscia
Nom latin: Épiscia cupreata
Famille: Gesnériacée
Lieux d'origine: Colombie, Brésil
Culture: facile
Arrosages: normaux, c'est-à-dire 2 fois par semaine pour une plante de grosseur normale gardée dans un pot de 6-8 pouces (18 cm environ) de diamètre; arroser avec de l'eau tiède et ne jamais bassiner les feuilles.
Éclairage: exposition au sud de préférence; ombre partielle en été, bonne luminosité le reste de l'année.
Humidité: normale
Températures: 18-21 C la nuit, 24 C et plus le jour.
Sol: léger et poreux.
Engrais: 1 fois par mois du début du printemps jusqu'à la fin de l'été.
Propagation: bouturage de tiges et repiquage des stolons.
Insectes et animaux ennemis: araignées rouges et limaces.
Détails: pincer les tiges pour faire ramifier la plante qui fleurit d'avril à août.

EUCALYPTUS

Nom français: Eucalyptus
Nom latin: Eucalyptus globulus
Famille: Myrtacée
Lieu d'origine: Asie
Culture: difficile
Arrosages: maintenir le sol humide pendant le printemps et l'été; garder au sec durant l'hiver (à moins de cultiver la plante comme plante *Bonsaï*).
Éclairage: emplacement très éclairé; à l'extérieur, garder la plante en plein soleil.

Humidité : bonne humidité, surtout au printemps.

Températures : 6-8 C en hiver ; plus élevée en été.

Sol : terre sablonneuse.

Engrais : fertiliser à chaque semaine de février à août.

Propagation : semis, bouturage de tiges.

Insectes et animaux ennemis : cochenilles, pucerons.

Détails : étant donné la difficulté de garder l'Eucalyptus vivant à l'intérieur, il est préférable de rabattre continuellement les tiges pendant l'hiver pour mettre la plante dehors au printemps, une fois tout danger de gelée passé ; les feuilles aromatiques de l'Eucalyptus entrent dans la confection de bouquets séchés et sont hautement médicinales.

EUPHORBE SPLENDIDE (ÉPINE DU CHRIST OU COURONNE D'ÉPINES)

Nom français : Euphorbe splendide (Épine du Christ ou couronne d'épines)

Nom latin : Euphorbia milii

Famille : Euphorbiacée

Lieu d'origine : Madagascar

Culture : facile

Arrosages : modérés mais sans jamais laisser sécher le sol entre les arrosages.

Éclairage : exposition au sud de préférence ; bonne luminosité.

Humidité : la plante craint l'humidité.

Températures : normale au printemps et en été, plus fraîche (6-10 C) de septembre à février.

Sol : terre sablonneuse.

Engrais : nourrir régulièrement la plante à partir de janvier, avec de l'engrais dilué.

Propagation : bouturage de tiges qu'on laisse sécher avant de les planter dans un mélange de sable et d'argile maintenu tiède.

Insectes et animaux ennemis : cochenilles.

Accidents physiologiques : étiolement général si on néglige de pincer régulièrement les tiges.

Détails : pincer l'extrémité des tiges pour renforcir et faire ramifier la plante ; la floraison peut durer de février à juin ; la plante sécrète un latex vénéneux (voir *Cactus et Plantes Grasses* et *Plantes à fleurs*).

FATSIA DU JAPON

Nom français: Fatsia du Japon
Nom latin: Fatsia japonica ou Aralia Sieboldii
Famille: Araliacée
Lieux d'origine: Chine et Japon
Culture: facile
Arrosages: abondants en été; en hiver, laisser sécher le sol entre les arrosages.
Éclairage: placer la plante dans une fenêtre exposée au nord; en été, si l'on met la plante à l'extérieur, la garder dans l'ombre partielle.
Humidité: bassiner régulièrement le feuillage.
Températures: 4-13 C la nuit, 18 C le jour; la plante peut supporter une température de 2 C pendant quelques heures.
Sol: terreau légèrement argileux et poreux.
Engrais: nourrir la plante une fois au printemps.
Propagation: semis, bouturage de tiges.
Insectes et animaux ennemis: araignées rouges.

FIGUIER PLEUREUR

Nom français: Figuier pleureur
Nom latin: Ficus Benjamini
Famille: Moracée
Lieu d'origine: Inde
Culture: facile
Arrosages: réguliers; laisser sécher le sol entre les arrosages.
Éclairage: très bonne luminosité.
Humidité: normale; la plante supporte assez bien la sécheresse de l'air.
Températures: entre 16 et 20 C en hiver.
Sol: léger et riche en substances nutritives.
Engrais: nourrir la plante en été seulement et selon sa taille (à tous les 15 jours ou 1 fois par mois).
Propagation: bouturage de tiges; tailler celles-ci, en ébouillanter les extrémités puis les faire se cicatriser avec du charbon de bois broyé; les placer ensuite dans un médium d'enracinement; recouvrir le pot d'un plastique perforé en quelques endroits et placer le tout à la chaleur; on peut aussi faire former des racines à ces boutures dans l'eau.
Insectes et animaux ennemis: cochenilles farineuses.

Détails: les autres *Ficus* le plus souvent cultivés sont *F. elastica «decora»* (ou *Caoutchouc),* plante très résistante, *F. deltoïdes; F. pumila* et *F. retusa* sont deux espèces rampantes.

FITTONIE

Nom français: Fittonie
Nom latin: Fittonia Verschsffeltii «argyronevra»
Famille: Acanthacée
Lieux d'origine: Brésil, Pérou
Culture: facile
Arrosages: deux fois par semaine.
Éclairage: moyen, tout en évitant les rayons solaires directs.
Humidité: bonne en été, moins élevée en hiver; ne jamais bassiner le feuillage.
Températures: entre 18 et 20 C; éviter les courants d'air.
Sol: léger et composé de terreau, de mousse de tourbe et de sable.
Engrais: employer un engrais très dilué et en été seulement.
Propagation: bouturage de tiges gardées à l'ombre jusqu'à la formation des racines.
Insectes et animaux ennemis: cloportes, limaces.

FOUGÈRE DE BOSTON

Nom français: Fougère de Boston
Nom latin: Nephrolepis exaltata «bostoniensis»
Famille: Oléandracée
Lieux d'origine: régions tropicales
Culture: facile
Arrosages: abondants; toujours garder le sol humide.
Éclairage: bonne luminosité.
Humidité: essentielle; bassiner le feuillage à chaque jour et garder un bassin plat rempli d'eau près de la plante.
Températures: 13-16 C la nuit, 20-22 C le jour.
Sol: léger et poreux.
Engrais: nourrir la plante souvent pendant l'été; utiliser de l'émulsion de poisson, de la poudre d'os ou des coquilles d'oeuf broyées.
Propagation: par prélèvement de rejets.
Accidents physiologiques: dessèchement des feuilles par manque d'arrosages ou d'humidité (voir *Asplénie* et *Capillaire).*

130

GÉRANIUM

Nom français : Géranium
Nom latin : Perlagonium grandiflorum
Famille : Géraniacée
Lieu d'origine : Afrique du Sud
Culture : facile

Arrosages : abondants pendant la période de croissance et la floraison qui peut durer de mars à août ; modérés pendant la période de repos.

Éclairage : bonne luminosité et soleil ; si la plante est placée à l'extérieur pendant la belle saison, ne lui donner que du soleil du matin ou de fin d'après-midi.

Humidité : normale, avec beaucoup d'air frais.

Températures : ambiante pendant l'été ; l'hiver, garder la plante à 10-15 C.

Sol : riche et légèrement alcalin.

Engrais : nourrir la plante à tous les 15 jours de mars à août.

Propagation : semis, bouturage de tiges à deux feuilles qu'on repique dans la terre et qu'on maintient à 10 C jusqu'à la formation des racines (dans un endroit à luminosité faible).

Insectes et animaux ennemis : aleurodes (mouches blanches), pucerons, maladies cryptogamiques.

Détails : la taille des plants se fait de préférence en février ; les Géraniums ont une durée de vie de 2 à 4 ans ; les variétés les plus populaires sont *P. peltatum, P. zonale* et *P. rodens.*

GERMAINE (la)

Nom français : Germaine (la)
Nom latin : Plectranthus fruticosus
Famille : Labiacée
Lieux d'origine : régions tropicales
Culture : facile
Arrosages : abondants ; en hiver, laisser sécher le sol entre les arrosages.
Éclairage : plein soleil.
Humidité : la plante supporte assez bien la sécheresse de l'air ambiant.
Températures : la plante apprécie une certaine fraîcheur.
Sol : terreau riche.
Engrais : nourrir la plante à chaque semaine pendant l'été.
Propagation : bouturage de tiges.

Insectes et animaux ennemis: pucerons.

Détails: tailler une plante devenue inesthétique.

GYNURA ORANGÉ

Nom français: Gynura orangée
Nom latin: Gynura aurantiaca
Famille: Composée
Lieux d'origine: Asie, Afrique
Culture: facile
Arrosages: abondants en été.

Éclairage: beaucoup de lumière; la plante s'accomode de quelques heures de soleil par jour.

Humidité: ne bassiner les plantes qu'une fois par semaine.

Températures: 18-21 C la nuit, 21-24 C le jour.

Sol: terreau riche.

Engrais: fertiliser la plante à toute les 2 semaines pendant sa croissance.

Propagation: bouturage de tiges.

Insectes et animaux ennemis: pucerons.

Détails: pincer les extrémités des tiges pour assurer une bonne ramification de la plante; les fleurs rouge orangé de la Gynura se transformeront en capsules velues de couleur gris-argent.

HELXINE (LARMES DE BÉBÉ)

Nom français: Helxine (larmes de bébé)
Nom latin: Helxine Soleirolii
Famille: Urticacée
Lieu d'origine: Corse
Culture: facile
Arrosages: l'Helxine est une plante semi-aquatique; les arrosages seront donc copieux en été et modérés en hiver; toujours arroser la plante par le fond du pot.

Éclairage: bonne luminosité mais sans soleil direct.

Humidité: bonne humidité surtout pendant l'été; ne jamais bassiner le feuillage.

Températures: la plante peut supporter une très forte chaleur pendant l'été; l'hiver, elle préfère une certaine fraîcheur.

Sol: terreau léger.

Engrais: nourrir la plante une fois par semaine pendant l'été; ne jamais mouiller le feuillage avec une solution d'engrais.

Propagation: division de touffes.

Insectes et animaux ennemis: limaces, pucerons.

Détails: la plante aime vivre à l'étroit dans son pot; on peut tailler une plante devenue trop longue.

HIBISCUS (ROSIER DE CHINE)

Nom français: Hibiscus (Rosier de Chine)
Nom latin: Hibiscus sinensis
Famille: Malvacée
Lieu d'origine: Chine
Culture: facile
Arrosages: abondants en été, modérés à partir de septembre.

Éclairage: ombre partielle en été; bonne luminosité en hiver afin d'activer la floraison.

Humidité: bonne humidité ambiante; bassinages occasionnels; bonne qualité de l'air.

Températures: 16-18 C la nuit, 21 C et plus le jour.

Sol: terreau, compost de feuilles et mousse de tourbe.

Engrais: nourrir régulièrement la plante de février à août.

Propagation: bouturage de tiges plantées dans un médium maintenu à 24-26 C jusqu'à la formation des racines.

Insectes et animaux ennemis: araignées rouges, pucerons.

Accidents physiologiques: enroulement des feuilles dû à la sécheresse de l'air, chute des boutons floraux due à de trop brusques changements de température.

Détails: pincer la plante pour en assurer la ramification; l'Hibiscus fleurit de l'été à l'automne (voir *Plantes à fleurs).*

HOYA (PLANTE PORCELAINE)

Nom français: Hoya (plante porcelaine)
Nom latin: Hoya carnosa
Famille: Asclépiadacée
Lieu d'origine: Asie
Culture: facile
Arrosages: laisser sécher le sol entre les arrosages.

133

Éclairage: luminosité moyenne ou ombre partielle.

Humidité: élevée en été, moyenne en hiver; ne jamais bassiner les feuilles.

Températures: 16-18 C la nuit, 21 C et plus le jour.

Sol: pH: 6.5-7; argileux et poreux.

Engrais: nourrir la plante deux fois pendant l'été.

Propagation: bouturage de tiges, marcottage aérien.

Insectes et animaux ennemis: cochenilles farineuses, rouille.

IMPATIENTE (BALSAMINE)

Nom français: Impatiente (Balsamine)

Nom latin: Impatiens Walleriana

Famille: Balsaminacée

Lieux d'origine: Afrique de l'Est, Zanzibar.

Culture: très facile

Arrosages: abondants pendant l'été; réguliers le reste de l'année.

Éclairage: ombre partielle sauf en hiver où la plante demande une bonne luminosité.

Humidité: normale; ne jamais bassiner le feuillage.

Températures: 16-18 C la nuit, 21 C et plus le jour.

Sol: 25% de terreau, 25% de sable grossier et 50% de mousse de tourbe.

Engrais: nourrir la plante à chaque semaine de février à août.

Propagation: semis (10 jours de germination), bouturage de tiges.

Insectes et animaux ennemis: aleurodes (mouches blanches), araignées rouges.

Détails: l'Impatiente est très florifère et peut donner des fleurs à l'année longue sauf pendant les mois sombres d'hiver (voir *Plantes à fleurs*).

IRÉSINE

Nom français: Irésine

Nom latin: Iresine Herbstii

Famille: Amarantacée

Culture: difficile

Arrosages: abondants; arroser avec de l'eau tiède.

Éclairage: soleil ou bonne luminosité.

Humidité: normale; ne jamais bassiner les feuilles.

Températures: fraîche; bonne aération du lieu où l'on garde la plante.

Sol: terreau riche et léger.

Engrais: nourrir régulièrement la plante avec un engrais dilué.

Propagation: bouturage de tiges facile à réaliser n'importe quand à condition de les garder à 20 C ou plus.

Insectes et animaux ennemis: araignées rouges.

Accidents physiologiques: dessèchement des feuilles.

Détails: pincer les tiges pour faire ramifier la plante qui préfère vivre à l'extérieur et s'acclimate mal à l'intérieur.

JASMIN DE MADAGASCAR

Nom français: Jasmin de Madagascar

Nom latin: Stephanotis floribunda

Famille: Asclépiadacée

Lieu d'origine: Madagascar

Culture: facile

Arrosages: abondants en été; moins fréquents d'octobre à février, mais en évitant de laisse se dessécher le sol entre les arrosages.

Éclairage: bonne luminosité en été; en hiver, la plante tolère l'ombre partielle.

Humidité: élevée au printemps et en été; en hiver, la plante s'accomode de la sécheresse de l'air; éviter les courants d'air tout en assurant une bonne qualité de l'air.

Températures: 21 C et plus en été; entre 10 et 16 C en hiver.

Sol: léger et poreux.

Engrais: nourrir régulièrement la plante de mars à août.

Propagation: bouturage de jeunes tiges à deux feuilles; ces tiges ne formeront des racines qu'à une température de 25 C.

Insectes et animaux ennemis: cochenilles, pucerons.

Détails: la plante est grimpante et peut être cultivée sur des fils de fer; son temps de floraison normale s'étend de juin à septembre.

KALANCHOÉ À FLEURS ROUGES

Nom français: Kalanchoé à fleurs rouges

Nom latin: Kalanchoe Blossefeldiana

Famille: Crassulacée

Lieu d'origine: Madagascar

Culture: facile

Arrosages: abondants pendant la floraison; modérés le reste de l'année.

Éclairage: beaucoup de lumière pendant la floraison; ombre partielle le reste du temps.

Humidité: bonne, surtout pendant la période de floraison.

Températures: jamais inférieure à 14 C.

Sol: terreau et sable.

Engrais: fertiliser avec un engrais riche en potasse, en automne seulement.

Propagation: semis, bouturage de tiges.

Accidents physiologiques: pourriture des racines due à un excès d'humidité dans le sol.

Détails: la floraison a lieu l'hiver et peut durer longtemps; il est cependant nécessaire, pour la provoquer, de cultiver la plante «en jours courts» (voir *Plantes à fleurs* et *Cactus et Plantes Grasses*).

KALANCHOÉ VELU

Nom français: Kalanchoé velu

Nom latin: Kalanchoe tomentosa

Lieux d'origine: Sud de l'Afrique, Madagascar

Culture: facile

Arrosages: normaux en été, modérés en hiver.

Éclairage: lumière ambiante ou ombre partielle.

Humidité: normale.

Températures: jamais inférieure à 14 C.

Sol: terreau et sable.

Engrais: fertiliser à toutes les deux semaines en été.

Propagation: semis.

Accidents physiologiques: pourriture des racines due à un excès d'humidité du sol.

Détails: les extrémités brunâtres des feuilles sont naturelles (voir *Cactus et Plantes Grasses*).

LAURIER-ROSE

Nom français: Laurier-Rose

Nom latin: Nerium oleander

Famille: Apocynacée

Lieux d'origine: rives méditerranéennes

Culture: facile

Arrosages: copieux à partir d'avril et jusqu'en automne; arroser avec de l'eau tiède et, par temps très chaud, on peut garder de l'eau dans le sous-pot.

Éclairage: plein soleil ou bonne luminosité.

Humidité: normale; en hiver, la plante supporte la sécheresse de l'air.

Températures: 4-6 C pendant l'hiver.

Sol: terreau argileux, mousse de tourbe et sable.

Engrais: nourrir la plante 1 fois par semaine d'avril à août avec, si possible, de la bouse de vache diluée.

Propagation: bouturage de tiges dans l'eau.

Insectes et animaux ennemis: cochenilles.

Détails: la plante est difficile à faire fleurir si on la garde constamment à l'intérieur et donne ses fleurs de juin à septembre; à l'automne, on conserve la plante au frais et à la lumière en l'arrosant seulement pour éviter que le sol ne se dessèche.

LIERRE ANGLAIS

Nom français: Lierre Anglais

Nom latin: Hedera helix

Famille: Araliacée

Lieu d'origine: Europe

Culture: facile

Arrosages: laisser sécher le sol entre les arrosages.

Éclairage: ombre partielle.

Humidité: humidité nécessaire; bassiner le feuillage régulièrement et, une fois par semaine, le tremper dans l'eau tiède.

Températures: 10-13 C la nuit, 20-22 C le jour.

Sol: pH: 5.5-6.5; terreau et mousse de tourbe.

Engrais: nourrir la plante pendant sa période de croissance.

Propagation: bouturage de tiges dans l'eau.

Insectes et animaux ennemis: araignées rouges.

Détails: pincer les tiges pour assurer une bonne ramification de la plante.

LIERRE ARBORESCENT
(ARALIE-LIERRE, ÉRABLE DE MAISON)

Nom français: Lierre arborescent (Aralie-Lierre, érable de maison)

Nom latin: Fatshedera Lizei

Famille: Araliacée

Culture : facile

Arrosages : normaux, en évitant que le sol ne se dessèche entre les arrosages.

Éclairage : lumière ambiante ou ombre partielle.

Humidité : bonne ; bassiner fréquemment le feuillage.

Températures : 4-13 C la nuit, 18-22 C le jour.

Sol : mélange, en parties égales, de terreau, de mousse de tourbe et de sable granuleux.

Engrais : nourrir la plante à toutes les deux semaines pendant l'été avec un engrais à faible concentration.

Propagation : bouturage de tiges ; marcottage aérien.

Insectes et animaux ennemis : araignées rouges.

Détails : dans le cas où la ramification serait trop lente, donner un tuteur à la plante. La plante est hybride et a été créée en France, en 1910, en croisant *Hedera helix* et *Fatsia japonica*.

LITHOPS (PIERRE VIVANTE)

Nom français : Lithops (pierre vivante)

Nom latin : Lithops marmorata

Famille : Aïzoacée

Lieu d'origine : Afrique du Sud

Culture : facile

Arrosages : modérés pendant l'été ; ne pas arroser en hiver ; ne jamais bassiner le feuillage.

Éclairage : lumière solaire directe ou indirecte.

Humidité : modérée ; pendant la période de repos, la plante apprécie une certaine sécheresse de l'air.

Températures : entre 12 et 15 C en hiver ; la plante aime la fraîcheur.

Sol : terreau argileux et sablonneux.

Engrais : nourrir une fois, au printemps, avec un engrais dilué.

Propagation : semis (la plante fleurit après 4 ans de culture).

Accidents physiologiques : pourriture due à des arrosages excessifs (voir *Cactus et Plantes Grasses).*

MAMMILLAIRES

Nom français : Mammillaires

Nom latin : Mammillaria...

Famille : Cactacées

Lieux d'origine : Mexique, Inde, Sud des États-Unis

Culture : facile

Arrosages : abondants en été ; les diminuer graduellement à partir de l'automne pour les suspendre complètement en hiver.

Éclairage : bonne luminosité ou plein soleil ; la plante est héliotrope (elle pousse donc en direction du soleil).

Humidité : normale en été, basse en hiver.

Températures : 6-8 C en hiver.

Sol : terre sablonneuse et perméable.

Engrais : nourrir la plante deux fois pendant l'été avec un engrais à cactus.

Propagation : semis, division de cylindres.

Insectes et animaux ennemis : araignées rouges, cochenilles.

Détails : les variétés les plus florifères sont *M. Hahaniana, M. Schiedeana* et *M. Wildii* (voir *Cactus* et *Plantes Grasses*).

MARANTA (RELIGIEUSE OU PLANTE QUI PRIE)

Nom français : Maranta (Religieuse ou plante qui prie)

Nom latin : Maranta leuconevra

Famille : Marantacée

Lieu d'origine : Brésil

Culture : facile

Arrosages : abondants pendant l'été ; plus espacés en hiver en évitant de laisser le sol se dessécher entre les arrosages ; arroser avec de l'eau tiède.

Éclairage : lumière ambiante ou ombre partielle.

Humidité : la plante exige une bonne humidité ; bassiner le feuillage régulièrement.

Températures : 16-18 C la nuit, 18-22 C le jour.

Sol : pH : 4-4.5 ; sol léger, argileux comprenant une part de compost de feuilles.

Engrais : nourrir la plante une fois à tous les 15 jours pendant l'été avec un engrais dilué.

Détails : la plante affectionne un pot court et petit.

MIMOSA (SENSITIVE)

Nom français : Mimosa (sensitive)

Nom latin : Mimosa pudica

Famille : Mimosacée

Lieu d'origine : Amérique tropicale

Culture : facile

Arrosages : réguliers, en évitant de laisser le sol se dessécher entre les arrosages.

Éclairage : ombre partielle.

Humidité : bassiner régulièrement le feuillage.

Températures : entre 20 et 22 C ; éviter les courants d'air.

Sol : léger mais pas trop acide et poreux.

Engrais : fertiliser la plante à tous les 15 jours avec un engrais dilué.

Propagation : semis ; les semences peuvent être prélevées sur un plant ; elles germent à une température de 20 C.

Insectes et animaux ennemis : araignées rouges, pucerons.

Détails : les plantes trop vieilles sont beaucoup moins belles et c'est pourquoi le Mimosa est cultivé comme plante annuelle ; les feuilles de la plante se referment dès qu'on les touche.

OPUNTIA (RAQUETTES)

Nom français : Opuntia (raquettes)

Nom latin : Opuntia...

Famille : Cactacées

Lieu d'origine : Amérique du Nord

Culture : facile

Arrosages : normaux pendant le printemps et l'été ; les réduire en automne pour les suspendre complètement en hiver.

Éclairage : très bonne luminosité.

Humidité : les Opuntia affectionnent la sécheresse.

Températures : élevée en été ; 6-8 C en hiver.

Sol : terre sablonneuse.

Engrais : nourrir la plante deux fois pendant l'été, avec un engrais à cactus.

Propagation : semis, bouturage de tiges ; prélever celles-ci, les laisser sécher pendant au moins 15 jours avant de les planter dans du sable humide.

Insectes et animaux ennemis : cochenilles.

Détails : les plus florifères sont *O. Bergeriana, O. microdasys* et *O. rufida* (voir *Cactus et Plantes Grasses*).

ORCHIDÉES (les)

De la famille des Orchidacées, la plus nombreuse de toutes les familles de plantes, les orchidées se répartissent en 430 genres et pas moins de 15,000 espèces répandues à travers le monde et célèbres à cause de leurs formes (parfois de leurs tailles), leurs couleurs et leurs parfums. Le Québec compte une quarantaine d'espèces sauvages dont les plus belles sont, surtout à cause de la taille de leurs fleurs, les *Cypripèdes,* l'*Orchis brillant* (voir planches-couleurs de celles-ci) et le *Calypso bulbeux;* les autres espèces donnent pour la plupart des grappes de fleurs d'un dessin parfois très délicat (groupe des *Habénaires* en particulier) mais petites. Au Québec, toutes les espèces sont terrestres mais dans leurs nombreux pays d'origine, dans les forêts où elles croissent, certaines variétés sont épiphytes, vivant suspendues sur des arbres sans les parasiter.

La culture de toutes les espèces demeure difficile et si certaines exigent de l'humidité et de l'ombre, d'autres réclament beaucoup de clarté et de fraîcheur. Parmi quelques espèces rencontrées chez nos fleuristes, mentionnons *Brassavola, Brassaia, Cattleya, Laelia Gouldiana, Lycaste Skinnerii* et *Maxillaria picta.* Elles se cultivent toutes de la manière suivante:

Arrosages: quotidiens; les arroser, si possible, avec de l'eau de pluie amenée à la température de la pièce où on garde les orchidées.

Éclairage: bonne luminosité mais sans soleil direct; la plante exige de 14 à 16 heures de lumière par jour pour fleurir.

Humidité: essentielle; si la plante est cultivée en épiphyte, maintenir le support humide ainsi que la mousse de sphaigne dont on entoure la base du plant et qu'on maintient avec une broche de métal; bien qu'elles soient toujours vendues, pour des raisons de transport, en pots, les espèces mentionnées plus haut peuvent très bien vivre en épiphytes; bassiner chaque jour la plante avec de l'eau de pluie et assurer une bonne aération du lieu.

Températures: 18-20 C le jour, un peu plus fraîche la nuit.

Sol: si la plante est cultivée dans la terre, utiliser un sol très poreux à base de mousse de tourbe ou de sphaigne.

Engrais: fertiliser une fois pendant l'essor végétatif avec un engrais riche en azote.

Propagation: l'obtention d'orchidées à partir des semences peut exiger jusqu'à 10 ans de patience; il est donc préférable de s'en procurer qui sont en plein essor végétatif et de se limiter à essayer de les garder vivantes et belles, ce qui est déjà relativement difficile.

Insectes et animaux ennemis: les orchidées peuvent être attaquées par les araignées rouges si l'humidité ambiante est insuffisante.

Détails: il est essentiel lorsqu'on fait l'acquisition d'orchidées d'en connaître le nom pour être en mesure de faire des recherches sur l'entretien que cette espèce exige. Des généralités se dégagent quand on parle des orchidées mais plusieurs ont des exigences particulières quant à leur floraison, leur période de repos, leur besoin de lumière, d'humidité, de fraîcheur, etc., propres à chaque espèce et qu'il ne faut pas négliger.

ORPIN

Nom français: Orpin

Nom latin: Sedum Sieboldii

Famille: Crassulacée

Lieux d'origine: régions tempérées de la terre

Culture: facile

Arrosages: normaux en été; les réduire progressivement en automne pour les suspendre complètement pendant l'hiver.

Éclairage: bonne luminosité.

Humidité: la plante supporte bien l'aridité de l'air ambiant.

Températures: élevée en été, fraîche en hiver.

Sol: terre sablonneuse.

Engrais: fertiliser la plante avec un engrais organique seulement.

Propagation: semis, bouturage de tiges ou de feuilles; laisser sécher celles-ci quelques jours avant de les planter dans un mélange humide de sable et de mousse de tourbe.

Accidents physiologiques: pourriture des tiges due à un excès d'humidité.

Détails: manipuler la plante le moins possible; on rencontre au Québec quelques variétés d'Orpin dont la plus répandue est l'*Orpin pourpre* à feuilles comestibles.

PALMIER DES CANARIES (DATTIER NAIN)

Nom français: Palmier des Canaries (dattier nain)

Nom latin: Phoenix canariensis

Famille: Palmier

Lieux d'origine: Îles Canaries

Culture: facile

Arrosages: abondants en été, réduits en hiver.

Éclairage: lumière ou plein soleil.

Humidité: assez élevée; bassiner le feuillage chaque jour.

Températures: 18-21 C la nuit, 24-27 C le jour; assurer une bonne aération.

Sol: pH: 5-6; parties égales de terreau, de compost de feuilles et de sable.

Engrais: nourrir la plante à chaque semaine à partir du printemps, avec un engrais dilué.

Propagation: semis à partir de noyaux de dattes non pasteurisées.

Insectes et animaux ennemis: araignées rouges.

Accidents physiologiques: dessèchement des feuilles dû à la sécheresse de l'air.

Détails: un autre Palmier est très populaire à cause de la beauté de son feuillage; il s'agit du *P. Roebelinii* malheureusement difficile à cultiver à l'intérieur.

PAPYRUS

Nom français: Papyrus

Nom latin: Cyperus alternifolius

Famille: Cypéracée

Lieu d'origine: Madagascar

Culture: très facile

Arrosages: copieux; toujours garder de l'eau dans le sous-pot.

Éclairage: bonne luminosité.

Humidité: élevée; bassiner occasionnellement le feuillage en été et en hiver.

Températures: entre 10 et 12 C pendant l'hiver; 25 C le reste de l'année.

Sol: riche et argileux.

Engrais: nourrir la plante 1 fois par semaine pendant l'été, avec un engrais pour plantes aquatiques.

Propagation: semis (méthode longue), division de touffes ou bouturage de têtes (placées à l'envers dans l'eau).

Insectes et animaux ennemis: araignées rouges, pucerons.

Détails: la plante peut vivre les racines dans l'eau; il faut quand même assurer un bon drainage du fond du pot; ce dernier doit être très long.

PASSIFLORE (FLEUR DE LA PASSION)

Nom français: Passiflore (fleur de la passion)

Nom latin: Passiflora caerulea

Famille: Passifloracée

Lieu d'origine: Amérique du Sud

Culture: facile

Arrosages: abondants pendant l'été; les réduire progressivement à partir d'août jusqu'en février (période de repos).

143

Éclairage : exposition au sud de préférence ; bonne luminosité ou soleil.

Humidité : assez élevée surtout au début du printemps.

Températures : 13-18 C la nuit, 20 C et plus le jour ; maintenir la plante à 6-8 C pendant la période de repos.

Sol : pH : 5.5-6 ; sol léger et argileux.

Engrais : nourrir la plante régulièrement à partir de février.

Propagation : semis, bouturage de tiges dans l'eau.

Insectes et animaux ennemis : araignées rouges, pucerons.

Détails : la Passiflore est grimpante et ses tiges doivent être maintenues à une longueur maximale de 4 pieds (1,20 m) ; la plante émet constamment des rejets et doit être taillée en conséquence (voir *Plantes à fleurs)*.

PEPEROMIA

Nom français : Peperomia

Nom latin : Peperomia caperata

Famille : Pipéracée

Lieu d'origine : Amérique du Sud

Culture : facile

Arrosages : laisser sécher le sol entre les arrosages.

Éclairage : bonne luminosité mais sans soleil direct.

Humidité : normale pendant l'été ; la plante s'accomode assez bien de la sécheresse de l'air en hiver ; ne jamais bassiner le feuillage.

Températures : 18-21 C la nuit, 24-27 C le jour.

Sol : mélange de terreau léger, de mousse de tourbe et de sable.

Engrais : fertiliser en été seulement à moins que la plante soit cultivée dans un mélange à forte teneur en mousse de tourbe ; il faut alors fertiliser aussi en hiver, quoique moins souvent.

Propagation : bouturage du pétiole.

Insectes et animaux ennemis : limaces.

Accidents physiologiques : pourriture due à un excès d'arrosages.

PEPEROMIA ARGENTÉ

Nom français : Peperomia argenté

Nom latin : Peperomia argyreia

Famille : Pipéracée

Lieu d'origine : Brésil

Culture : facile

Arrosages: modérés; laisser sécher le sol entre les arrosages sauf au printemps et le maintenir humide quand la plante fleurit.

Éclairage: bonne luminosité.

Humidité: normale; ne jamais bassiner le feuillage.

Températures: 18-21 C la nuit, 24-27 C le jour.

Sol: parties égales de sable, de compost de feuilles et de mousse de tourbe.

Engrais: nourrir la plante à toutes les 2 semaines à partir du printemps avec un engrais riche en potasse.

Propagation: bouturage de tiges.

Insectes et animaux ennemis: limaces.

Accidents physiologiques: pourriture due à un excès d'arrosages.

PEPEROMIA À FEUILLES DE MAGNOLIA

Nom français: Peperomia à feuilles de magnolia
Nom latin: Magnolia obtusifolia «variegata»
Famille: Pipéracée
Lieu d'origine: Amérique du Sud
Culture: facile

Arrosages: modérés; laisser sécher le sol entre les arrosages.

Éclairage: beaucoup de lumière pour assurer une bonne coloration du feuillage.

Humidité: normale en été; la plante s'accomode de la sécheresse de l'air en hiver; ne jamais bassiner le feuillage.

Températures: 18-21 C la nuit, 24-27 C le jour.

Sol: mélange de compost de feuilles, de sable et de vieux fumier.

Engrais: nourrir la plante à tous les 15 jours de mars à juillet avec de l'engrais dilué.

Propagation: bouturage de tiges dans le sable; le bouturage de feuilles peut être pratiqué mais la plante perdra alors son bariolement (dû à une chimère).

Insectes et animaux ennemis: limaces.

Accidents physiologiques: pourriture due à un excès de fraîcheur.

PHILODENDRON GRIMPANT

Nom français: Philodendron grimpant
Nom latin: Philodendron scandens
Famille: Aracée

145

Lieu d'origine : Jamaïque

Culture : très facile

Arrosages : laisser sécher le sol entre les arrosages ; arroser avec de l'eau tiède.

Éclairage : bonne luminosité ou ombre partielle.

Humidité : si la plante est cultivée sur un tuteur de bois, maintenir celui-ci humide afin de lui permettre de s'y agripper.

Températures : 18-21 C la nuit, 24-27 C le jour.

Sol : pH : 5-6.5 ; mélange de terreau, de compost de feuilles et de sable.

Engrais : nourrir la plante à tous les 15 jours pendant la période végétative.

Propagation : bouturage de tiges plantées directement dans le sol ; recouvrir le tout d'un plastique et placer près d'une source de chaleur.

Accidents physiologiques : le brunissement de la pointe de la feuille indique un sol trop sec ou trop calcaire.

PHILODENDRON

Nom français : Philodendron

Nom latin : Philodendron melanochrysum

Famille : Aracée

Lieux d'origine : Costa-Rica, Colombie

Culture : facile

Arrosages : normaux quoique ce Philodendron exige plus d'eau que les autres ; ne jamais bassiner le feuillage.

Éclairage : bonne luminosité.

Humidité : assez élevée.

Températures : beaucoup de chaleur pendant toute l'année.

Sol : mélange de terreau, de compost de feuilles et de sable.

Engrais : nourrir la plante régulièrement pendant l'été avec un engrais dilué.

Propagation : bouturage de tiges.

Accidents physiologiques : brunissement du bout de la feuille dû à un sol trop sec ou trop calcaire.

Détails : ce Philodendron, de même que *P. verrucosum,* sont de loin les plus belles espèces de leur genre.

PHILODENDRON SELLOUM

Nom français : Philodendron Selloum

Nom latin : Philodendron Selloum

Famille: Aracée
Lieu d'origine: Amérique centrale
Culture: facile
Arrosages: modérés; laisser sécher le sol entre les arrosages.
Éclairage: bonne luminosité.
Humidité: ne bassiner les feuilles que pour les nettoyer.
Températures: 18-21 C la nuit, 24-27 C le jour.
Sol: mélange de terreau, de compost de feuilles et de sable.
Engrais: nourrir la plante régulièrement pendant l'été.
Propagation: bouturage de tiges pratiqué dans de petits pots.
Accidents physiologiques: pourriture due à un excès d'arrosage.
Détails: ne pas couper les racines aériennes dont le rôle est d'absorber l'humidité ambiante.

PILEA (PLANTE ALUMINIUM)

Nom français: Pilea (plante aluminium)
Nom latin: Pilea Cadierei
Famille: Urticacée
Lieux d'origine: régions tropicales
Culture: facile
Arrosages: modérés.
Éclairage: ombre partielle.
Humidité: normale, en été comme en hiver.
Températures: 12-15 C en hiver; la plante exige une bonne qualité de l'air.
Sol: léger.
Engrais: nourrir régulièrement la plante en été avec un engrais dilué.
Propagation: bouturage de petites tiges qu'on plante directement dans le sol.
Insectes et animaux ennemis: limaces.
Détails: la plante a une durée de vie de 6 mois à 1 an; voilà pourquoi il convient d'en faire constamment des boutures, ce qui permet aussi une bonne ramification de ses branches; un tuteur favorise la croissance; l'espèce *P. involucrata* est probablement la plus belle du genre.

PITTOSPORE

Nom français: Pittospore
Nom latin: Pittosporum Tobira

Famille : Pittosporée
Lieux d'origine : Chine, Japon
Culture : facile
Arrosages : laisser sécher le sol entre les arrosages.
Éclairage : bonne luminosité ; la plante peut supporter l'ensoleillement direct pendant quelques heures par jour.
Humidité : normale ; ne bassiner les feuilles que pour les nettoyer.
Températures : 4-13 C la nuit, 18-24 C le jour.
Sol : mélange de terreau, de mousse de tourbe et de sable.
Engrais : nourrir la plante deux fois par année seulement.
Propagation : semis, bouturage de tiges, marcottage aérien.
Insectes et animaux ennemis : cochenilles farineuses.
Détails : le Pittospore donne en été des fleurs parfumées.

PLANTES À FLEURS

L'expression «plantes à fleurs» en est une bien imprécise puisque toutes les plantes d'intérieur, à l'exception des Fougères, sont des Spermatophytes, c'est-à-dire des plantes à fleurs. On en compte, sur la surface de la Terre, plus de 140 000 espèces. Les plantes sans fleurs, elles, appartiennent à trois groupes : les Thallophytes, comprenant les Algues, les Champignons et les Lichens, les Bryophytes, comprenant les Mousses et enfin les Ptéridophytes qui comprennent les Fougères, les Prêles et quelques autres genres.

Il va sans dire que beaucoup de Spermatophytes sont davantage cultivées pour la beauté de leur feuillage que pour celle de leurs fleurs. C'est le cas de beaucoup de plantes d'intérieur qui, loin de leurs conditions naturelles de vie, ne fleurissent presque jamais dans nos appartements, bien qu'il ne soit pas impossible de voir apparaître, à l'occasion, une grappe de fleurs parmi les branches d'une Chamédorée. Même si elle n'est ni particulièrement belle, ni odorante, l'apparition d'une fleur reste toujours un événement réjouissant car elle témoigne de la vitalité d'une plante et complète ainsi le processus naturel de vie de celle-ci.

Il n'en va pas de même pour les plantes que nous acquérons d'abord pour la beauté, l'abondance ou le parfum de leurs fleurs. Si ce n'était de leurs fleurs, nombre de plantes ne présenteraient qu'un intérêt minime. C'est donc de cette catégorie de plantes à fleurs qu'il est question ici. Plusieurs d'entre elles sont des plantes bulbeuses.

Précisons cependant qu'une plante bulbeuse n'est pas nécessairement cultivée pour sa fleur (cas du Caladium, par exemple).

Le terme «plante bulbeuse» est un terme général qui désigne toute plante dont la tige a adopté un mode de vie souterrain pendant les mauvaises saisons en emmagasinant des réserves nutritives afin de pourvoir à la vie aérienne de la plante en temps propice.

On distingue plusieurs genres de bulbes :

— **les vrais bulbes** (Tulipe, Lis, Narcisse)

— **les cormus** (Crocus, Glaïeul)

— **les racines tubéreuses à bourgeon pointant vers le bas** (Dahlia, Renoncule)

— **les rhizomes, les tubercules à bourgeon pointant vers le haut** (Muguet, Sansevière ; Caladium, Bégonia tubéreux).

Multiplication végétative des plantes bulbeuses et leur hivernage

a) **les vrais bulbes :** contrairement à la croyance populaire, les vrais bulbes (ceux des Tulipes, par exemple), doivent, à l'automne, être déterrés, séchés en entier puis entreposés pour la saison froide, faute de quoi les fleurs seront, l'année suivante, plus petites et leurs tiges, moins vigoureuses. Lors de l'entreposage, on en profitera pour départir le bulbe-mère de ses bulbilles (ou caïeux) qu'on entreposera également. Après l'hivernage, les bulbilles seront mis en pleine terre tout comme les bulbes adultes mais à l'approche de la floraison des bulbilles, on en coupera la tige car une floraison précoce épuiserait le bulbille. Il est d'ailleurs bon d'attendre trois ans avant de laisser fleurir les bulbilles.

Les bulbes à écailles, comme celui du Lis, se reproduisent par les écailles qu'on détache du bulbe principal (on peut en prélever environ la moitié chaque année). On dispose ensuite ces écailles dans de la vermiculite ou du sable humide, à l'intérieur d'un sac de plastique perforé à quelques endroits. À une température de 20-22 C, il faudra entre 6 et 8 semaines pour que ces écailles se transforment en bulbilles ; ceux-ci seront ensuite gardés en hivernage pendant au moins huit semaines à une température de 2-4 C. Ils seront plantés au jardin au printemps et traités de la même manière que les bulbilles de tulipes.

b) **les cormus**: ceux du Glaïeul hivernent à une température de 10 C. Lorsque le feuillage sera désséché, on récupérera les cormus après en avoir coupé les tiges florales; et laisser sécher de nouveau avant d'enlever la motte de terre et de récupérer les petits cormus disposés en cercle autour du cormus original devenu flétri et inutile.

c) **les racines tubéreuses**: pour multiplier un Dahlia ou toute autre plante à racines tubéreuses, il suffit de découper la masse de racines en autant de morceaux que l'on désire pourvu que chaque fragment comprenne un oeil et une partie de l'ancienne tige florale. On les laisse sécher pendant quelques jours, on les entrepose pour l'hiver; au printemps, ils seront plantés à 20 cm de profondeur (l'oeil vers le haut).

d) **les rhizomes et les tubercules**; à l'aide d'un couteau, découper le rhizome du Muguet en segments en prenant soin que chacun soit muni de bourgeons et de racines. Ces segments seront conservés dans de la tourbe ou du sable humide jusqu'au moment de la plantation.

Dans le cas des tubercules, on les découpera, comme les rhizomes, en segments comportant chacun un gros bourgeon. Ceux-ci seront mis à sécher pendant quelques jours puis plantés, après avoir été entreposés pour l'hiver.

À noter que les bulbes et les bulbilles doivent être gardés au sec et au frais pendant l'hiver.

À condition d'avoir bénéficié d'une période de repos adéquate, plusieurs plantes bulbeuses fleuriront à l'intérieur. C'est le cas des Narcisses, des Amaryllis, des Crocus, des Tulipes et des Jacinthes.

Plantes annuelles, bisannuelles et vivaces

En horticulture, une plante annuelle est une plante dont le cycle de vie ne dépasse pas la durée d'un an. Les plantes bisannuelles, comme la fameuse Monnaie-du-Pape (Lunaire), ont un cycle de vie qui s'étend sur une période de deux ans; les tiges et les feuilles croissent la première année; les fleurs et les fruits se forment la seconde. Quant aux plantes vivaces (rustiques, c'est-à-dire qui résistent aux rigueurs de nos hivers, et non rustiques), elles regroupent toutes les plantes qui ont une durée de vie de 3 ans et plus.

Culture forcée et plantes de jours courts ou longs

On peut forcer un certain nombre de plantes à fleurir hors de leur saison normale par des moyens artificiels. En gros, il suffit alors de reproduire les conditions (lumière, chaleur, etc.) dans lesquelles la plante fleurit normalement. Ce sont des plantes de «jours longs» qui ne fleuriront que si elles sont exposées à 16 heures au moins de lumière (artificielle et/ou naturelle) par jour. D'autres plantes, au contraire, comme la Poinsettie, le Cactus de Noël, le Kalanchoé à fleurs rouges, etc., requièrent pour la formation de leurs bractées (cas spécifique de la Poinsettie) ou de leurs fleurs (les autres espèces mentionnées) un minimum de 16 heures d'obscurité totale par jour. Ce sont les plantes dites de jours courts. D'autres plantes enfin sont insensibles à la longueur des périodes de lumière ou d'obscurité quotidiennes et fleurissent dès qu'elles sont prêtes à fleurir (Begonia semperflorens).

PODOCARPUS CHINOIS

Nom français : Podocarpus chinois
Nom latin : Podocarpus macrophyllus
Famille : Podocarpacée
Lieu d'origine : Afrique tropicale
Culture : facile
Arrosages : maintenir le sol humide.
Éclairage : lumière ambiante ou ombre partielle.
Humidité : normale.
Températures : 4-13 C la nuit, 18-27 C le jour.
Sol : terreau sablonneux non calcaire.
Engrais : nourrir la plante deux fois par année.
Propagation : bouturage de tiges.
Accidents physiologiques : dessèchement des aiguilles.
Détails : le Podocarpus se prête bien à la taille ornementale et peut aussi se cultiver comme plante *Bonsaï* (voir cet item).

POINSETTIE (EUPHORBE ÉCARLATE)

Nom français : Poinsettie (Euphorbe écarlate)
Nom latin : Euphorbia pulcherrina

Famille : Euphorbiacée
Lieu d'origine : Mexique
Culture : facile
Arrosages : abondants au moment de la floraison.
Éclairage : bonne luminosité pendant la floraison.
Humidité : élevée ; bassiner le feuillage chaque jour.
Températures : beaucoup de fraîcheur nocturne au moment de la floraison ; 16-18 C le jour.
Sol : terreau et compost de feuilles.
Engrais : voir plus bas.
Propagation : bouturage de tiges de juillet à octobre.
Insectes et animaux ennemis : araignées rouges, cochenilles farineuses.
Détails : après la floraison, la plante se défeuillera et donnera des signes de dépérissement ; il existe pourtant un moyen de la faire refleurir l'année suivante en lui accordant une période de repos ; une fois la floraison achevée, donc, on réduira ses tiges à une hauteur de 15 cm et on la gardera au sec dans un lieu frais de février à mai ; en mai, on recommencera à l'arroser et à la fertiliser régulièrement (quoique progressivement) en la plaçant à l'ombre partielle jusqu'en septembre ; à partir du début d'octobre, on placera la plante pendant 13-14 heures par jour dans l'obscurité totale pour lui permettre de former ses bractées (qui ne sont pas des fleurs mais des feuilles) si décoratives ; il faut empêcher la plante de former ses vraies fleurs ; la sève laiteuse de la Poinsettie est toxique.

POIVRIER SAFRAN

Nom français : Poivrier Safran
Nom latin : Piper crocatum
Famille : Pipéracée
Lieux d'origine : Asie, Îles Malaises
Culture : facile
Arrosages : maintenir le sol humide en été.
Éclairage : ombre partielle.
Humidité : une bonne humidité de l'air est requise surtout pendant l'été.
Températures : la température nocturne idéale est de 18-27 C.
Sol : terreau léger.
Engrais : nourrir la plante à quelques reprises pendant la période de croissance.
Propagation : bouturage de tiges.
Insectes et animaux ennemis : araignées rouges.

Accidents physiologiques: enroulement des feuilles dû à la sécheresse.

Détails: le Poivrier Safran ainsi que d'autres variétés cultivées à l'intérieur donnent les poivres noir et blanc que nous connaissons; néanmoins, ces plantes ne sont cultivées à l'intérieur que pour la beauté de leurs feuillages, la floraison et la fructification des plantes ne pouvant avoir lieu qu'à l'extérieur.

RHOÉO

Nom français: Rhoéo
Nom latin: Rhoeo spathacea «vittata»
Famille: Commélinacée
Lieu d'origine: Mexique
Culture: difficile
Arrosages: copieux durant l'été; les réduire en automne pour les suspendre complètement d'octobre à janvier.

Éclairage: ombre partielle en été, bonne luminosité en hiver.

Humidité: élevée, surtout pendant l'été; ne jamais bassiner les feuilles.

Températures: 10-13 C la nuit, 20-22 C le jour.

Sol: pH: 6-6.5; sol acide et poreux contenant de l'humus (terre de sapin et compost de feuilles).

Engrais: nourrir la plante à 2 reprises seulement pendant l'été.

Propagation: semis (en récupérant les graines produites par la plante au début de l'été); bouturage de tronçons ou de têtes qu'on laisse sécher puis qu'on pique dans du sable humide jusqu'à la formation des racines.

Insectes et animaux ennemis: araignées rouges.

Accidents physiologiques: brunissement des feuilles provoqué par le froid; pourriture des rameaux due à un excès d'humidité.

Détails: chute normale des feuilles du bas de la tige.

ROSIER MINIATURE

Nom français: Rosier miniature
Nom latin: Rosa sinensis «minima»
Famille: Rosacée
Lieux d'origine: Chine, Japon, Corée
Culture: difficile
Arrosages: normaux pendant la croissance.

Éclairage: soleil ou bonne luminosité
Humidité: normale.
Températures: 10-18 C la nuit, 20 C et plus le jour.
Engrais: nourrir la plante régulièrement pendant la période de croissance.
Propagation: semis, bouturage de tiges.
Insectes et animaux ennemis: araignées rouges, pucerons.
Détails: après la chute des feuilles, placer le rosier à la fraîcheur (6-8 C) et le garder au sec jusqu'en février, en ne l'arrosant qu'à 2 ou 3 reprises; recommencer les arrosages modérément et lui donner plus de chaleur (12-15 C) jusqu'au début de la reprise végétative; la plante doit être taillée à la moitié de sa dimension avant ou après la période de repos.

SANSEVIÈRE

Nom français: Sansevière
Nom latin: Sansevieria trifasciata «Hahnii»
Famille: Agavacée
Lieux d'origine: Afrique, Asie
Culture: très facile
Arrosages: normaux en été; laisser sécher le sol entre les arrosages qu'on réduira en hiver.
Éclairage: ombre partielle sauf pour la variété «Golden Hahnii» qui, pour la coloration de son feuillage, exige beaucoup de lumière.
Humidité: normale; la plante supporte bien la sécheresse de l'air.
Températures: 14-18 C la nuit, 20-26 C le jour.
Sol: terreau sablonneux.
Engrais: nourrir la plante 1 fois par mois à partir du printemps, avec un engrais sans azote.
Propagation: division des rejets.
Accidents physiologiques: pourriture et enroulement des feuilles provoqués par des arrosages excessifs.
Détails: cette variété naine en forme de rosette s'adapte très bien dans un terrarium avec des plantes grasses (voir *Cactus et Plantes Grasses*).

SANSEVIÈRE (LANGUES-DE-BELLE-MÈRE)

Nom français: Sansevière (Langues-de-belle-mère)
Nom latin: Sansevieria trifasciata «Laurentii»

Famille: Agavacée

Lieux d'origine: Asie, Afrique

Culture: très facile

Arrosages: arroser à fond pendant l'été mais en laissant sécher complètement le sol entre les arrosages; maintenir la plante au sec pendant l'hiver.

Éclairage: la Sansevière croît à n'importe quel endroit; cependant, une bonne luminosité embellira la couleur des feuilles.

Humidité: plante très bien adaptée à la sécheresse.

Températures: 14-18 C la nuit, 21-26 C le jour.

Sol: terreau sablonneux.

Engrais: nourrir la plante à quelques reprises pendant l'été avec un engrais sans azote.

Propagation: bouturage de feuilles ou de rhizomes; découper une feuille en plusieurs segments, laisser sécher ceux-ci pendant 2 semaines puis les planter debout dans du sable humide; ne pas les arroser avant deux semaines; ces boutures donneront des plantes non lisérées de jaune comme l'était la plante-mère; pour reproduire cette bordure, il faudra pratiquer le bouturage du rhizome puisque c'est là que vivent les cellules qui donnent naissance à cette chimère.

Accidents physiologiques: pourriture due à des arrosages excessifs.

SAXIFRAGE (GÉRANIUM-FRAISIER)

Nom français: Saxifrage (Géranium-fraisier)

Nom latin: Saxifrage stolonifera (ou sarmentosa)

Famille: Saxifragacée

Lieux d'origine: Chine, Japon

Culture: facile

Arrosages: réguliers en été; maintenir le sol humide sauf en hiver.

Éclairage: ombre partielle.

Humidité: normale; la plante apprécie l'air frais et n'aime pas vivre à l'étroit avec d'autres plantes.

Températures: 4-7 C la nuit, 20 C ou moins le jour.

Sol: terreau riche et sablonneux.

Engrais: fertiliser à tous les 15 jours pendant l'été.

Propagation: division des stolons (procéder comme pour le *Chlorophyte).*

Insectes et animaux ennemis: pucerons.

Détails: la variété «tricolor», celle qui est panachée de rose et de blanc a une croissance plus lente que l'ordinaire.

SCHEFFLERA (ARBRE OMBRELLE)

Nom français: Schefflera (arbre ombrelle)
Nom latin: Schefflera actinophylla
Famille: Araliacée
Lieu d'origine: Australie
Culture: difficile
Arrosages: abondants pendant l'été; laisser sécher le sol entre les arrosages en hiver.
Éclairage: ombre partielle ou luminosité.
Humidité: demande beaucoup d'humidité et d'air frais; bassiner les feuilles (le dessous surtout) chaque jour.
Températures: 8-10 C; éviter les courants d'air.
Sol: sol léger à base de compost de feuilles.
Engrais: nourrir la plante régulièrement pendant l'été.
Propagation: semis.
Insectes et animaux ennemis: araignées rouges, cochenilles farineuses.
Accidents physiologiques: le brunissement puis le jaunissement des feuilles est une maladie propre à la plante.
Détails: très difficile à garder dans un appartement chauffé; si le Schefflera vient à perdre toutes ses feuilles, il faut alors le tailler à 8 pouces (20 cm) de hauteur; les nouvelles pousses devraient être mieux adaptées aux conditions ambiantes de la maison.

SETCREASEA POURPRE

Nom français: Setcreasea pourpre
Nom latin: Setcreasea purpurea
Famille: Commélinacée
Lieu d'origine: Mexique
Culture: très facile
Arrosages: normaux; laisser sécher le sol entre les arrosages.
Éclairage: bonne luminosité mais sans soleil direct.
Humidité: normale.
Températures: 16-18 C la nuit, 21-24 C le jour.
Sol: mélange, en parties égales, de terreau, mousse de tourbe et sable.

Engrais: nourrir la plante régulièrement pendant le printemps et l'été.
Propagation: bouturage de tiges (dans l'eau ou le sol).

SPATIPHYLLUM

Nom français: Spatiphyllum
Nom latin: Spatiphyllum
Famille: Aracée
Lieu d'origine: Colombie
Culture: facile
Arrosages: normaux; garder le sol humide pendant la floraison.
Éclairage: ombre partielle.
Humidité: bassiner occasionnellement les feuilles pendant la floraison.
Températures: 16-18 C la nuit, 21 C et plus le jour.
Sol: terreau et mousse de tourbe.
Engrais: nourrir la plante à tous les 15 jours du printemps à la fin de l'été.
Propagation: semis, division de touffes.
Insectes et animaux ennemis: cochenilles farineuses.
Détails: les fleurs du Spatiphyllum peuvent durer très longtemps.

STAPELIE (le)

Nom français: Stapelie (le)
Nom latin: Stapelia trifida
Famille: Asclépiadacée
Lieu d'origine: Afrique du Sud
Culture: difficile
Arrosages: normaux, en laissant sécher le sol entre les arrosages; de septembre à janvier, arroser le moins possible.
Éclairage: ombre partielle ou luminosité moyenne; bonne luminosité en hiver.
Humidité: normale en été; en hiver, la plante s'accomode de la sécheresse de l'air.
Températures: élevée en été; pas plus de 10 C en hiver; bonne aération du lieu où l'on garde la plante.
Sol: compost de feuilles, argile et sable.
Engrais: nourrir la plante régulièrement de mars à juillet.
Propagation: bouturage de rameaux.

Accidents physiologiques: pourrissement des rameaux dû à un excès d'arrosages.

Détails: la plante fleurit de juin à septembre (voir *Cactus et Plantes Grasses).*

SYNGONIUM

Nom français: Syngonium
Nom latin: Syngonium podophyllum
Famille: Aracée
Lieux d'origine: Amérique du Sud et centrale
Culture: facile
Arrosages: abondants.
Éclairage: bonne luminosité mais sans soleil direct.
Humidité: normale.
Températures: 18-21 C la nuit, 24-27 C le jour.
Sol: terreau et mousse de tourbe.
Engrais: nourrir la plante régulièrement pendant l'été.
Propagation: bouturage de tiges dans l'eau.
Insectes et animaux ennemis: cochenilles farineuses.
Détails: la forme des feuilles de la plante change quand elle vieillit.

TILLEUL D'APPARTEMENT

Nom français: Tilleul d'appartement
Nom latin: Sparmania Africana
Famille: Tiliacée
Lieux d'origine: Afrique, Madagascar
Culture: facile
Arrosages: copieux pendant la période de croissance (de janvier à août); les diminuer en automne et garder la plante au sec pendant la période de repos (octobre à décembre).
Éclairage: soleil en été pour assurer la floraison; ombre partielle pendant la période de repos.
Humidité: normale.
Températures: 6-10 C d'octobre à décembre; fraîcheur et bonne qualité de l'air en tout temps.
Sol: riche et poreux.
Engrais: à partir du printemps, nourrir la plante avec un engrais dilué à tous les 15 jours.

Propagation: bouturage de rameaux.

Insectes et animaux ennemis: araignées rouges.

Accidents physiologiques: jaunissement des feuilles dû à une carence alimentaire.

Détails: on peut tailler une plante qui aurait perdu trop de feuilles du bas; les variétés naines sont les plus florifères.

TOLMIEA

Nom français: Tolmiea
Nom latin: Tolmiea Menziesii
Famille: Saxifragacée
Lieux d'origine: Europe, Chine, Japon
Culture: très facile
Arrosages: abondants en été, moins fréquents en hiver.
Éclairage: bonne luminosité.
Humidité: élevée surtout pendant l'été; bassiner régulièrement le feuillage.
Températures: élevée en été; 8-12 C pendant la période de repos.
Sol: riche mais léger.
Engrais: nourrir la plante 1 fois à tous les 15 jours à partir du printemps avec de l'engrais dilué.
Propagation: prélèvement de stolons (procéder comme pour ceux du *Saxifrage*).
Insectes et animaux ennemis: pucerons.

VIOLETTE AFRICAINE OU D'USAMBARA (SAINTPAULIA)

Nom français: Violette Africaine ou d'Usambara (SaintPaulia)
Nom latin: SaintPaulia Ionantha
Famille: Gesnériacée
Lieu d'origine: Afrique du Sud
Culture: facile
Arrosages: arroser la plante 2 fois par semaine avec de l'eau à la température de la pièce et toujours par le fond du pot; ne jamais bassiner les feuilles et s'il est nécessaire de nettoyer les feuilles, le faire avec un cure-oreille.
Éclairage: exposition sud-est; s'il s'agit d'un éclairage artificiel, donner 16 heures de lumière par jour à la plante.
Humidité: normale.

159

Températures : jamais en-dessous de 15 C ; éviter les courants d'air à la plante.

Sol : pH : 4.5 ; sol léger et poreux.

Engrais : nourrir la plante à toutes les 2 semaines en été.

Propagation : semis, bouturage de feuilles.

Accidents physiologiques : taches brunes rondes sur les feuilles provoquées par l'utilisation d'eau froide (voir *Plantes à fleurs)*.

YUCCA

Nom français : Yucca

Nom latin : Yucca aloïfolia

Famille : Agavacée

Lieu d'origine : Amérique centrale

Culture : facile

Arrosages : abondants en été.

Éclairage : plein soleil ou bonne luminosité.

Humidité : normale en été ; la plante s'accomode de la sécheresse de l'air en hiver.

Températures : chaleur nécessaire en été ; l'hiver, garder la plante à 6-8 C.

Sol : terreau, compost de feuilles et sable.

Engrais : nourrir la plante 1 fois tous les 15 jours à partir du printemps.

Propagation : semis, bouturage de rejets.

Insectes et animaux ennemis : pucerons.

ZEBRA (PLANTE ZÈBRE)

Nom français : Zebra (plante zèbre)

Nom latin : Aphelandra squarrosa

Famille : Acanthacée

Lieu d'origine : Amérique du Sud

Culture : difficile

Arrosages : abondants en été.

Éclairage : bonne luminosité mais sans soleil direct.

Humidité : assez élevée ; ne jamais bassiner le feuillage.

Températures : la plante exige de la chaleur ; éviter les courants d'air.

Sol : pH : 5 ; terreau riche et mousse de tourbe.

Engrais: fertiliser modérément pendant l'été.

Propagation: bouturage de têtes ou de tronçons.

Insectes et animaux ennemis: cochenilles, pucerons.

Accidents physiologiques: chute des feuilles provoquée par une température trop basse.

Détails: pincer les tiges pour faire ramifier la plante; la floraison peut durer tout le printemps et l'été; la plante apprécie la compagnie d'autre Aphelandrae ou, à la rigueur, d'autres plantes.

ABUTILON

BÉGONIA MÉTALLIQUE

BONSAÏ

BROMÉLIACÉES

PIN ROUGE
*(âgé d'un siècle et
mesurant 53 cm)*

CRYPTANTHUS

162

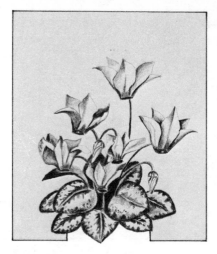

CYCLAMEN

ÉCHINOCACTUS

EUPHORBE SPLENDIDE

FATSIA DU JAPON

KALANCHOÉ VELU

LITHOPS MARBRÉ

ORCHIDÉES

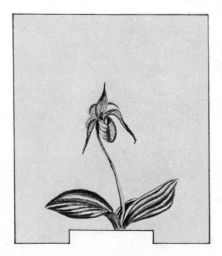

CYPRIPÈDE ACAULE
(une des plus belles variétés du Québec
que l'amateur se gardera bien de couper,
vu sa rareté)

STRUCTURE DE LA
FLEUR D'ORCHIDÉE
1- Sépales
2- Pétales
3- Labelle
4- Centre des organes reproducteurs

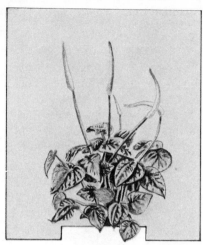

PASSIFLORE **PEPEROMIA**

PLANTES À FLEURS
PRINCIPAUX TYPES DE BULBES
(Avancés d'environ 5 semaines)

VRAI BULBE
(Narcisse)

CORMUS
(Glaïeul)

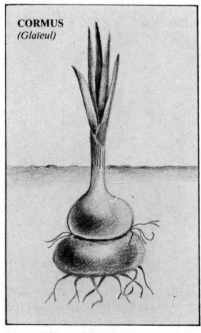

TUBERCULE
(Bégonia tubéreux)

RACINE TUBÉREUSE
(Dahlia)

RHIZOME
(Balisier de l'Inde)

SPATIPHYLLUM

CHAPITRE SIXIÈME

LES LÉGUMES SAUVAGES
PRINTANIERS

Avez-vous déjà mangé des têtes-de-violon? Ou de l'ail des bois mariné? Ou une simple salade de pissenlit?

Pour peu qu'on ait étudié la question et pris le temps d'expérimenter, on en arrive vite à la conclusion qu'on pourrait, si l'on était juste un peu plus près de la nature, vivre entièrement de ses générosités. Et ce, même en hiver, à condition, bien sûr, d'avoir fait des provisions pendant les autres saisons. À condition aussi d'être un peu chasseur et pêcheur.

— Et l'huile, où te la procures-tu? me demande un ami imaginaire.

— Le tournesol et le soja se cultivent facilement au Québec...

— Et le sucre?

— Tu n'as que le choix entre le miel et le sucre ou le sirop d'érable qui sont, et de loin, supérieurs au sucre de canne...

— Et la farine?

— Tu peux toujours en extraire, comme les Indiens le faisaient, de certaines racines, comme celles de la quenouille...

— Et la vitamine C qu'on trouve dans les oranges et le citron?

— Tu peux toujours te faire de la gelée de baies d'églantier ou des infusions de feuilles de violette...

Bien sûr qu'il y a nombre de produits dont on ne pourra jamais remplacer les goûts exquis comme le cacao, le café ou la cannelle.

Bien sûr encore que l'auto-suffisance demeure un idéal lointain et pas nécessairement sain, si mal compris, et que le citadin Québécois a, par la force des choses, et fort malheureusement, peu de temps à consacrer à son alimentation. Pourtant, que de merveilles ignorées et qui sont là, en abondance à la portée de notre main... ou presque. Nommerai-je la morille, l'un des meilleurs de tous les champignons dont j'ai trouvé des colonies même en plein coeur de Montréal (je ne puis évidemment vous dire où, vous comprendrez pourquoi)? Ou les têtes-de-violon, ce légume au goût plus délicat encore que celui des asperges? Ou le pissenlit, ce banal légume utile dans toutes ses parties et non seulement délicieux mais médicinal puisque c'est l'un des meilleurs dépuratifs qui soit?

Ce que j'ai tenté dans ce dossier, c'est donc l'inventaire des meilleurs légumes sauvages printaniers. Je n'ai, bien sûr, pas goûté à toutes les plantes — une vingtaine — dont je parle ici mais les auteurs sérieux ne manquent pas et je me suis largement inspiré d'eux, en particulier de Marie-Victorin et de sa *Flore Laurentienne,* oeuvre qui demeure la bible de tout amoureux de la nature d'ici. Par ailleurs, le seul livre paru sur le sujet que je saurais vous recommander est l'excellent *Cuisinons nos plantes sauvages,* de Denise Allaire, récemment publié aux Éditions de l'Aurore.

OÙ ET COMMENT CUEILLIR
SES LÉGUMES SAUVAGES

Trois grands critères m'ont guidé dans le choix des légumes présentés: leur succulence, leur abondance et la facilité qu'il y a à les identifier (presque tous sont d'ailleurs illustrés). C'est ainsi que j'ai délibérément mis de côté les plantes faciles à confondre avec des plantes vénéneuses (ex.: le carvi, de la famille des ombellifères) et celles qui sont comestibles mais à protéger, par exemple les trilles dont les jeunes pousses sont comestibles. Devant la dévastation continue et tragique de nos forêts les plus riches, les trilles sont, de même que beaucoup d'autres plantes, à protéger entièrement, soit parce qu'elles se reproduisent difficilement ou très lentement. Heureusement, la plupart des légumes sauvages croissent en abondance dans leur milieu, certains étant même considérés comme des «mauvaises herbes» par les jardiniers et les cultivateurs (ex. : asclépiade, oseille, pissenlit, etc.). À noter, au passage, que beaucoup de ces plantes ont été introduites au Québec par la culture et appartiennent aux grandes familles de plantes cultivées comme les composées, les crucifères, etc. À noter encore que certains légumes sauvages sont cultivés (pissenlit, oseille) et que beaucoup d'autres (apios, tussilage) mériteraient de l'être.

C'est ici qu'il faut glisser quelques mots sur les précautions à prendre lors des cueillettes de légumes sauvages. Car s'il est beau de vouloir se nourrir de produits vraiment «naturels», encore faut-il les cueillir dans des endroits vierges, c'est-à-dire non pollués. C'est ainsi qu'il faut particulièrement se méfier des bords des routes et des champs ou des vergers où ont pu avoir été répandus, les années précédentes, insecticides, herbicides et autres poisons. De même, il faut éviter les villes et leurs abords. À l'avantage d'obtenir, en cueillant ses légumes, des produits «propres», on peut joindre celui de se procurer, à frais nuls (sauf ceux de déplacement, si l'on n'habite pas à la campagne) des produits riches en vitamines, sels minéraux, etc. De même, on peut se nourrir de produits frais, hautement variés, «en saison», au moment où, si l'on habite à la campagne, les réserves d'hiver sont presque épuisées et le jardin, encore improductif.

Quant aux cueillettes proprement dites, elles se pratiquent, soit à la main (boutons floraux, pétales de fleurs et fleurs fraîchement épanouies), soit à l'aide d'un bon couteau inoxydable (jeunes pousses, jeunes plants) ou d'une pelle ronde (bulbes, tubercules, racines) ou carrée (rhizomes). Comme on peut le voir, ce dossier n'a pas été conçu pour la personne qui se serait perdue en forêt et aurait, comme par hasard, oublié d'emporter avec elle un manuel de survie ou... ce livre. Il se veut plutôt à l'usage d'une personne connaissant peu les plantes mais désireuse de s'y initier.

Il ne faut évidemment récolter que des plantes absolument saines, ni malades, ni parasitées, ni difformes, et il est fortement recommandé, avant de les consommer, crues ou cuites, de les faire tremper une quinzaine de minutes dans une solution d'eau citronnée ou vinaigrée. Il faut aussi, bien sûr, consommer ses légumes le plus frais possible et, pour ceux dont on veut faire des conserves, de les mettre en pots, sous le sable (racines) ou à congeler, aussitôt cueillis et nettoyés. Enfin, sauf dans le cas des légumes dits «mauvaises herbes», il faut voir à ne pas épuiser les peuplements naturels de plantes et mettre beaucoup de précautions à ne cueillir que les plantes prêtes pour la consommation en voyant à ne pas déranger les jeunes plants dans leur croissance et leur multiplication naturelle.

DES FRUITS, DES FLEURS...
ET DES RACINES

Si certains légumes sauvages sont comestibles dans plusieurs de leurs parties (pissenlit, quenouille...), la plupart ne le sont qu'en une seule, pouvant même être vénéneux en d'autres. Il ne faut donc cueillir que les parties indiquées ici.

Jeunes pousses: leur temps de cueillette est relativement court puisque les jeunes pousses doivent toujours être récoltées aussitôt émergées de terre et avant la formation des feuilles. Elles se préparent et s'emploient comme les asperges. **Cas-type:** têtes-de-violon (jeunes pousses de matteucie).

Jeunes plants (ou **jeunes feuilles**)**:** ceux-ci se cueillent le plus tôt possible et pour les blanchir, ce qui les rend plus savoureux, on peut, soit les couvrir de pots de terre renversés, soit les attacher avec de larges bandes de tissu, soit les enterrer partiellement et ce, pendant quelques jours précédant la récolte; en général, les feuilles de ces plants deviennent amères ou coriaces aussitôt le processus de floraison des plants amorcé. Les jeunes plants se préparent, soit en salade (pour ceux qui peuvent se consommer crus), soit comme les épinards; certains ne se consomment que cuits. **Cas-type:** pissenlit.

Boutons floraux: ceux-ci se cueillent aussitôt formés, toujours avant leur épanouissement, et se consomment, soit crus, en salade, ou marinés. Comme ils peuvent abriter parfois des insectes, il est recommandé de les faire tremper en eau citronnée ou vinaigrée avant de les préparer (la même remarque s'applique aux fleurs épanouies). **Cas-type:** souci d'eau (caltha des marais).

Pétales de fleurs ou fleurs fraîchement épanouies: les pétales de fleurs servent à faire des confitures; les fleurs épanouies sont, pour quelques-unes, frites dans l'huile. Beaucoup de fleurs peuvent servir à faire du vin et d'autres (de même que de nombreuses racines) sont médicinales ou tinctoriales; ces derniers aspects de leur transformation ne sont malheureusement pas traités ici. **Cas-type:** pétales de fleurs d'églantier (rosier sauvage) confits. (voir page 205).

Racines, tubercules, bulbes, rhizomes: bien que la plupart des racines de plantes se cueillent en automne, alors qu'elles sont pleines de sève, beaucoup, en particulier celles des plantes bisannuelles, peuvent se cueillir tôt le printemps de leur deuxième année de croissance et ce, avant le début du processus de floraison (généralement très rapide chez ces plantes) qui les fait se lignifier. Ici, il faut généralement, comme dans le cas des jeunes pousses et des jeunes plants, avoir repéré ses plantations sauvages l'été ou l'automne précédent; on peut marquer celles-ci de bâtons à l'extrémité peinte en rouge. Les racines se consomment généralement cuites comme n'importe quel légume-racine, soit entières, soit en purée, soit frites dans l'huile, soit crues et râpées (surtout les condimentaires); d'autres se prêtent à des préparations plus spécifiques. **Cas-type:** ail des bois.

Remarque importante: il est recommandé, quand on goûte un légume sauvage pour la première fois, en particulier dans le cas des légumes acides (barbarée, oseille...), de n'en consommer d'abord qu'une petite quantité. Certains provoquent parfois, chez des sujets particulièrement sensibles, de légères réactions de type allergique.

DESCRIPTION
DE CHAQUE PLANTE TRAITÉE

Il n'était évidemment pas question, dans ce dossier, de donner une description botanique exhaustive de chaque plante traitée, et parce que cela aurait demandé trop d'espace, et parce que, en fait, ce n'est pas nécessaire. J'ai quand même cru bon de donner quelques détails permettant leur identification. On trouvera donc, dans la description de chaque plante:

a) placés à la suite: ses noms français, latin et québécois populaire(s); le nom de la famille à laquelle elle appartient; son cycle de vie en nombre d'années (plante annuelle, bisannuelle, vivace).

b) une description comprenant les détails particuliers permettant une identification rapide de chaque plante (taille moyenne, forme, couleur, texture, etc., des diverses parties, soit feuille, fleur, fruit, racine, etc.); quant aux temps d'apparition des plantes par rapport à la saison, disons, pour simplifier, vu leur grande relativité (quoique toutes apparaissent toujours dans le même ordre) que toutes les plantes présentées ici apparaissent ou ne sont comestibles qu'à partir de la fin d'avril jusqu'aux dernières semaines de juin; les parties comestibles en été ou en automne sont aussi indiquées.

c) son ou ses habitats, ceux-ci étant répartis de la façon suivante:

1. **Bord des routes et terrains vagues** (ex. chicorée)
2. **Champs ouverts et pâturages** (ex. pissenlit)
3. **Forêt de feuillus mêlés** (ex. ail des bois)
4. **Bords d'eau douce et lieux très humides** (ex. apios d'Amérique)
5. **Plantes aquatiques d'eau douce** (ex. sagittaire)

Il existe de nombreux autres habitats de plantes comme les tourbières, la forêt de conifères, etc.; ceux-ci sont généralement assez pauvres en légumes sauvages.

d) la ou les parties comestibles de chaque plante et les avertissements qui s'attachent à certaines dont il ne faut pas abuser, qu'il faut particulièrement bien nettoyer, etc.

e) outre les modes de préparation types présentés un peu plus loin, on trouvera, à l'occasion, une recette particulière à une plante.

f) les méthodes de conservation de chaque plante.

g) les remarques spéciales s'attachant à une plante.

MÉTHODES DE CONSERVATION DES LÉGUMES SAUVAGES

Bien que certains légumes sauvages ne se conservent pas ou ne valent pas la peine d'être conservés, d'autres peuvent constituer des réserves d'hiver non négligeables. Parmi les principaux modes de conservation, mentionnons:

a) **le séchage:** bien qu'on l'emploie surtout pour les champignons, il peut s'appliquer aux feuilles de certaines plantes (ex.: oseille, cresson, menthe...) qu'on suspend, en petits bouquets, à l'abri du soleil, dans un endroit propre et bien ventilé. Une fois ces feuilles séchées, elles peuvent être conservées dans du papier de plastique. Remises à tremper dans l'eau, elles pourront servir à faire des soupes ou des potages.

b) **la mise en conserve:** celle-ci consiste à mettre les légumes qu'on veut conserver en pots (préalablement stérilisés et munis de couvercles hermétiques), soit dans l'eau salée, soit dans le vinaigre (marinades), soit encore dans le sucre (confitures); on trouvera dans n'importe quel bon livre de cuisine la description complète de celle-ci.

c) **conservation sous le sable:** applicable aux racines, ce mode consiste à enfouir celles-ci sous le sable, dans des boîtes de bois, dans un endroit frais, suffisamment ventilé et gardé à température fixe (juste au-dessus du point de congélation); les racines de pissenlit et de chicorée ainsi conservées pourront être «forcées» (plantées à l'intérieur) et donner ainsi d'excellentes salades d'hiver.

d) **la congélation:** ce mode s'applique aux plantes dont le gel ne brise pas trop la texture, surtout les jeunes pousses et les feuilles dont on pourra faire des soupes et des potages ou qu'on pourra servir comme les épinards; en aucun cas, les racines ne doivent être congelées.

MODES DE PRÉPARATION
DES LÉGUMES SAUVAGES

Des modes de préparation des légumes sauvages, il en existe un grand nombre, certains ne s'appliquant, comme je le laissais entendre plus haut, qu'à une plante. Je ne donne ici, bien sûr, que les principaux:

a) **en soupe ou en potage:** peuvent se préparer ainsi les jeunes pousses, la plupart des jeunes plants et certaines racines:

Recette-type: Soupe au cresson: couper des pommes de terre en petits cubes. Les faire bouillir doucement dans une fois de lait, une demi-fois d'eau. Pendant ce temps, faire fondre des feuilles de cresson finement hachées dans un peu d'huile ou de beurre. Quand les pommes de terre sont à peu près cuites, y incorporer les feuilles de cresson. Assaisonner de sel et de poivre. On peut lier la soupe avec des jaunes d'oeuf battus. Servir avec des croûtons frottés à l'ail.

b) **à la manière des asperges:** on prépare ainsi les jeunes pousses:

Recette-type: Têtes-de-violon bouillies: après les avoir récoltées, bien nettoyées et laissées tremper une quinzaine de minutes dans une solution vinaigrée ou citronnée, cuire avec un peu de sel et dans le moins d'eau possible (dans une marguerite, si on en a une), ses têtes-de-violon; servir comme légume d'accompagnement, tel quel ou avec du beurre, ou laisser refroidir et servir avec une vinaigrette.

c) **à la manière des épinards:** la plupart des jeunes plants se préparent ainsi:

175

Recette-type: Feuilles de pourpier gras bouillies: procéder exactement comme pour la recette précédente, en réduisant le temps de cuisson.

d) **à la manière des pommes de terre:** la plupart des racines peuvent se préparer ainsi:

Recette-type: Patates-en-chapelets (apios): procéder comme pour la recette précédente, en allongeant le temps de cuisson.

e) **en friture:** peuvent se préparer ainsi, frits dans l'huile, à peu près tous les légumes sauvages:

Recette-type: Racines de bardane frites: après avoir cueilli des racines d'un an, les bien nettoyer, les gratter puis les couper sur le long en fins morceaux; les faire sauter dans l'huile jusqu'à ce qu'ils soient tendres; les assaisonner et les servir comme légume d'accompagnement.

f) **en salade:** peuvent se préparer ainsi: les jeunes pousses de certaines plantes préalablement bouillies (ex.: têtes-de-violon) puis refroidies et servies avec une vinaigrette; les jeunes plants qui sont comestibles crus; certains boutons floraux et les racines condimentaires (ex.: ail des bois):

Recette-type: Salade de pissenlit: armé d'une bonne pelle ronde, on repère quelques jeunes plants de pissenlit et on cueille tout, feuilles et racines; après avoir coupé les racines et débarrassé les plants de leurs feuilles trop grosses ou abîmées, on les lave dans trois eaux successives; après les avoir grossièrement hachées ou mieux, cassées à la main, on les sert avec une vinaigrette à base d'huile d'olive, de jus de citron, de moutarde sèche avec, facultativement, des graines de tournesol, de sésame ou des amandes hachées.

Les grands légumes sauvages printaniers
(description)

MATTEUCIE
(Matteucia Struthiopteris)
Fougère de l'Autruche, Têtes-de-violon

Polypodiacée, Vivace

b) C'est, après l'*Osmonde royale (O. regalis)* dont les frondes peuvent atteindre 300 cm (9 pieds environ), la plus grande et l'une des plus belles de nos fougères. Ses feuilles stériles peuvent atteindre 230 cm et ses fertiles, de couleur brun foncé, très rigides et portant, vers la fin de l'été, les spores (fruits) de la plante, 50 cm. Les jeunes crosses, qui ont la forme de têtes de violon (d'où leur nom populaire) et qui constituent la partie comestible de la plante, émergent du sol très tôt le printemps et se reconnaissent en ce qu'elles sont recouvertes de fines écailles transparentes brun-rouille qui s'effritent sous les doigts dès qu'on les touche. Il faut cueillir celles-ci avant que leur feuillage n'ait commencé à se développer et n'aient atteint plus de 20 cm (6 pouces). On les coupe au ras du sol à l'aide d'un bon couteau tranchant en voyant à en laisser quelques-unes sur chaque plant et à ne pas les piétiner.

c) bords d'eau douce et lieux humides où la plante forme généralement de grandes colonies.

d) voir plus haut; il faut toujours débarrasser les têtes-de-violon des écailles qui les recouvrent en les ébouillantant, toujours les consommer cuites et ne pas en abuser.

e) voir **Modes de préparation.**

f) la meilleure façon de conserver les têtes-de-violon est de les congeler après les avoir ébouillantées pendant 2-3 minutes; elles se prêtent aux mêmes usages que les asperges.

g) les jeunes pousses de deux autres espèces de nos fougères sont comestibles, se préparant de la même façon que celles de la matteucie: ce sont celles de l'*Onoclée sensible (O. sensibilis),* de teinte générale rougeâtre (cette fougère se rencontre dans les lieux humides et ses feuilles stériles peuvent atteindre 150 cm) et celles du *Ptéridium des*

177

Aigles (ou *Grande Fougère*) à la chair mucilagineuse et couvertes comme d'une fine laine grisâtre (cette fougère se rencontre, contrairement aux deux autres, dans les lieux secs et ouverts, clairières, champs, bord des routes, etc., et peut atteindre 100 cm). Toutes ces fougères aux jeunes pousses comestibles sont communes et généralement très abondantes dans leur habitat.

ASCLÉPIADE DE SYRIE
(Asclepias Syriaca)
Petits cochons, Cochons de lait

Cotonnier, Asclépiadacée, Vivace

b) Bien qu'en en regardant l'illustration on puisse identifier cette plante du premier coup d'oeil, voici les détails qui permettent de ne la confondre avec aucune autre: l'asclépiade émet d'abord de longues tiges qui, à mesure de la saison, se couvriront de feuilles presque ovales, très épaisses et duveteuses au toucher puis, de grappes de fleurs roses ou rouges puis, enfin, de gousses (follicules) vert pâle libérant, vers la fin de l'été, leur masses de graines brun-rouille portées par de longues aigrettes blanches soyeuses; toutes les parties de la plante émettent, à la cassure, un latex blanc et celle-ci peut atteindre 150 cm (4-5 pieds environ).

c) lieux ouverts secs (champs, terrains vagues, etc.).

d) ce sont les très jeunes pousses de la plante qui sont d'abord comestibles; celles-ci sont cueillies aussitôt émergées de terre, légèrement grattées en surface et bouillies à la manière des asperges; plus tard, on pourra faire des fritures avec les fleurs en boutons (de même, plus tard encore, avec de très jeunes gousses); les parties comestibles de l'asclépiade ne se consomment que cuites.

e) f) g) cuites dans l'eau avec un peu de sel et de bicarbonate de soude, les très jeunes gousses peuvent être mises en conserve.

OSEILLE
(Rumex Acetosella)
Petite oseille, Surette

Polygonacée, Vivace

b) Une autre plante facile à identifier et bien connue des jardiniers puisque c'est une «mauvaise herbe» dont il est fort difficile de se débarrasser. C'est à ses feuilles sagittées (en forme de pointe de flèche) qu'on peut reconnaître cette plante dont une forme *(R. acetosa)* qu'on rencontre occasionnellement à l'état sauvage est cultivée. Croissant en petite touffe et au niveau du sol au début, la plante peut atteindre 40 cm (12-18 pouces) au temps de la floraison.

c) sols secs et généralement pauvres.

d) les jeunes plants doivent toujours être cueillis avant la floraison et sont délicieux en soupe, salade (crus) ou cuits comme les épinards.

e) f) g) une autre plante, elle aussi comestible, porte au Québec le nom de «surette»: il s'agit de l'*Oxalyde dressée* (au goût très acide).

CHÉNOPODE BLANC
(Chenopodium album)
Chou-gras, Poulette grasse

Chénopodiacée, Annuelle

b) De la même famille que l'épinard, le chénopode blanc est lui aussi considéré comme une «mauvaise herbe»; c'est pourtant un légume délicieux facilement identifiable à ses peuplements abondants, sa croissance rapide, ses feuilles inodores (par rapport aux espèces aromatiques toxiques) d'un beau vert très pâle et blanches inférieurement et, dans le jeune âge, sa consistance générale aqueuse et molle; la plante peut atteindre, à la floraison, 100 cm.

c) lieux cultivés (jardins, bord des bâtiments, etc.).

d) e) f) g) cuites comme celles de l'épinard, les feuilles du chénopode sont considérées comme l'un des meilleurs légumes sauvages; comme elles réduisent beaucoup à la cuisson, il faut en cueillir de

179

grandes quantités; les graines de la plante sont, elles aussi, comestibles et, moulues, peuvent donner une bonne farine ou servir de féculent pour épaissir les soupes et les sauces.

POURPIER GRAS
(Portulaca oleracea)

Portulacacée, Annuelle

b) Mauvaise herbe facile à identifier en ce qu'elle émet pendant toute la saison, et toujours au niveau du sol, des tiges aux feuilles vert foncé épaisses, brillantes et de la consistance du caoutchouc; ces tiges peuvent atteindre 30 cm (1 pied environ) et un seul plant peut donner un million de graines. La plante est parfois cultivée (il faut alors l'empêcher de fleurir à tout prix).

c) lieux habités (jardins, etc.).

d) la plante entière, cueillie avant la floraison, s'emploie, comme les épinards, en soupe, salade (crue) ou comme légume d'accompagnement.

e) f) g) les tiges du pourpier peuvent être confites dans le vinaigre; les semences de la plante ont déjà été employées par certaines tribus Indiennes pour faire une farine. Recette: voir **Modes de préparation.**

BARBARÉE
(Barbarea vulgaris)
Cresson de terre (ou **d'hiver**)

Crucifère, Bisannuelle

b) C'est très tôt le printemps qu'il faut cueillir cette plante car, à moins de croître à l'ombre, elle fleurit très rapidement; la barbarée (de la même famille que le cresson véritable) se reconnaît à ses feuilles glabres et brillantes de forme très particulière (voir illustration) croissant en touffe et ses grappes de fleurs jaune d'or brillant; à la floraison, la plante peut atteindre 60 cm (2 pieds environ).

c) lieux humides (bord des ruisseaux, des fossés, etc.).

d) les feuilles de la barbarée peuvent se manger crues mais il est préférable, à cause d'une certaine amertume, de les faire bouillir (en changeant l'eau de cuisson une ou deux fois) et de les employer comme celles de l'épinard.

e) f) g) Recette: voir **Modes de préparation.**

PISSENLIT ET CHICORÉE
(Taraxacum officinale et *Cichorium Intybus)*
Composées, Vivaces

b) Tout le monde connaît bien le pissenlit et je ne donne ici que la description de la chicorée qui se prête, dans ses parties comestibles, aux mêmes usages que lui: notre plante forme d'abord une rosette de feuilles (ressemblant à celles du pissenlit) puis une longue tige noduleuse aux feuilles de plus en plus réduites vers le haut et aux fleurs d'un bleu céleste qui permet de ne confondre notre plante avec aucune autre; la floraison dure tout l'été, chaque fleur ne durant qu'un jour, et la plante peut alors atteindre 100 cm; contrairement à ceux du pissenlit et à ceux d'autres composées comestibles cultivées comme la laitue et le salsifis, ses fruits sont démunis d'aigrettes.

c) lieux habités, champs, etc.

d) les parties comestibles communes au pissenlit et à la chicorée sont: les jeunes plants servis, soit crus (en salade), soit cuits (comme les épinards) et les racines, soit apprêtées, malgré leur goût amer, comme les carottes, soit séchées, torréfiées et moulues (comme succédané du café), soit mises sous le sable jusqu'en hiver puis «forcées» (donnant ainsi une excellente salade d'hiver); les boutons floraux du pissenlit peuvent être confits dans le vinaigre (voir *Caltha des marais);* les fleurs du pissenlit entrent dans la fabrication d'un vin qu'on dit excellent au goût; le pissenlit comme la chicorée sont dépuratifs et des stimulants du foie de premier ordre.

e) Recette: voir **Modes de préparation.**

f) g) les racines des deux plantes se gardent sous le sable ou séchées (pour en faire des infusions médicinales).

BARDANE MAJEURE
(Arctium Lappa)
Rhubarbe sauvage (ou du diable), Graquias

Composée, Vivace

b) Bien connue sous le nom de «rhubarbe sauvage», cette plante est facile à identifier, en début de saison, grâce à ses grandes feuilles vert pâle, fortement pétiolées et duveteuses à la fin de l'été, à ses fleurs généralement pourpres puis à ses fruits piquants (graquias); une forme plus petite de notre plante, elle aussi très commune, la *Bardane mineure (A. minus)* se prête aux mêmes usages qu'elle.

c) lieux habités.

d) débarrassées de leurs parties filamenteuses puis cuites dans plusieurs eaux (deux ou trois) avec un peu de sel et de bicarbonate de soude, les pétioles des feuilles se préparent comme les asperges, et les feuilles, comme les épinards; bien grattées, les racines d'un an sont préparées comme n'importe quel légume-racine (une variété améliorée de bardane est cultivable au Québec).

e) Recette : voir **Modes de préparation.**

f) les racines peuvent se conserver sous le sable, séchées (puis remises à tremper dans l'eau) ou en conserve (dans l'eau salée).

g) ne pas confondre la bardane avec le *Chardon (Cirsium arvense);* cette dernière plante a, elle aussi, des fruits piquants qui s'accrochent aux vêtements; ses feuilles sont munies de piquants et ressemblent un peu à celles du pissenlit.

APIOS D'AMÉRIQUE
(Apios americana)
Patates en chapelets

Légumineuse, Vivace

b) C'est à ses séries de 5-7 feuilles vert foncé et luisantes, à ses grappes de fleurs d'un pourpre brunâtre (qui apparaissent tard en été et se transforment rarement en gousses) et à son rhizome portant des renflements tubéreux comestibles (1-12) qu'on peut reconnaître cette belle plante grimpante qui peut atteindre 250 cm (8 pieds environ); la plante est considérée comme l'un des meilleurs légumes sauvages et vaudrait même d'être cultivée pour sa valeur ornementale.

c) rivages argilo-sablonneux d'eau douce (fleuve Saint-Laurent, rivières).

d) c'est avec une bonne pelle ronde que se cueillent les tubercules de l'apios qui, à la manière des pommes de terre, constituent un délicieux légume d'accompagnement.

e) Recette: voir **Modes de préparation.**

f) sous le sable ou en conserve (dans l'eau salée). g) nil.

SAGITTAIRE LATIFOLIÉE
(Sagittaria latifolia)
Flèches d'eau

Alismatocée, Vivace

b) Plante aquatique pouvant atteindre 140 cm et facile à reconnaître à ses peuplements abondants, ses rosettes de feuilles sagittées (en forme de tête de flèche) dressées, ses grandes fleurs blanches haut portées et son gros rhizome tubéreux comestible; les rhizomes de toutes les variétés de sagittaires sont comestibles.

c) rivages d'eau douce (rivières, lacs), lieux très humides (éviter cependant de récolter la plante dans les eaux stagnantes).

d) le gros rhizome de la sagittaire cueilli, soit tôt le printemps, soit tard en automne, se prépare comme la pomme de terre, soit bouilli, soit cuit au four ou sous la cendre.

e) f) le rhizome peut probablement se conserver sous le sable.

g) ne pas confondre la sagittaire avec la *Pontédérie cordée (P. cordata),* plante aux feuilles triangulaires et en forme de coeur.

AIL TRILOBÉ
(Allium tricoccum)
Ail des bois, Ail sauvage

Liliacée, Vivace

b) De la même famille que l'ail cultivé, l'oignon, etc., notre plante se reconnaît, au temps de sa cueillette (de 3 à 4 semaines au maximum au-delà de la fonte des neiges), à ses peuplements denses, ses grandes feuilles qui ressemblent à celles du muguet et à ses bulbes fortement odoriférants (odeur d'oignon très prononcé); au moment de la floraison, les feuilles de la plante ont disparu pour laisser place à une tige (de 15-40 cm) portant une ombelle de fleurs d'un blanc verdâtre.

c) bois feuillus riches et humides (érablières, etc.).

d) les feuilles de l'ail des bois se consomment, soit crues (en salade), soit cuites (comme les épinards); les bulbes se consomment crus ou marinés.

e) Recette: **Ail des bois mariné:** après avoir débarrassé les bulbes de leurs radicelles et de leurs feuilles, les cuire pendant une dizaine de minutes (pas plus, afin de les garder croustillants) dans une fois d'eau et deux fois de vinaigre; mettre aussitôt dans des pots stérilisés à couvercle hermétique, couvrir jusqu'au bord des pots du liquide de cuisson en ajoutant des épices au goût (grains de poivre, de moutarde, clous de girofle, feuilles de laurier) et sceller.

f) g) ne cueillir que les jeunes plants et voir à protéger, pour assurer la propagation de l'espèce, ceux qu'on laisse en place.

QUENOUILLE (TYPHA)
(Typha latifolia)

Typhacée, Vivace

b) L'une de nos plantes les plus utiles (alimentaire, médicinale, textile, ornementale) et trop connue, je crois, pour en donner ici la description.

c) lieux très humides.

d) plusieurs parties de la plante sont comestibles: c'est d'abord la base tendre et blanche des jeunes plants qu'on peut manger, soit crue (en salade), soit cuite comme l'asperge ou marinée; ce sont ensuite les très jeunes épis verts (encore enveloppés dans les feuilles si possible) qu'on peut faire frire ou bouillir dans un peu d'eau et de sel (en en rejetant, bien sûr, en les mangeant, le centre dur); puis c'est le pollen doré des épis dont on peut se servir comme farine (une fois séché) ou pour épaissir les soupes (frais); enfin, ce sont les racines qui, débarrassées de leur écorce fibreuse peuvent être tranchées et frites dans l'huile, bouillies ou séchées et moulues; on en obtient alors une farine comparable, en qualité, à celle du sarrazin.

e) f) g) être bien sûr des lieux où on cueille la quenouille, ses habitats les plus fréquents (bord des routes, rivières, etc.) étant tous très exposés à la pollution; on peut, avec le «coton» de quenouille mêlé à de l'huile d'olive ou du saindoux obtenir un onguent contre les brûlures. Le même «coton» convenablement séché et nettoyé peut donner un très bon rembourrage.

CALTHA DES MARAIS
(Caltha palustris)
Souci d'eau, Populage

Renonculacée, Vivace

b) Très belle plante semi-aquatique, charnue, à tige creuse, à feuilles plus ou moins rondes et à fleur d'un jaune d'or brillant; elle forme généralement de grandes colonies et peut atteindre jusqu'à 60 cm.

c) lieux très humides ou partiellement inondés (bord des fossés, ruisseaux...).

d) bien que certains auteurs donnent ses feuilles cuites comme comestibles, seuls les boutons floraux de la plante semblent sûrs d'emploi. La racine est vénéneuse.

e) Recette: **Boutons floraux de souci marinés:** procéder comme pour l'ail des bois en faisant cuire les jeunes boutons floraux pendant une demi-heure.

f) g) ne pas confondre le caltha avec la *Renoncule âcre* (R. acris), plante hautement vénéneuse aux feuilles très dentelées, à la tige pleine et petite et aux fleurs, elles aussi d'un jaune d'or brillant mais plus tardives.

TUSSILAGE
(Tussilago farfara)
Pas d'âne

Composée, Vivace

b) Les fleurs en forme de petits soleils de la plante sont les premières à paraître au printemps; celles-ci sont très caractéristiques en ce qu'elles poussent en rosette et sont munies, vers la base de leurs tiges pouvant atteindre 6 pouces (15 cm) d'écailles violacées; au moment où la plante fleurit, elle n'a pas encore de feuilles; celles-ci, vertes supérieurement et blanchâtres inférieurement, n'apparaissent qu'une fois la fructification de la plante assurée pour continuer de grandir tout l'été et ne disparaître qu'aux premières gelées.

c) divers habitats (lieux habités, bord des routes, pentes exposées aux éboulements...).

d) les fleurs, cueillies aussitôt qu'elles sont épanouies, sont médicinales (efficaces en mélange avec de l'*Achillée millefeuille* (ou *Herbe à dindes)* et de la *Verge d'or* contre la toux, la grippe et autres affections pulmonaires); on fait, avec les racines, la confiture suivante:

e) Recette: **Racines de tussilage confites:** cuire dans du miel légèrement dilué ou dans un sirop clair (comprenant autant de sucre que d'eau) de jeunes racines de tussilage nettoyées et coupées en morceaux jusqu'à ce qu'elles soient tendres; retirer du sirop, épaissir celui-ci à feu doux et en couvrir, dans des pots préalablement stérilisés, les racines; sceller (on peut procéder de la même façon pour confire les racines de *Gingembre sauvage (Asaret).*

MORILLE
(Morchella...)
plusieurs variétés

Champignon

Ce dossier, déjà bien incomplet (sur une soixantaine de plantes inventoriées au début, je n'en aurai traité qu'une vingtaine) le serait plus encore si je n'y parlais de la morille, ce champignon considéré par plusieurs comme l'un des meilleurs de tous les champignons.

Contrairement à la plupart des bonnes espèces de champignons comestibles (Chanterelle, Marasme d'Oréade, Pied-bleu, etc.) qui apparaissent de la mi-été à la fin de l'automne, c'est tôt le printemps (mai) que la morille forme dans les clairières, les sous-bois clairs, les champs et les vergers des colonies généralement assez abondantes. Le champignon est très facile à identifier en ce qu'il porte, au bout d'un pied cartilagineux, creux et blanchâtre, un chapeau dont la couleur varie (selon les espèces, toutes comestibles) du jaune pâle au brun-noir et qui ressemble plus ou moins à une petite éponge triangulaire (voir illustration).

On peut toujours le confondre avec la *Gyromitre comestible,* champignon ayant la même consistance et les mêmes couleurs que lui mais dont le chapeau aplati est constitué de plis très irréguliers ressemblant un peu à ceux d'une cervelle au lieu des alvéoles très caractéristiques de la morille. À l'état cru ou même cuit, ce champignon peut, malgré son nom, être dangereux pour certaines personnes; une fois bien séché, il est cependant considéré comme inoffensif et même délicieux (Roger Heim). La gyromitre se rencontre sous les conifères, particulièrement sous les pins, en mai et en juin.

Les morilles, cassées à la main, nettoyées (sans eau de préférence) peuvent être cuites aussitôt dans un peu de beurre, avec une pointe d'ail, une branche de thym et une pincée de sel et de poivre; personnellement, je les préfère d'abord séchées (au soleil, sur des claies, ou enfilées, entières, sur des fils accrochés de long en large dans une pièce bien ventilée) puis remises à gonfler dans l'eau; elles sont ainsi moins aqueuses.

Recette: **Têtes-de-violon à l'ail des bois et aux morilles:** Faire cuire dans une marguerite ou alors dans très peu d'eau salée, deux tasses de têtes-de-violon; en même temps, faire sauter dans une poêle, avec un peu de beurre, une douzaine de bulbes d'ail des bois tranchés, puis 8 à 12 belles morilles remises à tremper dans de l'eau froide depuis la veille, puis égouttées à fond sur un linge et tranchées; préparer en même temps une sauce blanche et y jeter quand elle est presque cuite, les feuilles d'ail des bois hachées finement, du sel, du poivre et une pincée de thym; placer les têtes-de-violon dans le fond du plat à servir, jeter par-dessus les morilles et l'ail des bois sautés puis la sauce béchamel; servir très chaud avec des truites.

AIL DES BOIS

APIOS

ASCLÉPIADE
DE SYRIE

BARBARÉE

CHÉNOPODE

ASARET
DU CANADA

CALTHA DES MARAIS

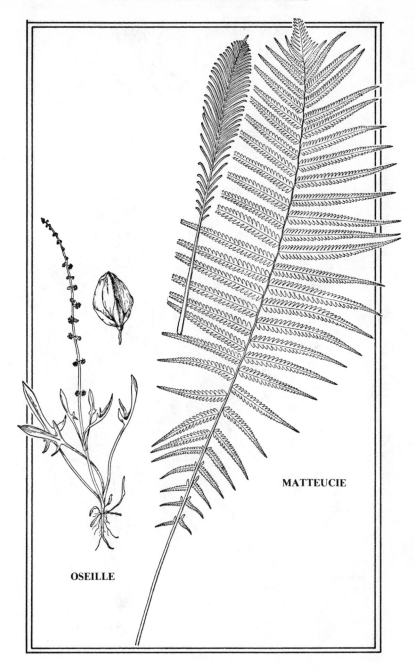

MATTEUCIE

OSEILLE

Illustrations tirées de «The New Britton and Brown Illustrated Flora»

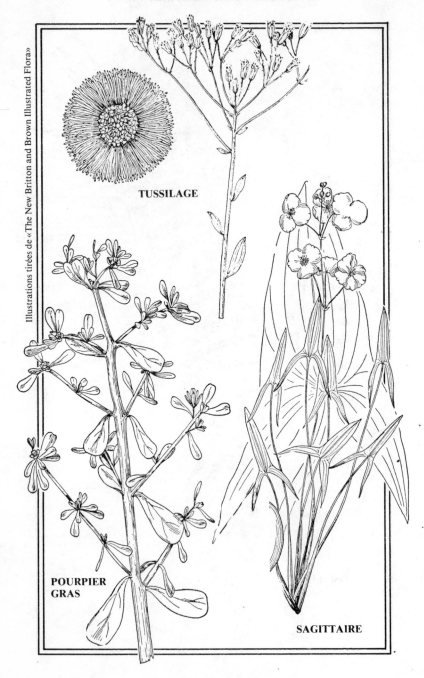

TUSSILAGE

POURPIER
GRAS

SAGITTAIRE

E MAUFFETTE 76

Atragène d'Amérique

ATRAGÈNE D'AMÉRIQUE
(Atragene americana)
Renonculacée, Vivace

PLANTE GRIMPANTE des bois rocheux et des sommets de montagne, l'Atragène d'Amérique peut atteindre 6 pieds (2 mètres environ) de hauteur et ses fleurs qui s'épanouissent très tôt le printemps sont bleu-pourpre et peuvent atteindre un diamètre de 10 cm (4 pouces). La plante qui porte aussi le nom de Clématite verticillée est malheureusement très disséminée et devrait être cultivée dans les jardins. Les styles de ses étamines sont longs, plumeux et persistent très longtemps sur la plante, ce qui lui donne une valeur ornementale de plus.

CLAVDE MAUFFETTE 74

Ariséma

ARISÉMA ROUGE FONCÉ
(Arisaema atrorubens)
Aracée, Vivace

PLANTE DES FORÊTS HUMIDES, à deux feuilles trilobées et qui peut atteindre 3 pieds (100 cm environ), l'Ariséma rouge foncé fleurit en mai ou juin. Son inflorescence (spadice) longue, brune, et gonflée est enclose dans une spathe ver-dâtre, traversée de rayures brunes et blanches et se terminant en une languette repliée (d'où le nom de Petit Prêcheur donné à la plante); cette inflorescence se transformera au cours de l'été en une masse ovoïde de baies rouge-écarlate ou vermillon vif. Le rhizome émet un suc brûlant à la cassure.

CLAUDE MAUFFETTE 73

Calla des Marais

CALLA DES MARAIS
(Calla palustris)
Aracée, Vivace

PLANTE DES MARAIS et des tourbières où elle forme parfois de grandes colonies, le Calla des marais peut atteindre 20 cm (8 pouces) de hauteur et fleurit en mai et en juin. L'inflorescence est, comme celle de l'Ariséma, un spadice ; chez le Calla, celui-ci est verdâtre et enclos dans une spathe blanc crème étalée et se terminant en pointe de même que les feuilles longuement pétiolées et cordées de la plante.

CLAUDE MAUFFETTE 76

Cypripède

CYPRIPÈDE SOULIER
(Cypripedium calceolus)
Orchidacée, Vivace

LE CYPRIPÈDE SOULIER, appelé encore Sabot-de-la-Vierge, est sans contredit, avec le Cypripède royal plus rare, l'une de nos plus belles orchidées indigènes. Sa fleur qui s'épanouit en mai ou juin est, avec ses sépales et ses pétales enroulés vert jaunâtre et rayés de pourpre et son gros labelle gonflé jaune d'or et traversé de veinures pourpres, une merveille du monde végétal. C'est une plante des bois riches à protéger et qui devrait être cultivée dans tous les jardins.

CLAUDE MAUFFETTE 76

Gentiane Frangée

GENTIANE FRANGÉE
(Gentiana crinita)
Gentianacée, Annuelle ou Bisannuelle

MALHEUREUSEMENT ASSEZ RARE, la Gentiane frangée qui se rencontre occasionnellement dans les bois et les prairies humides, mériterait d'être cultivée dans tous les jardins. Croissant en touffes, ses tiges peuvent atteindre 50 cm (18 pouces environ) et sont, à l'automne, porteuses de fleurs d'un bleu très délicat à quatre lobes frangés qui s'étalent à la maturité.

CLAUDE MAUFFETTE 78

Lobélie du Cardinal

LOBÉLIE DU CARDINAL
(Lobelia cardinalis)
Lobéliacée, Vivace

UNE AUTRE PARMI LES PLUS BELLES de nos fleurs sauvages, la Lobélie du Cardinal, qui peut atteindre jusqu'à 4 pieds (130 cm environ) de hauteur, forme parfois de grandes colonies dans les lieux bas et sur les îles ou les rivages de certaines rivières. C'est pour ses longues inflorescences d'un rouge-écarlate flamboyant qui apparaissent vers juillet et attirent, par leur nectar, les oiseaux-mouches, que la plante devrait être cultivée, dans leurs zones humides, dans nos jardins.

CLAUDE MAUFFETTE 76

Orchis Brillant

ORCHIS BRILLANT
(Orchis spectabilis)
Orchidacée, Vivace

UNE AUTRE DE NOS TRÈS BELLES ORCHIDÉES des bois riches, tant à cause de ses deux grandes feuilles basilaires d'un beau vert foncé que de sa hampe florale qui peut atteindre jusqu'à 17 cm (7 pouces environ) de hauteur et porte, assez tôt le printemps, de 3 à 12 fleurs. Chacune des fleurs de l'Orchis brillant mesure 1 pouce (2.5 cm) de longueur et comporte des sépales mauves unis en un capuchon surmontant le labelle blanc. Comme le Cypripède soulier, c'est une plante rare à protéger.

CLAUDE MAUFFETTE 75

Sarracénie Pourpre

SARRACÉNIE POURPRE
(Sarracenia purpurea)
Sarracéniacée, Vivace

PLANTE CURIEUSE PAR EXCELLENCE, elle se rencontre dans les marais et les tourbières. La fleur pourpre centrale apparaît au printemps au bout d'une tige pouvant mesurer 60 cm (2 pieds) de hauteur. La plante est, grâce à sa rosette de feuilles enroulées en cornets qui peuvent mesurer jusqu'à 30 cm (1 pied), insectivore.

CHAPITRE SEPTIÈME

LES FRUITS SAUVAGES COMESTIBLES

Pourquoi un nouveau dossier sur les fruits sauvages comestibles du Québec? Eh! bien, tout simplement parce que le travail déjà publié sur le sujet dans *Le Jardin Naturel* était incomplet et que, de toute manière, ce domaine dans lequel la nature s'est montrée si généreuse, demeure méconnu.

En effet, c'est à une quarantaine qu'on peut évaluer le nombre d'espèces de plantes sauvages québécoises à fruits comestibles. C'est même à près d'une centaine de variétés de ces plantes dont certaines présentent, à l'intérieur d'une même espèce diverses formes et couleurs de fruits, que nous avons affaire. C'est ainsi qu'on trouve chez les Ronces (famille des Rosacées) pas moins de vingt représentants, les uns à fruits jaunes (Ronce petit-mûrier), les autres à fruits noirs (mûres), d'autres enfin, variant du rose au pourpre (framboise). Pour plus de facilité de lecture, j'ai quand même traité à part les framboises et les mûres (le nom donné à ce fruit est impropre puisque le mûrier dont le feuillage constitue la nourriture exclusive du ver à soie n'existe pas au Québec). Même chose pour les Airelles (famille des Ericacées), traitées d'un seul bloc, qui comprennent les bleuets (myrtilles) et les canneberges (atocas), les premiers à fruits bleus ou noirs, les secondes, à fruits rouges. Sont aussi traités séparément les Cerisiers et le Prunier noir qui appartiennent

tous deux au genre *Prunus* (famille des Rosacées). C'est à cette dernière famille qu'appartiennent d'ailleurs le plus grand nombre de
plantes à fruits comestibles. La seconde grande famille productive
de fruits comestibles est celle des Ericacées (Airelles, Arctostaphyle,
Chiogène, Gaulthérie et Gaylussacia).

Comme il n'était pas question de traiter de toutes les espèces de
plantes à fruits charnus (charnu: la ou les semences sont entourée(s)
ou sous-tendue(s) de chair) comestibles, voici les critères qui m'ont
guidé dans le choix des plantes présentées: la succulence de leurs
fruits, leur abondance et la facilité qu'il y a à les reconnaître dans
leurs habitats. J'ai de même mis de côté les plantes faciles à confondre avec des espèces vénéneuses ou douteuses quoique, à tout
prendre, un peu comme dans le monde des champignons, peu soient
violemment toxiques ou mortelles. C'est davantage du côté des
plantes à fruits secs, non charnus, c'est-à-dire sans pulpe, qu'on
rencontre le plus souvent ces espèces, comme la *Ciguë*, le *Datura* et le
Ricin, plante communément cultivée mais dont les graines sont
mortelles en très petite quantité (deux ou trois suffisent, dit-on, à
tuer un homme). Parmi ces espèces à fruits charnus toxiques ou à
comestibilité douteuse, seules ont été reproduites ici celles pouvant
présenter une ressemblance avec l'une ou l'autre des plantes traitées.
Principe général: en ce qui concerne les fruits vénéneux, il faut toujours éviter les espèces à feuillage épais et lustré et à fruits luisants
généralement portés haut sur les tiges (ex.: *Clintonie boréale),* ou
intercalés aux aisselles des feuilles et des tiges (ex.: *Houx verticillé).*
Sont de même à rejeter les fruits à goût amer.

N'ont donc pas été traités ici, soit à cause de leur rareté, soit à
cause de l'insignifiance de leur goût, soit encore à cause d'une ressemblance même lointaine avec un fruit toxique, les fruits sauvages
comestibles des plantes suivantes: l'*Arctostaphyle* (ou *Raisin d'ours),*
le *Berbéris* (ou *Épine-vinette),* la *Camarine noire,* le *Chalef changeant,* le *Chénopode en têtes,* le *Chiogène* (ou *Petit thé),* le *Cor-
nouiller du Canada* (ou *Quatre-Temps* ou encore *Rougets),* la *Gaulthérie* (ou *Thé des bois*), le *Gaylussacia,* le *Genévrier* (la variété
nordique rampante à fruits charnus et succulents), la *Morelle noire,*
le *Podophylle pelté* (ou *Pomme de mai).* J'ai de même passé sous
silence les fruits (noix ou glands) comestibles des arbres suivants:
le *Caryer* (ou *Noyer tendre),* le *Chêne,* le *Noisetier à long bec* (ou
Coudrier) et le *Noyer cendré.*

LA CUEILLETTE
DES FRUITS SAUVAGES

S'il est beau de vouloir se nourrir à même cette immense richesse qu'à chaque été la nature met à notre disposition, encore faut-il y mettre un certain nombre de précautions, autant en ce qui concerne le respect dû à la nature que la qualité des récoltes. Les fruits constituant une bonne partie de la nourriture des oiseaux et étant un engrais naturel pour les plantes qui les portent (en tombant et en se décomposant sous eux en automne), il ne faut prélever sur ces plantes qu'une partie de leurs fruits. Il faut aussi voir à ne pas les abîmer, en en cassant les branches ou en leur faisant des blessures qui pourraient par la suite permettre l'invasion d'insectes ou de maladies cryptogamiques ou virales. On pourrait même traiter de nombreuses plantes sauvages comme les plantes cultivées, en les taillant, les engraissant, etc.

Si certains fruits se cueillent nécessairement à la main (fraises, etc.), d'autres se cueillent en grappes ou, pour être préparés à l'intérieur (par temps pluvieux ou le soir), par petites branches. C'est à l'aide d'un bon couteau tranchant qu'on cueillera celles-ci. En ce qui concerne les oiseaux, mentionnons au passage que certaines plantes les attirent particulièrement et que ces plantes, dont la plupart sont ornementales, devraient être cultivées autant pour attirer ces amis harmonieux que pour en faire des récoltes plus abondantes, car, dans la nature, ces plantes manquent souvent de facteurs essentiels à leur pleine fructification (excès ou manque d'humidité, manque de soleil, etc.). Mentionnons en particulier, parmi ces plantes attireuses d'oiseaux et décoratives de même que pouvant offrir leur protection à d'autres plantes contre le vent ou le soleil : l'Amélanchier, le Cerisier sauvage, le Chèvrefeuille, le Micocoulier de Virginie (qui, à lui seul, attire plus de quarante espèces d'oiseaux), le Sureau du Canada et enfin, la Viorne (ou Pimbina). Toutes ces plantes sont ici traitées.

Beaucoup de fruits présentés ici poussant au bord des routes, aux lisières des forêts et dans d'autres lieux fréquemment visités par l'homme, il faut évidemment s'assurer de la propreté des lieux où on les récolte. On se méfiera particulièrement des bords des routes où sont souvent répandus des herbicides. Bien qu'à priori aucun endroit ne soit à l'abri de la pollution, puisque celle-ci peut se présenter autant sous la forme de retombées radio-actives que de traces de produits insecticides ou fongicides répandus sur nos forêts, nos vergers et nos champs, on peut quand même, avec un peu d'observation, minimiser les effets nocifs de ces produits.

DESCRIPTION
DE CHAQUE PLANTE TRAITÉE

Comme dans le dossier sur les légumes sauvages printaniers (Chapitre Sixième), il n'était pas question de donner ici une description botanique complète de chaque plante traitée. On trouvera néanmoins pour chacune:

a) placés à la suite: ses noms français, latin et québécois populaire(s); le nom de la famille à laquelle elle appartient; son cycle de vie (quoique toutes soient vivaces); le nombre de variétés de chaque genre et, s'il y a lieu, l'énumération des principales.

b) une description comprenant les détails permettant une identification rapide de chaque plante et la saison du fruit (mi-été, été, fin d'été, après les premières gelées).

c) son ou ses habitat(s) le(s) plus commun(s).

d) outre les modes de préparation types présentés un peu plus loin, on trouvera à l'occasion une recette particulière à un fruit.

e) les méthodes de conservation applicables à chaque fruit.

f) les remarques spéciales s'attachant à une plante et une brève description des plantes à fruits toxiques avec lesquelles elle peut présenter des ressemblances.

PRINCIPAUX MODES DE PRÉPARATION
DES FRUITS SAUVAGES

Consommés frais, divers fruits sauvages peuvent s'apprêter de mille et une façons, soit en compote, en salade de fruits, en gâteaux, en tartes. À noter cependant qu'à part les fruits suivants qui sont aussi les plus connus — bleuets, cerises de terre, fraises, framboises et mûres —, les fruits sauvages doivent être cuits avant la consommation, soit pour en améliorer le goût, avec des épices, du sucre ou mieux du miel, du jus de citron, etc., soit pour en éliminer certaines substances amères ou légèrement toxiques (dans les cas du sureau et du pimbina en particulier). La cuisson permet en outre l'élimination, dans certains fruits, de parties dures comme les noyaux, les graines fines, etc. Ils sont alors passés dans un tamis et servent à faire du jus ou de la gelée.

MÉTHODES DE CONSERVATION
DES FRUITS SAUVAGES

Il y a de nombreuses façons de conserver les fruits. Parmi les principales, mentionnons:

a) **en confiture:** ex.: **Confiture de prunes sauvages** (voir recettes plus loin).

b) **en gelée:** les fruits contenant des semences sont généralement préparés ainsi: ex.: **Gelée de pimbina.** À noter que pour bien prendre beaucoup de gelées doivent être additionnées de pectine.

c) **séchés:** pour fabrication de vin (ex.: baies de sureau) ou à employer comme les raisins secs (ex.: bleuets séchés).

d) **en jus:** ex.: **Jus de raisin sauvage.**

e) en sirop, limonade, vinaigre, etc.: ex.: **Limonade de vinaigrier.**

On trouvera dans un bon livre de cuisine la description de ces techniques de mise en conserve des fruits.

Les fruits sauvages comestibles
(description)

AIRELLES
(Vaccinium)

genre de la famille des Éricacées comprenant des variétés
à fruits bleus ou noirs (bleuets) et d'autres
à fruits rouges (canneberges ou atocas)

A. *Bleuets (myrtilles):* 5 variétés, toutes vivaces, dont la plus répandue est l'*Airelle à feuilles étroites (V. angustifolium).*

b) arbustes à petites feuilles entières, glabres, à fleurs blanches ou rosées; la variété la plus grande *(Airelle en corymbe)* peut atteindre cinq mètres; les plus communes atteignent 45 à 60 cm de hauteur; les fruits mûrissent vers la fin de l'été.

c) lieux humides mais bien exposés au soleil (tourbières, marais, clairières et lisières des bois rocheux); la plante réussit particulièrement bien là où il y a eu un feu de forêt.

d) la meilleure façon de consommer les bleuets, c'est encore avec un peu de sucre et de crème fraîche la plus épaisse possible.

e) en confiture ou en gelée, congelés (pour en faire plus tard tartes, gâteaux, etc.) ou séchés au soleil pour servir ensuite comme les raisins secs.

Recette; **Confiture de bleuets et de rhubarbe:** mêler ensemble dans un chaudron 8 tasses de bleuets triés et lavés et 4 tasses de rhubarbe coupée en morceaux de deux cm. Ajouter 1/2 tasse d'eau aux fruits et faire mijoter pendant dix minutes, à découvert. Ajouter 4 tasses de sucre et cuire 10 minutes de plus ou jusqu'à consistance de confiture épaisse.

B. *Canneberges (atocas):* trois variétés dont deux à gros fruits, l'*Airelle vigne-d'Ida* (ou *Pommes de terre, Berris, Graines rouges* et, au Lac Saint-Jean, *Lingones)* et, pouvant atteindre jusqu'à trois mètres de hauteur, l' *Airelle à gros fruits* (ou *Gros Atocas).*

b) les trois variétés se reconnaissent facilement à leurs tiges rampantes à branches plus ou moins dressées de 15-20 cm et à leurs petites feuilles.

c) tourbières, terrains rocheux, sols très acides.

d) e) f) toujours cuites, les canneberges peuvent servir à faire de la confiture, de la gelée ou du jus. Selon Marie-Victorin, les fruits de l'Airelle vigne-d'Ida peuvent se conserver tout simplement gardés dans de l'eau froide.

ALKÉKENGE SAUVAGE
(ou COQUERET HÉTÉROPHYLLE)
(Physalis heterophylla)
Cerise de terre sauvage

Solanacée, Vivace

b) plante vivace aux tiges molles pouvant atteindre 100 cm, à feuilles vert pâle et légèrement dentées, aux fleurs jaunes à centre pourpre et à baies jaunes encloses dans des calices gonflés et membraneux.

c) sols riches et meubles dans un rayon de plusieurs dizaines de milles autour de Montréal.

d) la meilleure façon de consommer les cerises de terre qui sont considérées, par bien des gens, comme le fruit donnant *la* meilleure confiture, c'est tels quels.

e) les fruits sont cueillis de la fin de l'été jusqu'aux premières gelées, dans leurs cosses, et sont mis à mûrir en petits tas, dans un lieu frais, à l'ombre; on peut les conserver ainsi pendant quelques semaines.

f) **Nota bene:** ne pas confondre cette espèce avec la variété ornementale à cosses rouges et à fruits orangés non-comestibles.

AMÉLANCHIER
(Amelanchier)
(6 variétés)
Petites poires

Rosacées, Vivace

b) il y a six variétés d'amélanchier. Toutes se reconnaissent à leur floraison très printanière (fleurs blanches en grappes), leurs petites feuilles ressemblant à moitié à celles du rosier, à moitié à celles du pommier et leurs fruits pourpres ou noirs juteux et sucrés. Deux variétés sont arborescentes et peuvent atteindre une dizaine de mètres; les autres sont arbustives et peuvent atteindre, soit 120 cm, soit 250 cm; les fruits de l'amélanchier mûrissent en juillet et en août.

201

c) habitats divers selon les espèces (lieux secs, tourbières, etc.).

d) les fruits au goût d'amande sont employés exactement comme les bleuets (voir Airelles).

ARONIA NOIR
(Aronia melanocarpa)
Gueules noires

Rosacée, Vivace

Proche parente de l'amélanchier auquel elle ressemble beaucoup, cette plante qui se rencontre dans les lieux humides et acides se reconnaît surtout à ce que son fruit noirâtre est marqué, en son sommet, d'une dépression en forme de croix. L'aronia est arbustif et peut atteindre deux mètres. On peut, avec les fruits qui mûrissent au début de l'automne, faire une excellente gelée.

AUBÉPINE
(Crataegus)
(45 variétés)
Senellier

Rosacées, Vivaces

Genre très litigieux ne comprenant pas moins de quarante-cinq variétés, à forme arbustive ou arborescente, d'une taille variant de un à dix mètres, certaines, très localisées, d'autres, plus répandues. Toutes les aubépines se reconnaissent en ce que leurs branches sont munies de longues épines acérées (dont la légende dit qu'elles servirent à tresser la couronne d'épines du Christ). Ce sont des plantes héliophiles (aimant le soleil) et de lieux secs, à la floraison printanière abondante (fleurs blanches ressemblant à celles du pommier) et aux fruits dont la couleur varie du jaune à l'écarlate, en passant par le rouge et l'orangé mais dont la pulpe est toujours jaune. Les fruits les plus recherchés, puisque ceux de plusieurs variétés ne sont pas intéressants, soit à cause de l'insignifiance de leur goût, soit parce qu'ils ne sont pas assez pulpeux, sont ceux de l'*Aubépine de Cham-*

plain et de l'*Aubépine subsoyeuse* dont on peut faire, avec les grosses baies, une gelée comparable à celle des baies d'églantier. On recommande de cuire ces baies en mélange avec des pommes.

CERISIERS
(Prunus...)

(4 variétés, chacune portant son nom populaire propre)
Rosacées, Vivaces

CERISIER DÉPRIMÉ
(Prunus depressa)
Cerisier de sable

Petit arbuste déprimé aux branches rampant sur le sable et pouvant atteindre un mètre et demi de longueur ; les fleurs paraissent avant les feuilles et les fruits sont rouges ou presque noirs. La plante ne se rencontre que sur les rivages d'eau douce sablonneux ou graveleux. Elle forme parfois d'immenses colonies.

CERISIER DE PENNSYLVANIE
(P. pennsylvanica)
Petit merisier

Arbre pouvant atteindre douze mètres. Les fruits, connus sous le nom de merises sont rouges et translucides, d'un goût très acide. Comme l'Airelle-bleuet, c'est une des premières plantes à venir s'installer là où il y a eu un feu de forêt. Sa distribution est très vaste et on le rencontre dans pratiquement tout le Québec habité.

CERISIER TARDIF
(P. serotina)
Cerisier d'automne

Arbre d'une très grande beauté pouvant atteindre 30 mètres, à la floraison plus tardive que celle des autres cerisiers sauvages et aux fruits noirâtres mûrissant à la fin de l'été, après ceux de toutes les autres variétés. C'est une importante nourriture pour les oiseaux, geais, etc., qui s'enivrent littéralement de ses fruits. Sa distribution est limitée au sud du Québec quoique l'arbre pourrait probablement être cultivé plus au nord.

CERISIER DE VIRGINIE
(P. virginiana)
Cerisier à grappes

Arbrisseau ou petit arbre atteignant au plus 4 mètres. C'est la variété de cerisier sauvage québécois la plus connue et celle qui est la plus employée pour faire du vin de cerises. Comme son nom populaire l'indique, les fruits rouge noirâtre viennent en grappes, ce qui, comparativement aux fruits des autres espèces, en facilite la cueillette.

Les fruits de toutes les espèces de cerisier servent surtout, en mélange avec des pommes, à faire de la gelée. On peut encore en faire le vin suivant:

Recette; **Vin de cerises sauvages:** couvrir d'eau bouillante deux chaudières de cerises triées, nettoyées dans un pot de grès ou un baril, puis y incorporer un gâteau de levure. Couvrir le pot ou le baril d'un coton fromage et laisser macérer à l'ombre, dans un endroit ni trop froid, ni trop chaud. Filtrer ensuite dans du coton fromage (ou une taie d'oreiller) et remettre dans le contenant, en comptant pour chaque gallon de jus obtenu, 2.25 kilos (5 lb) de sucre. Macérer pendant 40 autres jours puis embouteiller et garder au frais.

CHÈVREFEUILLE VELU
(Lonicera villosa)

Caprifoliacée, Vivace

Peu connus comme comestibles, les fruits du chèvrefeuille sont donnés comme excellents par tous les auteurs. Bien que les fruits de toutes les variétés soient comestibles, je ne donne ici que la description de la plus répandue dans le Québec, le chèvrefeuille velu, qu'on rencontre surtout dans les tourbières et divers habitats humides et pierreux. Il s'agit d'un arbuste déprimé aux branches dressées atteignant tout au plus 70 cm, aux feuilles pâles, épaisses et ovales; les fleurs jaunâtres paraissent au printemps et les fruits mûrissent généralement au début d'août; contrairement à ceux des variétés moins répandues qui ont des fruits rouges, ceux du chèvrefeuille velu sont bleus. J'ignore si les fruits des variétés ornementales sont comestibles.

ÉGLANTIER
(Rosa...)
(8 principales variétés)
Rosier sauvage

Rosacées, Vivaces

Mieux connu sous le nom de Rosier sauvage (églantines), l'églantier est trop connu pour en donner la description botanique. Ce qu'on ignore généralement, c'est que les pétales des fleurs autant que les fruits de la plante sont comestibles.

Recette; **Confiture de pétales d'églantier:** ramasser plusieurs pintes de pétales de rose puis les hacher assez finement. Puis, en comptant, pour deux parts de pétales (en tasses), une part de miel et une part d'eau, faire mijoter le tout pendant une demi-heure environ ou jusqu'à consistance voulue. Incorporer le jus d'un citron au mélange quelques minutes avant la fin de la cuisson. Mettre en pots hermétiques et sceller. En Grèce, on donne cette confiture en présent aux nouveaux amants.

FRAISIER
(Fragaria...)
(2 variétés)
Fraisier des champs

Rosacées, Vivaces

Une autre plante trop connue pour en donner la description.

Recettes: **Confiture de fraises:** trop souvent, les fraises cuites flottent dans leur jus; voici une recette infaillible pour obtenir une confiture épaisse: **1er jour:** couvrir 1.8 kilo (4 lb) de fraises de 1.8 kilo (4 lb) de sucre et laisser reposer pendant 24 heures. **2ème jour:** Faire bouillir le tout pendant exactement 5 minutes, à partir du point d'ébullition. **3ème jour:** après avoir laissé reposer le tout, faire bouillir de nouveau, cette fois pendant 6 minutes exactement, à partir du point d'ébullition. **4ème jour:** répéter l'opération, en comptant 7 minutes cette fois. Puis, après l'avoir laissé refroidir, empoter la confiture et la conserver au froid.

Hydromel de fraises: 4 pintes de fraises mûres (sauvages de préférence), 2,25 kilos (5 lb) de miel, 2 tasses de raisins muscat écrasés, 4 pintes d'eau, 1 paquet de levure sèche; faire bouillir le miel et l'eau pendant 10 minutes, en enlevant l'écume qui se forme à la surface du mélange. Incorporer les fraises écrasées et laisser refroidir le tout. Ajouter le raisin aux fraises dans un pot de grès. Saupoudrer la surface du liquide de la levure puis la mêler. Laisser fermenter le tout pendant deux semaines dans un endroit chaud, en brassant le mélange tous les jours. Filtrer ensuite le tout dans un coton-fromage, écraser les fruits et les remettre dans le pot de grès avec le liquide. Deux jours plus tard, siphonner l'hydromel en bouteilles stérilisées et hermétiques. Laisser vieillir au moins un an avant de boire.

FRAMBOISIERS
(Rubus...)
(x variétés)

Rosacées, Vivaces

Exactement du même genre que les Ronces à fruits noirs (mûres), les framboisiers ne diffèrent de ceux-ci que par la couleur de leurs fruits qui varie du jaune ambré (Ronce petit-mûrier) au pourpre; les deux plantes n'ont été traitées ici séparément que pour raison de facilité de lecture.

Recette: **Vinaigre de framboises:** 1 pinte (4 tasses) de vinaigre de cidre, 6 pintes de framboises et du sucre. Verser le vinaigre sur les framboises, laisser reposer le tout pendant vingt-quatre heures et passer, en écrasant les framboises. Pour chaque pinte de jus obtenu, compter 1 livre (450 g) de sucre. Faire bouillir le tout pendant 20 minutes, écumer puis laisser refroidir et embouteiller. Très rafraîchissant, ce vinaigre se boit dans trois fois son volume d'eau.

GROSEILLIERS ET GADELIERS
(Ribes...)
(9 variétés)

Saxifragacées, Vivaces

Espèces comprenant des variétés à fruits noirs (cassis), rouges (gadelles) ou verts et veinés de rouge (groseilles). Les groseilliers ont presque tous en commun des tiges dressées épineuses pouvant atteindre entre 50 et 150 cm, des feuilles lobées plus ou moins dentées et des fruits souvent munis de piquants. Les variétés les plus intéressantes sont évidemment celles qui se sont échappées de culture et qui se rencontrent, soit aux alentours des vieux jardins, soit au bord des routes, etc. Quoique excellents au goût, les fruits des variétés sauvages sont généralement trop petits ou trop peu abondants pour être récoltés (à moins d'avoir pris la peine de tailler les plants qui les portent). Les variétés sauvages se rencontrent surtout dans les bois. Les fruits de toutes les espèces donnent une excellente gelée.

Recette; **Ratafia de cassis:** verser dans un pot de grès 1 litre d'eau-de-vie sur une demi-poignée de framboise, 3 livres (1.35 kilo) de cassis mûr (les baies ayant été débarrassées des vestiges du calice). Laisser reposer pendant deux à trois mois, à l'ombre. Passer et ajouter 5 onces (140 g) de sucre dissous dans un peu d'eau. Conserver en flacons bien bouchés.

MICOCOULIER OCCIDENTAL
(Celtis occidentalis)
Bois connu, Bois inconnu

Ulmacée, Vivace

Quoique limité, dans sa distribution, au sud du Québec, cet arbre qui peut atteindre dix-huit mètres vaut d'être mentionné autant parce qu'il attire une foule d'oiseaux que parce que ses fruits pourpre noirâtre au goût de datte sont comestibles et, cueillis après quelques bonnes gelées, peuvent donner une confiture excellente.

MÛRES DE RONCE
(Rubus...)
(plusieurs variétés)
Mûres

Rosacées, Vivaces
(voir Framboisiers)

POMMIER NAIN
(Malus pumila)
Pommier sauvage

Rosacée, Vivace

Le pommier est sans contredit le plus important de nos arbres fruitiers et si connu qu'il est inutile d'en donner la description. Rappelons seulement ici que les fruits des arbres sauvages sont généralement très acides et très riches en pectine, donc à employer en mélange avec d'autres fruits dont on veut faire de la gelée.

Recettes : **Pectine naturelle :** remplir un chaudron de pommes sauvages (les plus dures et les plus sures possible) coupées, entières, en quatre. Couvrir d'eau les fruits et les cuire jusqu'à ce qu'ils soient tendres. Placer le tout dans un sac de coton-fromage (ou une taie d'oreiller) et laisser égoutter pendant 12 heures au moins. Employer la pectine obtenue à raison d'une tasse de pectine par livre de sucre employée dans l'une ou l'autre recette. Pour conserver cette pectine, la mettre en bocaux et la stériliser pendant 40 minutes puis, sceller les pots et les garder au frais, ou mieux, au froid.

Gelée de pommes : couper des pommes entières en quatre et les mettre dans un chaudron, en comptant 1 tasse d'eau pour 3 tasses de pommes coupées. Couvrir et cuire pendant 30 minutes puis mettre le tout dans un sac et laisser égoutter pendant au moins 12 heures. Pour chaque tasse de jus obtenu, compter une tasse de sucre. Chauffer le sucre dans un four chaud puis l'incorporer, petit à petit, sans cesser de verser mais sans interrompre l'ébullition, au jus quand celui-ci commence à bouillir. Quand le sucre est dissous, porter le tout à feu vif et cuire pendant 5 à 10 minutes, c'est-à-dire jusqu'à ce que le jus prenne la consistance d'une gelée; pour savoir si la gelée s'est faite, on prend une cuiller de jus chaud qu'on place dans une petite assiette préalablement refroidie et on observe le résultat. Verser la gelée dans des pots chauds stérilisés et sceller aussitôt.

Gelée de menthe : procéder comme pour la gelée de pommes sauf qu'au moment où le sucre s'est dissous, on jette un bouquet de persil (10-15 belles branches fraîches) dans le jus. On retire ce bouquet quand la gelée s'est faite.

PRUNIER NOIR
(Prunus nigra)
Prunier sauvage

Rosacée, Vivace

S'il est un arbre sauvage qui devrait être cultivé, c'est bien le prunier sauvage. Non seulement donne-t-il, très tôt le printemps, en même temps que celle des pissenlits, une abondante et éblouissante floraison mais, vers la fin d'août, des fruits d'un rouge orangé ou jaunâtre, d'une longueur de deux cm environ, dont on fait une des meilleures confitures qui soit. Du même genre que les cerisiers sauvages, le prunier noir est un petit arbre à racines drageonnantes (c'est-à-dire émettant chaque année des tiges nouvelles qu'il faut d'ailleurs tailler), à écorce noirâtre et à rameaux épineux pouvant atteindre 30 pieds (9 mètres environ) de hauteur. Il se rencontre dans les sols riches et calcaires surtout le long des fossés et des rivières. À noter que si l'on veut cultiver l'arbre ou l'autre variété à fruit jaune qu'on rencontre dans la région de Québec *(Prunier de l'Islet, P. domestica),* il faut le faire avec prudence. En effet, pour peu que les pruniers soient mal entretenus, ils abritent souvent un champignon microscopique qui y provoque une maladie connue sous le nom de cloque ou «coulée des fleurs de prunier». Sous l'action de ce cryptogame du genre *Taphrina,* les fleurs fondent littéralement sur les branches et l'arbre ne porte alors pas ou très peu de fruits.

Confiture de prunes sauvages: laver les prunes, les couper en deux et les dénoyauter. Peser les fruits et compter une quantité de sucre égale en poids à celle des fruits. Mêler le sucre et les prunes délicatement avec une cuiller de bois au-dessus d'un feu doux jusqu'à ce que le sucre soit fondu. Cuire jusqu'à ce que les fruits soient tendres. Empoter chaud et sceller.

SORBIER D'AMÉRIQUE
(Sorbus americana)
Cormier, Maskouabina

Rosacée, Vivace

Petit arbre pouvant atteindre 30 pieds (9 mètres environ), à écorce bronzée, à séries de sept à onze feuilles. Les fleurs sont blanches, en grappes, les fruits (sorbes ou cormes), rouges ou orangés. Les trois variétés de sorbier se ressemblent beaucoup et les fruits de toutes sont comestibles, même ceux du *Sorbier des oiseaux (S. aucuparia),* arbre ornemental fréquemment planté. Les variétés sauvages — celle décrite et le *Sorbier plaisant (S. decora)* — se rencontrent surtout dans les forêts mêlées ou de conifères. Les sorbes sont une importante nourriture pour les oiseaux; elles doivent, si l'on veut s'en servir pour faire de la gelée, de la confiture, de la marmelade ou du vin, être cueillies après quelques bonnes gelées. On peut encore les faire sécher et s'en servir pour faire une tisane très riche en vitamine C; il faut alors les faire bouillir pendant 30 minutes.

SUREAU DU CANADA
(Sambucus canadensis)
Sureau blanc

Caprifoliacée, Vivace

Petit arbuste pouvant atteindre 3 mètres de hauteur, émettant des tiges nouvelles à moelle tendre chaque année, à séries de 5-11 feuilles; floraison tardive (juin-juillet) comparativement à la variété à fruits rouges non-comestibles — *Sureau rouge ou pubescent (S. pubens)* — qui mûrissent au moment où les fleurs en grappes du sureau du Canada s'épanouissent. Les fruits noirs du sureau du Canada, plante qui se rencontre dans les lieux humides (bord des ruisseaux, fossés) de tout le Québec habité, doivent être cueillis à leur pleine maturité et s'emploient pour faire des gâteaux, des tartes, de la confiture, de la gelée, du jus ou du vin. C'est une importante nourriture pour les oiseaux et, de tous les petits fruits d'ici, celui qui se récolte le plus facilement puisque certaines grappes peuvent peser jusqu'à près d'une livre (450 grammes). La troisième variété québécoise de sureau, le *Sureau yièble (S. Ebulus)* exhale une odeur fétide et se rencontre surtout autour des lieux où il a déjà été cultivé à des fins médicinales.

VIGNE DES RIVAGES
(Vitis riparia)
Vigne sauvage, Raisin sauvage

Vitacée, Vivace

L'un de nos fruits sauvages les plus intéressants et dont la culture pourrait être tentée sur une grande échelle. En effet, un plant de vigne sauvage bien entretenu et taillé annuellement (comme la vigne cultivée) peut donner jusqu'à 4,5 kg de fruits et ce, dès la troisième année de culture. Si ce raisin est peu recommandé pour faire du vin, on peut cependant en faire une gelée ou mieux, un jus non seulement délicieux mais riche en vitamines et en fer. À l'état sauvage, la plante qui ressemble beaucoup à la vigne cultivée se rencontre le long des rivières et aux abords des bois. Ses fruits sont à leur meilleur après deux ou trois bonnes gelées. Ne pas confondre la vigne sauvage avec le *Ménisperme du Canada (Menispermum canadense)*, plante grimpante dont les baies beaucoup plus petites (6-8 mm) sont vénéneuses et qui se rencontre dans les mêmes habitats (voir illustration).

Recette; **Jus de raisin sauvage:** Étiger et laver le raisin. À huit livres (3,5 kg) de raisins, ajouter 12 tasses d'eau. Cuire jusqu'à ce que les raisins soient bien tendres. Écraser les fruits dans une passoire et les couler dans un sac. Remettre le jus sur le feu et y incorporer 6 tasses de sucre. Bouillir pendant 5 minutes puis mettre en bocaux stérilisés et sceller bouillant.

VINAIGRIER SUMAC
(Rhus typhina)
Anacardiacée, Vivace

Tout le monde connaît ce petit arbre (pouvant atteindre 4,5 mètres) à branches très cassantes et à séries de 11-31 feuilles qui se couvre, vers la fin de l'été, de grosses masses de fruits rouge vin et laineux. Ce qu'on ignore généralement, c'est qu'on peut faire, avec les fruits de cet arbre, qui forme parfois de grandes colonies dans les terrains secs ou rocheux, une excellente limonade.

Recette: **Limonade rose de vinaigrier:** choisir des grappes de fruits non-parasitées par les insectes, les écraser, sans les faire cuire, dans l'eau; passer le tout dans un fin morceau de tissu, sucrer au goût, refroidir et goûter.

VIORNE TRILOBÉE
(Viburnum trilobum)
Pimbina

Caprifoliacée, Vivace

Plus répandu au sud qu'au nord du Québec, cet arbuste qui peut atteindre jusqu'à 3,6 mètres de hauteur est facilement reconnaissable à ses feuilles qui ressemblent un peu à celles de l'érable mais surtout à ses grappes de fruits rouge vif devenant transparents après quelques gelées. C'est d'ailleurs après celles-ci qu'il faut cueillir les fruits qui donnent une gelée comparable au goût et à la texture à celle des canneberges. Toutes les autres variétés de viorne (sept) donnent des fruits comestibles mais peu intéressants sauf la *Viorne comestible* aux fruits cependant moins abondants.

Recette; **Gelée de pimbina:** une quantité égale de pimbina et de sucre, de la pectine naturelle de pommes et du jus de citron; faire fondre dans juste ce qu'il faut d'eau les pimbinas cueillis après quelques bonnes gelées d'automne. Passer puis filtrer le jus obtenu. Compter autant de sucre (en tasses) que de jus obtenu. Amener le jus à ébullition, y incorporer doucement le sucre chauffé au four. Quand le sucre est fondu et que le mélange bout, y incorporer la pectine (en comptant 1 tasse de pectine par livre (450 g) de sucre employé). Amener à ébullition de nouveau et faire bouillir à haut feu pendant 30 secondes. Fermer le feu, incorporer le jus de citron et empoter la gelée bouillante puis sceller.

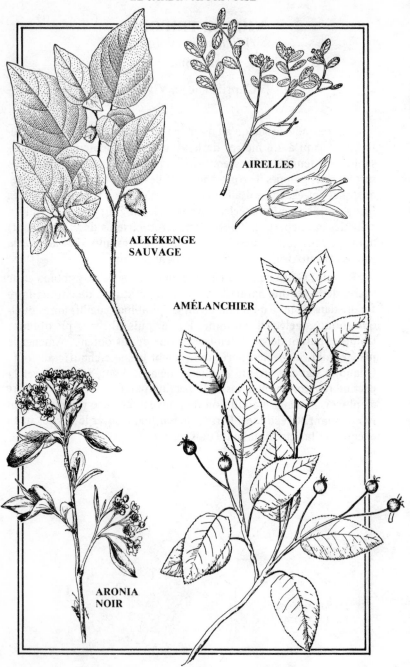

AIRELLES

ALKÉKENGE
SAUVAGE

AMÉLANCHIER

ARONIA
NOIR

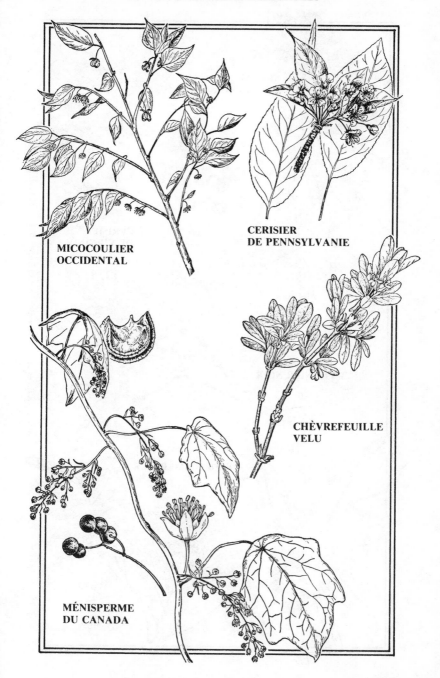

MICOCOULIER
OCCIDENTAL

CERISIER
DE PENNSYLVANIE

CHÈVREFEUILLE
VELU

MÉNISPERME
DU CANADA

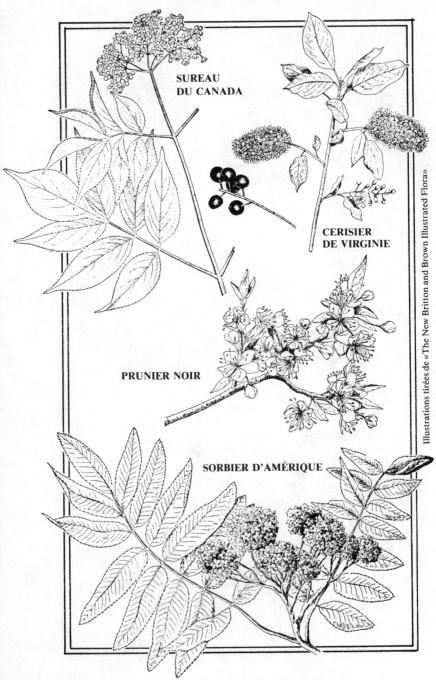

SUREAU
DU CANADA

CERISIER
DE VIRGINIE

PRUNIER NOIR

SORBIER D'AMÉRIQUE

Illustrations tirées de «The New Briton and Brown Illustrated Flora»

CHAPITRE HUITIÈME

LES PRINCIPAUX CHAMPIGNONS COMESTIBLES

UN UNIVERS FASCINANT

Il y a six ou sept ans, j'achetai, dans une vente, *Les Champignons de l'Est du Canada et des États-Unis* de René Pomerleau, livre depuis épuisé et réédité aux Éditions de la Presse et qui demeure, après vingt-cinq ans, la «bible» des champignons du Québec. J'ignorais, à cette époque, que mon goût pour l'étude des champignons irait sans cesse grandissant. Quelle joie ce fut pour moi la première fois que je découvris, en plein coeur de Montréal, une colonie de morilles et celle où je goûtai à des chanterelles ou à des marasmes ou à des lactaires délicieux! Car il va sans dire que j'ai goûté à presque tous les champignons dont je parle dans le présent travail. Bien sûr qu'il me faudra avoir passé des heures et des heures d'étude et d'expérimentation avant de me risquer à manger mes premiers champignons. Surtout qu'habitant seul à la campagne, je n'avais avec moi aucun guide pour m'indiquer les espèces bonnes et mauvaises. Peu à peu, en plus de celui de connaître des espèces comestibles, c'est un nouveau motif qui m'aura poussé: celui de sentir que je pénétrais dans un univers fascinant et pour ainsi dire infini en formes, teintes, parfums et saveurs. Car on pourrait dire que sur les 1 400 variétés de champignons charnus du Québec (estimation de René Pomerleau), il n'y en a pas deux pareilles. Chacune a sa taille, son port, sa ou ses couleurs, son goût, son odeur, son habitat, sa saison, ses caprices, pourrait-on dire. C'est ainsi qu'il suffit parfois de connaître l'habitat spécifique d'une espèce pour aussitôt la différencier d'une espèce insignifiante au goût ou de comestibilité inconnue ou vénéneuse pouvant présenter des traits communs; ou encore, ce petit détail particulier qui permet de la distinguer de toutes les autres. Il faut, disons, dans l'étude des champignons, beaucoup de mémoire, d'attention, de patience et, avant tout, de prudence. Car, si peu d'espèces sont mortelles (dans le groupe des amanites surtout), d'autres sont suffisamment toxiques et réclament de tout amateur la plus grande prudence.

EN MOTS DE TOUS LES JOURS

Il n'était évidemment pas question, dans ce chapitre qui ne se veut qu'une introduction aux espèces comestibles les plus facilement identifiables, d'employer un langage de mycologue. C'est donc en mots de tous les jours — sauf pour les termes dont il n'y a pas d'équivalents populaires et dont je donne l'explication dans le lexique final — que sont décrites ces espèces. Parmi celles-ci, on distingue d'abord trois grands groupes: les champignons dont le dessous du chapeau (l'hyménophore) est constitué de **lamelles** ou feuillets (parmi ceux traités ici: coprins, lactaires, lépiotes, marasmes, pleurotes), d'**aiguillons** (hydnes), de **pores** (bolets et polypores); viennent ensuite ceux qui présentent des formes si particulières (éponge alvéolée, arbuste, languette simple, trompette, coupe, boule, etc.), qu'il est pour ainsi dire impossible de les confondre avec d'autres. Les groupes de champignons les moins traités ici sont ceux à lamelles (ou agarics) qui présentent souvent entre variétés comestibles et vénéneuses des traits communs; à noter que les agarics constituent la vaste majorité du peuple des champignons charnus. Ce travail est délibérément incomplet: même des espèces assez communes et faciles à identifier, comme par exemple la **Psalliote des prés** *(Psalliota campestris)* ou le **Pied-bleu** *(Tricholoma personatum)* ont été passées sous silence parce qu'elles exigent d'avoir été comparées avec des espèces de la même famille ou d'autres pouvant leur ressembler. Mais ne serais-je arrivé, avec ce travail, qu'à vous donner le goût d'en découvrir plus, que j'aurais pleinement atteint mon but.

OÙ ET QUAND RÉCOLTER
LES CHAMPIGNONS

Comme je le disais plus haut, chaque champignon a son habitat propre et il est de première importance de se référer à celui-ci dans l'identification de ses récoltes. Plusieurs facteurs, souvent liés entre eux, déterminent l'habitat, parmi les principaux, mentionnons: la nature du sol (sablonneux, argileux, humide, riche, acide, etc.), les arbres ou plantes environnants, l'humidité ou la sécheresse du milieu, l'altitude, l'exposition au soleil ou à l'ombre, l'âge de l'habitat lui-même. Le facteur humain est, lui aussi, de première importance: avec la disparition des forêts de chênes disparaît aussi l'**Amanite des Césars** *(Amanita Caesaria),* l'une des meilleures espèces de champignons comestibles; par ailleurs, je ne recommanderais à personne de récolter des morilles dans un verger où auraient été répandus, les années précédentes, insecticides et fongicides. À noter au passage que certains champignons ne se nourrissent que de matières en décomposition (champignons dits saprophytes) telles les vieilles souches, les arbres morts, les feuilles mortes, tandis que d'autres (champignons dits parasites) poussent en association obligatoire surtout avec les arbres qu'ils peuvent, à la longue, épuiser et détruire.

Une autre chose importante dans l'identification des champignons est leur temps de croissance: car si certains poussent durant toute la saison (ex.: marasme d'Oréade), d'autres ne croissent qu'à un moment précis de l'année, au printemps(ex.: morille) ou en automne (ex.: auriculaire). À ce niveau, la pluie est un facteur capital; plus encore que celle des plantes, la croissance des champignons dépend directement d'elle. Certaines espèces devront être récoltées dès le lendemain d'une pluie (ex.: coprins), avant que le soleil ne se soit attaqué à elles, d'autres prendront plus de temps à se développer (ex.: chanterelles). Une surabondance de pluie sera néfaste en ce qu'elle accélérera la décomposition des champignons et le pullulement des insectes et des limaces. Pour débarrasser les champignons des vers qui souvent en creusent le pied et le chapeau, il existe d'ailleurs un truc simple: il suffit de placer ses champignons la tête en bas; les vers remonteront dans le pied du champignon qu'il suffit, après quelques heures, de couper et jeter. Les pieds des champignons sont d'ailleurs le plus souvent insignifiants au goût, ou creux, ou coriaces.

CUEILLETTE ET IDENTIFICATION

Les instruments requis pour la cueillette des champignons se résument aux suivants: un ou quelques paniers de paille à compartiments, un bon couteau tranchant, un calepin et un crayon et, si l'on s'aventure dans des endroits marécageux ou détrempés, une paire de bottes de caoutchouc. Si l'on rencontre une espèce inconnue, on la récolte en entier avec, si possible, un peu de terre de surface, en notant les détails de son habitat puis on l'isole dans un compartiment de son panier en y joignant ces détails; pour les espèces connues, il est recommandé de les nettoyer sur place afin que la terre ou les aiguilles de pin (etc.) ne se répandent pas sur les diverses parties des champignons, ce qui en rend la préparation laborieuse. On déconseille, dans la cueillette des champignons, de les placer dans des sacs de plastique: ceux-ci font «suer» les champignons, ce qui en accélère la décomposition. Les trop jeunes champignons, particulièrement ceux en forme d'oeufs, doivent rester sur place: les jeunes amanites mortelles ont cette forme.

Une fois la cueillette ramenée à la maison, on prend un spécimen de chaque espèce récoltée, on en sépare le pied du chapeau (certains doivent être coupés, d'autres se détachent tout seuls du chapeau); on pose ce dernier sur une feuille de papier blanc, hors de la portée des enfants, s'il y en a. Quelques heures plus tard, on aura obtenu une sporée, l'une des clés principales dans l'identification. La **sporée** est l'amas des spores (ou semences microscopiques des champignons) récoltées par dépôt sur une feuille de papier blanc. Sa teinte invariable chez une même variété permettra, en plus des autres détails recueillis, d'identifier un champignon. Spores blanches, noires, roses, rouille, lavande, etc.; chaque sporée a sa teinte propre. René Pomerleau ne nous confiait-il pas, à un ami et à moi, lors d'une entrevue, qu'une de ses amies américaines s'était acheté 5 000 crayons de couleur afin de *tenter* de reproduire les teintes exactes de champignons! Pour identifier les champignons, on se sert ensuite d'un bon manuel de mycologie. Le meilleur que je connaisse pour le Québec est évidemment celui, plus haut cité, de René Pomerleau dont je me suis largement inspiré ici.

DESCRIPTION DES CHAMPIGNONS
PROPREMENT DITE

1. **AMANITES:** C'est parmi ce groupe qu'on rencontre les meilleures et les pires variétés de champignons. Car si l'Amanite des Césars est considérée comme le meilleur de tous les champignons, d'autres, comme l'Amanite bisporigère et l'Amanite brunissante *(Amanita bisporigera* ou *verna* et *brunnescens)* sont mortelles. Ce n'est qu'après des années de pratique qu'on peut se permettre de manger de l'Amanite des Césars, par ailleurs très rare puisqu'elle croît, en automne, dans les bois de chênes et que ceux-ci sont rares au Québec. Toutes les amanites sont caractérisées par un chapeau facilement détachable du pied, une volve (voir lexique), un anneau et des spores blanches. Il faut particulièrement se méfier des jeunes sujets en forme d'oeuf laquelle peut présenter des ressemblances avec d'autres jeunes champignons (comme les vesses-de-loup ou le coprin chevelu plus loin décrits). N'est illustrée ici que l'Amanite tue-mouches *(Amanita muscaria)* à laquelle toutes les amanites ressemblent beaucoup.

2. **AURICULAIRE** (Oreille-de-Judas), *Auricularia auricula-Judae:* Champignon en forme de masse plus ou moins cartilagineuse brune aplatie ayant plus ou moins l'apparence d'une oreille avec son lobe. Il s'étage généralement en groupes denses sur les troncs de sapin ou d'épinette morts, en automne et même en hiver. C'est une bonne espèce extrêmement facile à identifier et qu'on peut apprêter comme la morille.

3. **BOLETS:** Toutes les variétés (une vingtaine) de cette espèce sont comestibles sauf une dont la chair est extrêmement amère. Les bolets sont extrêmement faciles à reconnaître en ce que le dessous du chapeau est formé non pas de lamelles mais d'une masse plus ou moins spongieuse criblée de trous ou pores. C'est dans cette famille qu'on trouve le cèpe, un des meilleurs de tous les champignons. Les variétés de bolets à pores rouges sont les moins estimées:

CÈPE
(Boletus edulis)

Bolet comestible

Sous-chapeau (hyménophore): tubes longs blancs puis jaune verdâtre.

Chapeau: convexe, glabre, sec mais luisant et visqueux par temps humide, avec une teinte verdâtre sur le pourtour, chamois clair, brun fauve ou rouge grisâtre, 10-20 cm (2 1/2-6 pouces) de diamètre (parfois beaucoup plus).

Chair: épaisse, blanche, parfumée, à saveur de noisette.

Pied: gros et bulbeux à la base, solide et plein, blanc ou jaune pâle, 10 à 20 cm (2 1/2-6 pouces) de hauteur.

Sporée: brun olivâtre.

Saison: été et automne.

Habitat: forêts de conifères et leurs clairières.

Seul ou en groupes: le cèpe se présente généralement seul.

Notes: pour être bien sûr de ne pas confondre le cèpe et le bolet amer *(Boletus felleus),* il suffit d'en goûter un petit morceau de chair crue; toutes les parties du cèpe, pied y compris, sont comestibles.

4. **CHANTERELLES:** Les sept variétés de cette espèce sont comestibles. Une seule mérite cependant d'être ici décrite, certaines offrant des ressemblances avec des espèces vénéneuses comme par exemple les clitocybes:

CHANTERELLE CIBOIRE
(Cantharellus cibarius)

Girole

Sous-chapeau: lamelle décurrentes, très rudimentaires (comme des plis grossiers), épaisses, cireuses, de la même couleur ou légèrement plus pâles que le dessus du chapeau.

Chapeau: ferme, convexe dans le jeune âge puis plat ou creusé en forme d'entonnoir, à marge ondulée, irrégulière, jaune chrome à jaune d'oeuf, 2,5 à 12,5 cm de diamètre et parfois plus.

Chair: épaisse, ferme, blanchâtre ou jaunâtre.

Pied: lisse, ferme, plus pâle que le chapeau, 5 à 7,5 cm de longueur, souvent enfoui dans la mousse ou les aiguilles de conifères.

Sporée: blanchâtre ou jaune crème.

Saison: été et début d'automne.

Habitat: bois de conifères humides et souvent au bord des cours d'eau où il forme parfois d'abondantes et très denses colonies. Le champignon se retrouve au même endroit année après année.

Seule ou en groupes: généralement en colonies.

Note: ne pas confondre cette espèce avec le clitocybe lumineux, champignon jaune éclatant qui croît en grosses touffes sur les souches pourries ou le bois mort en été et en automne (voir recette, p. 268).

5. **CLAVAIRES:** Toutes les variétés de cette espèce sont comestibles. Elles sont facilement reconnaissables en ce qu'elles ont la forme de petits arbustes plus ou moins ramifiés ou de petites languettes jaunes ou blanchâtres. Elles croissent en forêt sur les vieux troncs pourris ou les sols riches en humus. Certaines espèces atteignent la taille d'un chou-fleur. Il est recommandé de ne récolter que les jeunes sujets, les vieux clavaires étant toujours plus ou moins coriaces.

6. **COPRINS:** Toutes les variétés de cette espèce sont comestibles. Les coprins sont facilement identifiables en ce qu'ils ont des spores noires et croissent très rapidement, sur le fumier ou les vieilles souches pourries, en touffes denses et se liquéfient en une encre noire en vieillissant puis fondent littéralement sur place. C'est le lendemain d'une pluie abondante qu'il faut les cueillir. Ne pas confondre les coprins avec les panéoles, champignons peut-être hallucinogènes, à spores noires eux aussi, qui croissent sur le fumier et qui portent, sur un long pied grêle, un chapeau campanulé gris ou blanchâtre. À noter qu'il ne faut jamais consommer d'alcool en même temps que les coprins qui ont d'ailleurs déjà été employés dans le traitement de l'alcoolisme: des réactions légères de type allergique seraient à craindre chez certaines personnes. Une espèce de coprin est particulièrement recherchée pour sa saveur, le coprin chevelu dont j'ai déjà trouvé une colonie en plein coeur de Montréal:

COPRIN CHEVELU
(Coprinus comatus)

Escumelle

Sous-chapeau: lamelles longues, libres, très serrées, blanches puis rosées puis tournant rapidement en une encre noire.

Chapeau: cylindrique puis en forme de cloche, couvert de grosses mèches brunâtres à partir du centre, blanc et jaunâtre en son centre, 7-10 cm (2-6 pouces) de longueur. Les jeunes champignons ont parfois l'apparence d'oeufs déposés dans le gazon.

Chair: mince, blanche, tendre et fragile.

Pied: creux, lisse, uniforme, enserré dans le chapeau dans le jeune âge et portant généralement un anneau mobile, 5-15 cm (2-6 pouces) de hauteur.

Sporée: noire.

Saison: été et automne. J'ai cru observer que la fraîcheur nocturne stimule la croissance de ces champignons.

Habitats: bord des routes, pelouses riches, dépotoirs.

Seul ou en groupes: en groupes mais individuellement ou alors, en touffes de 6-8 ou plus.

Note: les coprins se conservent peu de temps et doivent être jetés aussitôt qu'ils ont commencé à se liquéfier en une encre noire.

7. **CRATERELLE** (Trompette-des-Morts), *Craterellus cornupioides:* proche parent de la chanterelle ciboire plus haut décrite, c'est un champignon extrêmement facile à reconnaître puisqu'il a la forme d'une petite trompette noirâtre avec un pavillon aplati et lobé. Il croît parfois en abondance, en été et en automne, dans les bois feuillus. Malgré son nom sinistre, c'est un très bon comestible. Le champignon est dépourvu de lamelles ou de plis.

8. **HYDNES:** Champignons extrêmement faciles à reconnaître en ce que le dessous du chapeau est constitué non pas de lamelles ou de pores mais d'aiguillons serrés. Chez certaines variétés, le champignon n'a ni pied ni chapeau mais est constitué d'une masse de ces aiguillons croissant à même les troncs morts de certains arbres. Les variétés à pied et à chapeau croissent en général sur le sol. Il faut cueillir ces champignons très jeunes car, comme les polypores, ils se lignifient rapidement. L'espèce d'hydne la plus recherchée est

l'*Hydne sinué* ou Pied-de-mouton *(Hydnum repandum)* qui est blanc jaunâtre, crème ou chamois, a une sporée blanc crème et croît dans les bois mêlés ou de conifères en colonies parfois abondantes.

9. **LACTAIRES**: Le lactaire délicieux est le seul de sa famille à être recommandé pour la table de l'amateur, les autres lactaires étant, soit vénéneux, soit d'un goût médiocre. Comme il est assez commun et très facilement reconnaissable à ses caractères distinctifs, j'en donne ici la description, certains auteurs le donnant comme une espèce excellente:

LACTAIRE DÉLICIEUX
(Lactarius deliciosus)

Sous-chapeau: lamelles décurrentes, étroites, serrées, de la même couleur ou plus orangées que le dessus du chapeau; elles verdissent légèrement quand on les brise ou quand elles vieillissent.

Chapeau: déprimé au centre, lisse, visqueux au toucher, gris-orange ou orange rougeâtre brillant, présentant des taches et des zones concentriques de couleur plus vive, tournant, avec l'âge, au grisâtre ou au vert-gris; la marge du chapeau est d'abord enroulée puis se soulève; 6 à 12,5 cm de diamètre (parfois plus).

Chair: ferme, blanchâtre puis tournant à l'orange puis, lentement, quand on la casse, au vert; le lactaire délicieux est facile à différencier des autres lactaires en ce que ses lamelles et la chair de son chapeau libèrent un lait orange vif ou rouge quand on les brise (les autres lactaires donnent un lait blanc); une autre de ses caractéristiques est d'être le seul de son groupe à donner une sporée jaune pâle ou jaunâtre, les autres lactaires donnant une sporée blanche.

Pied: rempli de moelle dans le jeune âge puis devenant creux; uniforme ou légèrement étranglé à la base, de la même couleur ou un peu plus pâle que le chapeau et souvent marqué de taches orangées.

Saison: été et automne.

Habitats: bois humides de conifères et abords des endroits marécageux.

Seul ou en groupes: solitaires ou en petites colonies mais toujours individuels (voir recette, page 272).

10. **LÉPIOTES:** Bien que plusieurs variétés de cette espèce soient comestibles, je ne donne ici que la description de la meilleure, la lépiote élevée; deux espèces, la lépiote en bouclier et la lépiote de Rodman étant vénéneuses. Toutes les lépiotes se caractérisent par un anneau persistant, l'absence de volve à la base du pied (ce qui les différencie des amanites) et la présence d'écailles hérissées disposées en cercles concentriques sur le chapeau:

LÉPIOTE ÉLEVÉE
(Lepiota procera)
Coulemelle

Sous-chapeau: lamelles libres, distantes du pied, blanches, larges et tassées.

Chapeau: blanc, en forme d'oeuf dans le jeune âge puis convexe, étalé et mamelonné au centre vers la fin, couvert d'écailles brunes disposées en cercles concentriques réguliers de couleur brune, 10 à 20 cm de diamètre.

Pied: très long (jusqu'à 45 cm, creux, rugueux et couvert de taches brunes, bulbeux à la base, **sans volve** (détail important qui le différencie à coup sûr des amanites). Le pied est entouré, à quelques centimètres du chapeau d'un anneau élastique et mobile très distinctif.

Sporée: blanche.

Saison: août et septembre.

Habitats: champs, pâturages, érablières, clairières.

Notes: c'est sa haute taille et sa sporée d'un blanc pur qui permettent de distinguer la lépiote élevée des lépiotes vénéneuses, soit: la lépiote de Rodman, dont la sporée est verdâtre et le pied lisse, et la lépiote en bouclier, beaucoup plus petite et croissant dans les bois en automne.

11. **MARASMES:** On en compte deux variétés. Je ne décris ici que la plus intéressante:

MARASME D'ORÉADE
(Marasmius Oreades)

Sous-chapeau: lamelles libres ou liées au pied par un filament, larges, assez distanciées les unes des autres et les unes plus courtes que les autres, de couleur blanchâtre à chamois pâle, visibles en même temps que le dessus du chapeau est avancé en âge; 2,5 à 5 cm de diamètre.

Chapeau: convexe puis plat et mamelonné au centre, lisse, charnu, souple, la marge unie et parfois légèrement striée; la couleur varie de brunâtre à fauve pâle ou chamois et peut s'atténuer jusqu'à devenir presque blanche.

Chair: épaisse, succulente, variant de chamois pâle à blanchâtre.

Pied: uniforme, plein, recouvert d'un léger duvet, de la même couleur ou presque que le chapeau, 2,5 à 7,5 cm de longueur. Parce qu'il est trop coriace, on ne consomme pas le pied du marasme.

Sporée: blanche.

Saison: à partir de juin jusque tard en automne; poussées régulières semblant favorisées par la foudre.

Habitats: pelouses, pâturages; pousse en plein coeur de Montréal.

Seul ou en groupes: solitaire mais le plus souvent poussant en ronds-de-sorcière (cercles); généralement abondant dans son habitat.

Notes: Il faut voir à ce que ne se soient pas glissés dans les ronds-de-sorcière de marasmes des espèces vénéneuses, en particulier les clitocybes lumineux dont les lamelles, au lieu d'être libres, sont serrées, blanches et décurrentes. Le marasme d'Oréade est un champignon qui se sèche facilement, reprend sa forme dans l'eau et peut servir d'assaisonnement. On connaît des ronds-de-sorcière de marasmes vieux de plusieurs siècles et pouvant dépasser 100 mètres de diamètre (voir recette page 265).

12. **MORILLE** *(Morchella...)* et **GYROMITRE** *(Gyromitra esculenta):* voir, dans les Légumes Sauvages Printaniers, page 187.

13. PÉZIZES: Toutes les variétés de ce groupe sont comestibles. Elles se reconnaissent en ce qu'elles ont toutes la forme d'une petite coupe sans pied croissant à même le sol. Une variété est particulièrement recherchée, la pézize orangée:

PÉZIZE ORANGÉE
(Peziza aurantia)

Corps fructifère: mince, fragile, en forme de coupe; la surface intérieure est orangée, l'extérieure, orange pâle et comme givrée.

Chair: cartilagineuse, très fragile.

Habitat: terrains sablonneux (bois, bords des routes).

Saison: été et automne.

Seule ou en groupes: généralement abondante dans son habitat, en petits groupes de 7-8.

14. PLEUROTES: Tous les pleurotes sont comestibles. Tous ont des lamelles blanches et décurrentes sur un pied excentrique ou absent, ont des spores blanches et croissent sur les arbres ou le bois mort. Une espèce en particulier est recherchée: le pleurote en forme d'huître qui peut d'ailleurs se cultiver au Québec (rf.: *Le Pleurote Québécois,* G.M.Ola'h, Presses de l'Université Laval, 1976):

PLEUROTE EN FORME D'HUÎTRE
(Pleurotus ostreatus)

Sous-chapeau: lamelles blanchâtres, larges, décurrentes.

Chapeau: un peu en forme d'éventail, convexe ou presque plat, lisse et de blanchâtre à gris-brun sombre, parfois ondulé ou lobé à la marge, 7,5 à 18 cm de largeur.

Chair: ferme et blanchâtre.

Pied: blanc, entier, excentrique ou presque absent, court, trapu et un peu courbé.

Sporée: blanche.

Saison: de mai à octobre.

Habitat: sur les troncs d'arbres (vivants ou morts) à feuilles caduques comme l'orme, l'érable, le saule ou le peuplier.

Seul ou en groupes: en général, il forme de grosses touffes étagées le long des troncs.

Méthode de cuisson: comme le pleurote est légèrement coriace, même dans le jeune âge, on le saupoudre de sel et de poivre, le trempe, coupé en morceaux, dans un oeuf battu puis le roule dans de la chapelure. On le fait ensuite frire dans l'huile. On peut cuire les polypores de la même façon.

15. **POLYPORES:** Aucune des variétés de cette famille n'est vénéneuse mais la plupart sont trop coriaces pour être consommées. Une variété en particulier est estimée: le polypore des brebis. Contrairement aux autres polypores qui croissent sur les troncs d'arbres vivants ou morts, celui-ci pousse au sol autour des arbres. La principale caractéristique des polypores est d'avoir, comme les bolets, le dessous du chapeau constitué de pores et non de lamelles:

POLYPORE DES BREBIS
(Polyporus ovinus)

Sous-chapeau: tubes courts, décurrents avec des pores petits, blancs puis jaunâtres.

Chapeau: épais, lisse, convexe puis étalé ou légèrement creusé au centre, charnu, blanc grisâtre puis jaunâtre et craquelé.

Chair: ferme, blanche et se couvrant souvent de taches jaunâtres.

Pied: court, épais, bulbeux, central ou excentrique, blanc et souvent tacheté de jaune.

Saison: été et automne.

Habitat: bois de conifères (surtout autour des épinettes).

Seul ou en groupes: croît au sol en colonies et est parfois très abondant.

16. **VESSES-DE-LOUP:** Groupe dont toutes les variétés sont comestibles sauf une, le *Scléroderme vulgaire* dont la surface extérieure craquelée et comme couverte de verrues jaunes ou brunes et la chair intérieure noire, suffisent à la différencier des vesses-de-

loup. Une variété en particulier est recherchée: la **Vesse-de-loup géante** *(Lycoperdon giganteum)* qui peut atteindre la taille d'une petite citrouille et se consomme en tranches sautées dans le beurre. Comme elle n'est qu'occasionnelle, je donne ici plutôt la description de la vesse-de-loup piriforme, l'une des plus communes. Toutes les vesses-de-loup doivent être consommées tandis que leur chair intérieure est blanche et non jaune, ou verdâtre ou noire, ce qui est un signe de leur vieillissement:

VESSE-DE-LOUP PIRIFORME
(Lycoperdon piriforme)

Corps fructifère: blanc jaunâtre ou brunâtre, en forme de poire renversée ou de boule et couverte d'aiguillons minuscules; sans pied.

Chair: blanche, puis olivâtre puis noire.

Saison: été et automne.

Habitats: souches pourries, arbres morts.

Seule ou en groupes: en groupes compacts et souvent abondante.

UN ART PAS SORCIER

Comme on peut le voir, l'identification des espèces «faciles» de champignons n'est pas un art si sorcier. Il n'en reste pas moins qu'on n'est jamais assez prudent et qu'il est, bien sûr, toujours préférable, quand on va pour les premières fois cueillir des champignons, d'être accompagné de quelqu'un qui s'y connaît. Car si beaucoup de champignons ont un goût divin, il ne faut jamais oublier qu'un seul champignon vénéneux mortel peut vous envoyer au ciel...!

Note: ce dossier est paru, dans une forme légèrement modifiée, dans le numéro d'avril 1978 de Québec-Science.

MINI-LEXIQUE
DES PRINCIPAUX TERMES
MYCOLOGIQUES
(d'après René Pomerleau)

ANNEAU: voile partiel couvrant les lamelles et persistant comme une membrane autour du pied. Certains anneaux sont fixes (amanites), d'autres, mobiles (lépiotes). (Voir aussi **voile partiel, voile universel** et **volve**.)

BULBEUX: se dit d'un pied de champignon dont la base est renflée.

CAMPANULÉ: se dit d'un chapeau en forme de cloche.

CENTRAL: se dit d'un pied qui s'insère au plein centre du chapeau.

CHAIR: partie intérieure le plus souvent ferme de l'intérieur du chapeau.

CHAPEAU: partie supérieure d'un champignon charnu à lamelles, pores ou aiguillons, d'où s'échappent les **spores** (voir ce mot).

CONCAVE: se dit d'un chapeau creusé suivant une courbe peu prononcée.

CONIQUE: se dit d'un chapeau ayant plus ou moins une forme de cône.

CONVEXE: se dit d'un chapeau arrondi et régulièrement plus élevé vers le centre.

DÉCURRENT(ES): se dit des lamelles ou des aiguillons se prolongeant sur le pied du champignon.

DÉPRIMÉ: se dit d'un chapeau plus ou moins creusé en son centre.

ÉTALÉ: se dit d'un champignon dont le chapeau est complètement déployé et généralement plat.

GLABRE: se dit d'une surface lisse, sans poils ni écailles.

HABITAT: lieu de croissance d'un champignon.

LAMELLE: feuillet mince et rayonnant sous le chapeau des agarics.

LIBRE(S): se dit des lamelles qui ne touchent pas au pied du champignon.

MAMELONNÉ: se dit d'un chapeau dont le centre offre une petite proéminence arrondie.

MÊLÉE: se dit d'une forêt composée de conifères et de feuillus.

MARGE: pourtour de la partie supérieure du chapeau.

MYCÉLIUM: se dit du réseau de filaments s'étendant au niveau du sol ou légèrement enfoui dedans dont le champignon n'est que l'organe de fructification.

MYCOLOGIE: science traitant des champignons.

PIED: tige supportant le chapeau du champignon.

PLEIN: se dit d'un pied de champignon qui n'est ni creux, ni farci de filaments blancs lâches.

PORE: ouverture des tubes à la face inférieure du chapeau des bolets et des polypores.

SÉPARABLE: qui se détache ou casse facilement.

SERRÉ(ES): se dit des lamelles très rapprochées les unes des autres sous le chapeau.

SPORES: semences microscopiques des champignons.

SPORÉE: dépôt de spores obtenu en laissant un chapeau séparé de son pied appliqué sur une surface de papier blanc pendant quelques heures. On recouvre généralement le chapeau d'un verre ou d'un bocal.

TUBES: tuyaux parallèles composant le sous-chapeau des bolets et des polypores (voir aussi **pore**).

VESTIGE: reste d'un tissu ou d'un organe, fugace ou persistant.

VISQUEUX: couvert d'une couche gluante ou collante, en particulier par temps humide.

VOILE PARTIEL: membrane réunissant la marge du chapeau au pied et recouvrant les lamelles ou les tubes dans le jeune âge (voir **anneau**).

VOILE UNIVERSEL: membrane enveloppant tout le chapeau dans le jeune âge et qui persiste au pied de certaines espèces (voir **volve**).

VOLVE: vestige du voile universel qui entoure la base du pied de certains champignons comme une coupe (principal caractère des amanites).

AMANITE TUE-MOUCHES

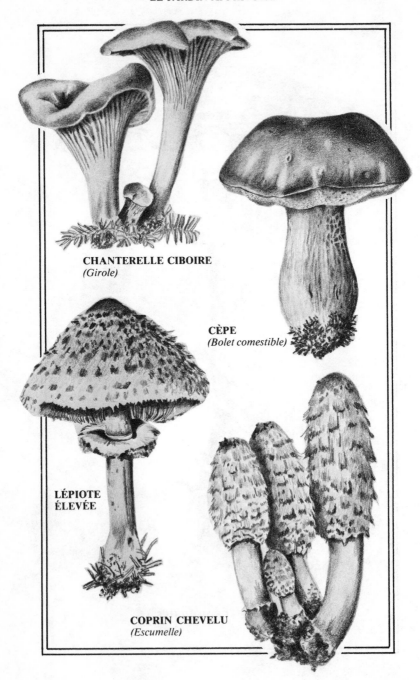

CHANTERELLE CIBOIRE
(Girole)

CÈPE
(Bolet comestible)

**LÉPIOTE
ÉLEVÉE**

COPRIN CHEVELU
(Escumelle)

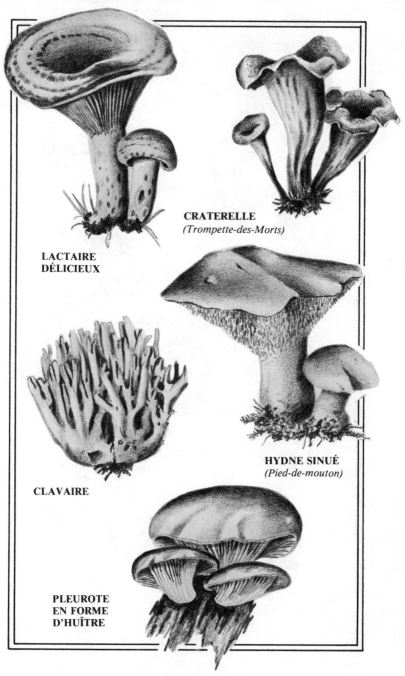

CRATERELLE
(Trompette-des-Morts)

**LACTAIRE
DÉLICIEUX**

HYDNE SINUÉ
(Pied-de-mouton)

CLAVAIRE

**PLEUROTE
EN FORME
D'HUÎTRE**

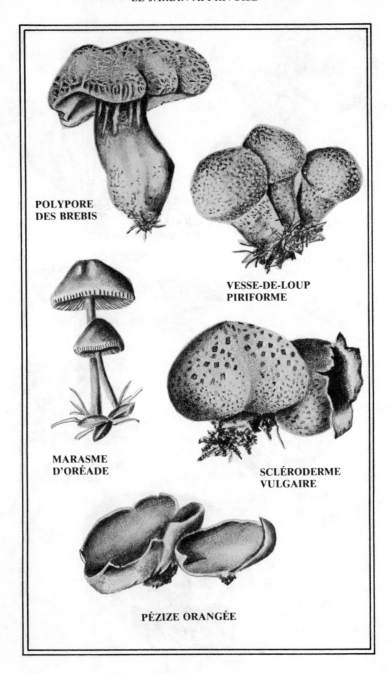

**POLYPORE
DES BREBIS**

**VESSE-DE-LOUP
PIRIFORME**

**MARASME
D'ORÉADE**

**SCLÉRODERME
VULGAIRE**

PÉZIZE ORANGÉE

CHAPITRE NEUVIÈME

LES PLANTES SAUVAGES CURIEUSES DU QUÉBEC

«Vous souvenez-vous de cet endroit dont vous m'avez déjà parlé? Cette tourbière où vous me disiez qu'il y a des fleurs carnivores?»

Elle m'a regardé puis a jeté un coup d'oeil bref mais expressif vers mon ami Paul qui était, dans un coin de son jardin, en train de photographier ses sabots-de-la-Vierge jaunes. Je me suis, bien sûr, tout de suite porté à la défense de Paul.

«Oh! vous pouvez lui faire confiance... Paul est, comme moi, un amoureux de la nature... et, en plus, un excellent photographe.

— Bon, mais...»

Elle n'a pas hésité longtemps, ma vieille amie anglaise de Waterloo. Mais assez pour que je sente qu'elle allait me livrer un secret précieux. L'année précédente, elle m'avait promis de m'emmener dans cet endroit qui, selon elle, était «unique au monde». Pour toutes sortes de raisons, ça n'avait pas marché.

«...mais vous devez me promettre tous les deux de n'en parler à personne. Tu comprends, si cet endroit devait être connu, il serait massacré en peu de temps.»

Un peu plus tard, en quittant la maison de ma vieille amie et de son mari rencontrés trois ans auparavant à leur maison de campagne qu'ils venaient de vendre parce qu'elle représentait trop de travail et surtout que chacun des deux avait eu, tour à tour, une crise cardiaque, je me sentais riche comme jamais encore je ne m'étais senti. J'allais enfin voir des fleurs carnivores! Bien sûr, j'avais un peu le coeur gros du fait que mes amis venaient d'avoir eu à vendre leur maison de campagne, l'une des plus belles, de même qu'un des plus beaux jardins qu'il m'ait été donné de voir dans ma vie, du coin où, pendant deux ans, j'avais habité.

«Il vient un temps où il faut savoir laisser aller les choses, même celles qui nous tiennent le plus à coeur» m'avait dit ma vieille amie.

Je n'ai jamais reçu, je crois, d'aussi belle leçon de philosophie.

Une heure plus tard, Paul et moi étions à la tourbière.

Mais étions-nous bien en 1976? J'avais l'impression, en marchant dans cet épais lit de sphaignes sous-tendu seulement par le réseau des racines des arbres avoisinants, le tout flottant sur l'eau, non seulement de marcher sur un nuage de mousse mais encore d'être revenu, en l'espace de quelques secondes, des milliers d'années en arrière, dans un Québec préhistorique. J'aurais vu surgir soudain devant moi un dinosaure ou un serpent d'eau géant que je n'aurais pas été autrement étonné.

Nous nous sommes mis en quête, Paul et moi. Et soudain, nous y étions : à peu de distance les unes des autres, des sabots-de-la-Vierge roses, orchidées d'une très grande beauté, et surtout, des sarracénies pourpres, ces fleurs carnivores aux moeurs curieuses et d'une taille impressionnante.

Plus tard, en revenant vers la ville, Paul et moi ferions les comptes de la journée : des photographies de sarracénies, d'orchidées jaunes et roses et de bien d'autres plantes encore.

«C'est pas mal…

— Je doute que nous fassions mieux la prochaine fois…»

Bien sûr, il y a eu pour nous, pendant cet été-là, d'autres découvertes, comme celle du droséra, une autre plante carnivore, et celle de la lobélie du cardinal, l'une de nos plus belles fleurs sauvages indigènes, au rouge dont on a l'impression qu'il forme de grands feux sur les îles ou les bords des rivières où la plante croît. Assez de découvertes, en tout cas, pour que me vienne l'idée de ce chapitre sur les plantes sauvages curieuses du Québec.

On compte au Québec, d'après Marie-Victorin *(Flore Lauren-tienne)* environ 2 500 plantes (ne comprenant évidemment ni les algues, ni les mousses, ni les lichens, ni les champignons).

On pourrait croire que leur nombre relativement peu élevé rend facile un tour d'horizon de nos plantes, et indigènes, et naturalisées d'autres coins du monde, en particulier d'Europe, puisqu'on se rend compte assez rapidement, en les étudiant, qu'un grand nombre de plantes, même aussi communes que la chicorée ou le plantain, ont été introduites au Québec lors de sa colonisation (rien n'empêche même d'imaginer qu'une plante considérée comme indigène comme le ginseng n'ait pas été amenée ici, il y a dix mille ans, par les ancê-tres de nos Indiens vraisemblablement originaires du Nord-Est de l'Asie). Les choses ne sont pas si simples.

Bien sûr, l'étude des plantes, vue sous l'angle de leur invento-riage, peut en être rendue plus aisée (c'est ainsi que le *Connecticut Agricultural Experiment Station* de New Haven, aux États-Unis, vise à mettre, depuis quelques années, toutes les plantes du monde sur cartes perforées). Mais la connaissance de **toutes** les plantes est loin d'être, je pense, l'idéal du botaniste même professionnel. Ce n'est en tout cas pas celui de l'amoureux des plantes que je suis.

En fait, l'important à saisir, au début de l'étude et de l'obser-vation des plantes, ce sont surtout les principaux caractères, tant au niveau de leurs formes que des processus qui les habitent, des grandes familles de plantes. Il suffit souvent de connaître deux ou trois plantes d'une même famille pour être capable d'identifier, au pre-mier coup d'oeil, toutes les plantes de cette famille, même en d'au-tres pays (tel que démontré dans l'oeuvre magistrale de Wilhelm Pelikan, *L'Homme et les Plantes Médicinales).* On compte au Qué-bec environ 120 familles de plantes, certaines représentées par une seule espèce (cas de l'*Arceuthobie,* de la famille des Loranthacées), d'autres, par plus de cent cinquante (cas de la famille des Cypé-racées, dont on compte environ 3 500 espèces dans le monde entier); à noter que cette dernière famille de plantes est au Québec, la plus nombreuses de toutes. À elle seule, l'étude de ces 120 familles repré-sente déjà passablement de travail et de mémorisation. Il y a des façons moins systématiques, plus organiques pourrait-on dire, de commencer à pénétrer l'univers des plantes.

Un cours de botanique reste évidemment l'idéal. Mais celui-ci n'est pas à la portée de tous et il y a une façon plus simple et d'ailleurs plus vivante de connaître l'univers des plantes qui peut se réaliser, sur plusieurs années, par étapes autant que selon les saisons. Mais autant le dire tout de suite: que celui qui espérerait éblouir ses amis par son érudition au bout de trois mois se choisisse une autre science que la botanique; non seulement celle-ci est-elle encore en pleine évolution mais requiert-elle des mois et des années d'études parfois très ingrates, surtout quand il faut apprendre par coeur tous ces termes botaniques et ces noms latins servant à les décrire. Ajoutons encore que la botanique n'est pas une science accumulative mais cumulative. C'est-à-dire qu'on y progresse davantage par petites touches, recoupements et intuitions que par accumulation et classification des données. J'irais même jusqu'à dire que l'étude des plantes est, autant que celle des humains, l'étude de toute une vie.

Une partie du printemps, l'été et une partie de l'automne peuvent être ainsi consacrés surtout à l'observation et à la récolte et mise en herbier des plantes inconnues; le reste de l'année sera consacré, lui, à leur étude et à leur identification. Enfin, un truc simple mais très efficace consiste à mémoriser le plus possible, à travers de bons manuels, des illustrations ou mieux, des photos de plantes qui, de prime abord, selon l'intérêt qu'on leur accorde, pratique ou purement scientifique, nous intéressent. Je crois, d'ailleurs, qu'il est toujours préférable d'étudier les plantes sous un angle pratique, qu'on recherche en elles leur valeur alimentaire, médicinale, tinctoriale, textile ou tout simplement ornementale. Par ailleurs, on apprend, d'après moi, beaucoup plus à connaître à fond la vie de quelques plantes qu'à vouloir être capable de les nommer toutes et de tous leurs noms parfois très nombreux. De même qu'on accède mille fois plus vite à une prise de conscience écologique globale en ne se limitant pas à la seule étude des plantes qui risque, pour peu que vous soyez mordu, de vous conduire à l'étude d'autres sciences aussi différentes que la géologie, la biologie, l'histoire des religions et même, oui, même la chimie.

Que les plantes soient, comme nous, dotées de ce haut caractère d'évolution, la sensibilité, voilà ce dont bien des gens, jusqu'à ces dernières années, jusqu'à la parution du livre désormais célèbre de Bird et Thompkins, *La Vie Secrète des Plantes,* doutaient encore. Et même des gens dits versés dans la botanique. Bien sûr, d'autres auteurs en étaient convaincus bien avant la parution de ce livre. Goethe, par exemple, ce grand poète et penseur dont *La Métamorphose des Plantes* reste, près de deux siècles après sa parution, une grande oeuvre.

Donc, comme nous, les plantes naissent, respirent, se nourrissent, se reproduisent et meurent. Mais sait-on que certaines plantes referment leurs feuilles pour dormir la nuit (cas de l'*Oxalyde des Montagnes)* tandis que d'autres «s'éventent» par temps trop chaud (cas du *Desmodium gyrans* et, au Québec, cas probable de l'*Asplénie chevelue)* et que d'autres enfin explosent littéralement, soit pour couvrir de pollen les insectes qui les visitent (cas de l'*Épine-vinette),* soit pour projeter leurs graines au loin (cas nombreux dont ceux de l'*Arceuthobie naine* et du champignon *Pilobolus).* Tout ceci au Québec. Et ce ne sont là que quelques exemples de manifestations qui pourtant, à elles seules, révèlent la sensibilité de toutes les plantes.

C'est ainsi que m'est venue l'idée de ce dossier sur les plantes «curieuses» du Québec. Bien sûr que notre flore est, comparativement à la flore d'un pays tropical, moins excentrique et relativement limitée en plantes manifestant des réactions sensibles extra-ordinaires, observables pourtant. Inutile de rechercher ici le *Népenthès,* plante carnivore chantée par Baudelaire, dont les urnes à couvercle suspendues comme au bout de fils peuvent, chez les variétés les plus grandes, attirer, retenir prisonniers et digérer en l'espace de quelques heures, de jeunes oiseaux. Inutile encore de rechercher ici des représentants de la famille des Broméliacées dont certains sont si grands qu'ils abritent dans leurs rosettes de feuilles, formant de véritables réservoirs, des grenouilles et même des petits reptiles. Enfin, inutile de se mettre en quête, même dans les pays tropicaux, de plantes «mangeuses d'hommes»; celles-ci ne doivent leur existence qu'à la légende.

Pourtant, le nombre de plantes curieuses du Québec est suffisamment élevé, qu'il s'agisse de plantes carnivores, parasites ou autres, pour qu'on s'y arrête.

On pourrait croire, de prime abord, qu'il n'y a, dans l'intention de l'auteur de ce texte, que le désir de cultiver le sensationnalisme. Comment m'en défendre sinon en disant qu'après avoir longtemps et beaucoup étudié les plantes, je me suis rendu compte que la meilleure façon d'en dégager certaines grandes lois générales, c'était peut-être de parler de celles qui, précisément, contreviennent à ces lois ou alors, et pour des causes pour la plupart inconnues, vivent à l'extrême limite de ces lois, que ce soit dans le sens de l'évolution ou celui de la régression. Comment découvrir le mieux une société dans ses grandes lignes sinon en observant tour à tour son roi et son fou.

En effet, bien des plantes traitées ici sont considérées, en particulier les plantes de tourbière, comme «préhistoriques» par les botanistes tandis que d'autres manifestent, à travers des écarts de caractère ou de comportement, des moments de l'évolution qui devait mener les plantes à une reproduction sexuée de plus en plus sophistiquée. Il n'y a pourtant pas de loi unique et chaque plante, comme chaque humain, obéit à des impératifs propres. C'est aussi ce que j'ai tenté, à travers la description des moeurs d'une dizaine de plantes, de montrer. Le choix des plantes présentées demeure, bien sûr, arbitraire.

À la fin de cette lecture, peut-être (et fort probablement) ne saurez-vous pas plus identifier les plantes du monde entier mais peut-être aurez-vous acquis la connaissance de quelques-unes et surtout le désir de les rencontrer et, comme cela va de soi, puisque beaucoup de ces plantes sont en voie de disparition, de les protéger.

Les plantes, curieuses ou non, ont autant besoin de nous que nous, d'elles.

LES PLANTES CARNIVORES

De toutes les plantes qui présentent des moeurs particulières, les carnivores sont probablement les plus spectaculaires et les plus étranges. Ce sont aussi celles qui, depuis les temps les plus anciens, ont le plus frappé l'imagination humaine, donnant naissance à de nombreuses légendes.

Ces plantes «préhistoriques», évaluées à 500 à travers le monde, se nourrissent, souvent aidées dans ce travail par des enzymes et/ou des bactéries, de proies vivantes qui, attirées par les sucs nectarifères qu'elles sécrètent parallèlement à des sucs digestifs, sont retenues prisonnières et, par la suite, souvent en un temps très court, digérées. Bien qu'on considère généralement que ces plantes pourraient se nourrir seulement par leur système radiculaire, il n'en demeure pas moins qu'elles font oeuvre de mort dans le monde des insectes (et parfois des animaux) dont on ne retrouve sur ou dans les feuilles

DIFFÉRENTS TYPES DE PIÈGES

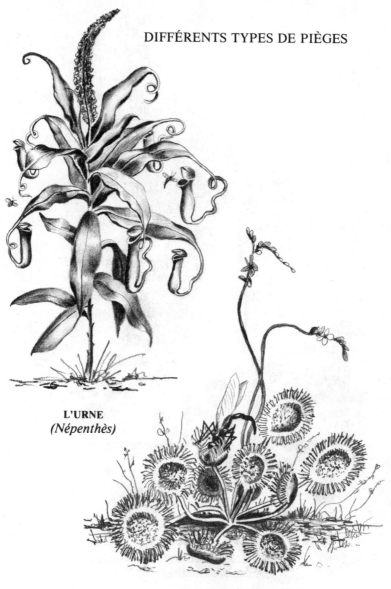

L'URNE
(Népenthès)

LE COLLE-MOUCHES
(Droséra)

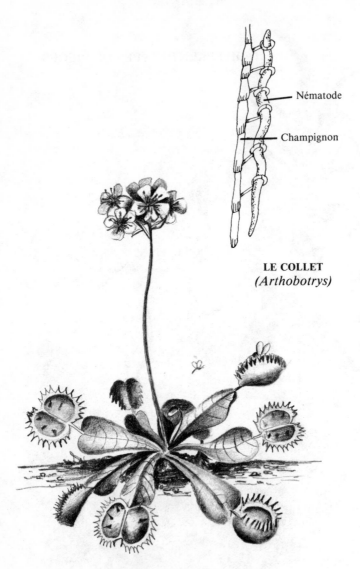

Nématode

Champignon

LE COLLET
(Arthobotrys)

LE PIÈGE À RESSORT
(Dionée américaine)

de ces plantes que les parties inassimilables comme, par exemple, les carapaces chitineuses.

Le plus étrange, avec les plantes carnivores, c'est que leurs feuilles, comme par exemple celles de la sarracénie, ressemblent à des fleurs et présentent souvent, en particulier dans la sécrétion de sucs nectarifères qui n'ont pas d'autre fonction, semble-t-il, que d'attirer les insectes, des comportements floraux (cette idée se rattache, bien sûr, à celle de Goethe, exposée dans sa *Métamorphose des Plantes*, selon laquelle: «Progressant ou régressant, la plante n'est toujours que feuille.»; c'est aussi dans cette oeuvre que le grand poète élabora l'idée de la plante-type; ces idées seront reprises, en grande partie, par W. Pelikan, dans *L'Homme et les Plantes Médicinales*, au niveau des principales grandes familles de plantes; il donnera de celles-ci une analyse à la fois astrologique et scientifique percutante).

Plus étranges encore, les comportements de certaines carnivores qui les situent comme dans un no man's land entre les règnes végétal et animal: je ne veux en donner ici comme exemple que celui de l'*Arthobotrys,* cryptogame (champignon microscopique) doué de mouvement qui, aussitôt qu'un nématode pénètre une de ses boucles, resserre celle-ci retenant ainsi le ver prisonnier; le cryptogame, lançant ensuite des filaments de mycélium, perce l'enveloppe du nématode et le pénétrant peu à peu, le digère tout entier. Le mouvement n'est d'ailleurs pas l'unique privilège des plantes carnivores, comme on le verra plus loin. À noter cependant que ce mouvement est chez elles attribué à des cellules nerveuses — réagissant, par exemple, à des substances protéinées — dont l'existence rapproche ces plantes du règne animal. Cette attribution du mouvement à une vie animale, fort primitive il est vrai, est plausible même dans le cas des plantes «explosives» ou d'autres décrites plus loin; toutes ces plantes étant plus ou moins des formes «naïves» des plantes plus évoluées. Il ne faut cependant pas exagérer cette «animalité» des plantes, toute plante ayant, de par ses origines marines, tendance à croître en spirale et vers le haut (phénomène observable surtout chez les plantes grimpantes).

Les types de pièges élaborés par les plantes carnivores pour capturer leurs proies sont nombreux, que ce soit l'urne (sarracénie), le colle-mouches (droséra), le piège à ressort (dionée) ou le collet (arthobotrys). Comme exemples, donnons d'abord celui de l'*Utriculaire* dont les petites outres aspirent littéralement leurs proies qui sont le plus souvent de petits animalcules aquatiques et parfois même, de petits poissons; puis celui de la *Dionée,* plante du Sud des États-Unis, dont le piège est constitué par des feuilles à bords munis de deux séries de fines dents qui, en quelques secondes, aussitôt qu'un insecte effleure leur surface, se replient, par le milieu, sur lui (un peu comme un piège à loup métallique) et le retiennent ainsi prisonnier, jusqu'à ce que la plante l'ait digéré. Pour les pièges élaborés par le droséra, la grassette et la sarracénie, on en trouvera une description détaillée plus loin.

Parmi les plante à demi-carnivores ou tueuses d'insectes, mentionnons l'*Apocyn à feuilles d'Androsème,* dont les fleurs affamées de pollen retiennent parfois prisonnier l'insecte visiteur grâce à la contraction d'un nectaire, phénomène merveilleusement bien décrit par Marie-Victorin (on aura tout intérêt, si on a la chance d'en posséder une, à consulter *La Flore Laurentienne,* pour ses descriptions ciselées d'une partie des phénomènes présentés ici). Mentionnons aussi le *Cardère sylvestre* dont les séries de feuilles constituent de petits réservoirs dans lesquels viennent parfois boire les oiseaux et qui, occasionnellement, retiennent des insectes et les digèrent. Le cardère est assez rare, l'apocyn, extrêmement répandu dans tout le Québec (ses grappes de fleurs roses en cloche, ressemblant un peu à celles du muguet, permettent d'identifier cette plante du premier coup d'oeil). Ce sont aussi deux plantes rébarbatives, l'apocyn provoquant parfois l'affection connue sous le nom «d'herbe à puce» et le cardère étant tout entier armé de piquants. On peut se demander si cette rébarbativité n'est pas liée au caractère primitif de ces plantes (les aiguilles et piquants ne sont, en fait, que des feuilles rudimentaires) et de leurs mécanismes de défense, on pourrait peut-être inclure dans les indices de haute évolution d'une plante l'abandon des défenses contre l'extérieur quoique cela reste fort hypothétique du fait que beaucoup de plantes supérieures, en particulier vénéneuses (solanacées, etc.) gardent et même développent des systèmes de défense plus subtils encore. À titre de curiosité, et pour donner une idée de son propos, ajoutons que selon Pelikan, c'est leur haute teneur en eau qui rend les cactées (cactus...) si sensibles à l'influence de la lune (comme chez la fameuse *Reine de la nuit, Selenicereus grandiflorus,* dont les fleurs ne vivant qu'un jour, s'épanouissent seulement les soirs de pleine lune).

Enfin, de la même manière qu'il y a des champignons parasites de champignons et que les orchidées ne germent et ne vivent qu'en symbiose avec des cryptogames (du genre Rhizoctonia), parlons des divers types d'associations pouvant exister entre la faune et la flore tant macro que microscopiques.

Répétons d'abord l'association qui existe entre les Broméliacées et nombre d'insectes, de batraciens, de reptiles et même d'autres plantes carnivores. Puis celle du népenthès et du grand nombre (on en a dénombré jusqu'à 26) d'insectes qui vivent en harmonie avec ses sucs digestifs. Enfin, parlons de la plus importante ici, celle qui lie les enzymes et/ou les bactéries et les processus digestifs des plantes: chez certaines carnivores, il n'y a pas de sécrétion de sucs digestifs et ce sont les enzymes ou les bactéries qui accomplissent ce travail, à l'avantage respectif des deux.

LE DROSÉRA (ou ROSSOLIS)
(Drosera rotundifolia)

Appelé «ros-solis» (rosée du soleil) par les alchimistes à cause du scintillement des gouttelettes de glu sécrétées par ses tentacules translucides rouge rubis et se terminant en boule, le droséra (du grec «droseros», «humide de rosée») se rencontre parmi les sphaignes des marais et des tourbières, et ce, à travers à peu près tout le Québec. Il faut cependant avoir, si l'on se met en quête de cette plante, l'oeil attentif puisque ses feuilles étalées en rosette mesurent rarement plus de cinq cm de longueur tandis que sa hampe florale (tige à fleurs), insignifiante du reste (comme si la plante comptait davantage sur ses feuilles que sur ses fleurs pour attirer les insectes), ne mesure jamais plus de 15 cm. La couleur rouge rubis de ces feuilles, d'autant plus accentuée que la plante est exposée au soleil, suffit à elle seule à la faire identifier.

Le piège élaboré par le droséra pour la capture des insectes est un piège du type dit «colle-mouche». L'insecte visiteur de la plante y est d'abord attiré par la glu sucrée sécrétée par les tentacules (ou cils) des feuilles qui, peu à peu, par rangées entières, se referment sur l'intrus et par émission de sucs digestifs, le digèrent. On a même déjà vu, dans le cas d'une proie trop grosse(libellule), plusieurs feuilles se rejoindre et partager le même festin.

On compte, au Québec, trois variétés de droséra.

LA GRASSETTE VULGAIRE
(Pinguicula vulgaris)

Moins répandue que le droséra et la sarracénie, la grassette mérite cependant une brève description tant à cause de la beauté de ses petites fleurs bleues ou violettes que de ses feuilles dont les bords s'enroulent sur les insectes imprudents qui, les visitant, y sont d'abord retenus par une glu visqueuse. La plante a déjà été employée à divers usages (au Danemark, elle entrait dans la composition d'une pommade à cheveux). Au Québec, la plante est, comme la plupart des plantes présentées ici, à protéger.

La plante se rencontre sur les rochers très humides de l'Est du Québec.

LA SARRACÉNIE POURPRE,
(Sarracenia Purpurea)

C'est, sans contredit, de toutes les plantes carnivores québécoises, la plus répandue (c'est une espèce typiquement nord-américaine) et la plus spectaculaire, tant à cause de la haute taille de sa tige florale et de la beauté de ses fleurs pourpres très grandes que de ses grandes feuilles enroulées sur elles-mêmes en urne (ou cornet) et croissant en rosette. La plante peut se rencontrer, comme le droséra, dans les sphaignes des marais et des tourbières, et atteindre en effet, au temps de la floraison et de la fructification, jusqu'à 60 cm (2 pieds environ), tandis que ses feuilles, elles, peuvent mesurer jusqu'à 30 cm.

Ici, le piège consiste en des urnes qui, d'une part, recueillent l'eau de pluie et, d'autre part, sécrètent des sucs digestifs qui sont aussi vraisemblablement soporifiques pour les insectes qui, ayant pénétré dans ce qui ressemble en même temps à une bouche et à un estomac, ne peuvent plus en ressortir; les parois intérieures de ces urnes sont en effet couvertes d'abord d'une couche cireuse qui empêche les insectes de s'agripper, puis de poils tous dirigés vers le bas qui empêchent une remontée possible; le bord circulaire supérieur de l'urne est en outre muni d'une épaisse rangée de poils; ces cornets sont souvent, à cause des longues veinures rouge pourpre qui les parcourent de haut en bas, d'une grande beauté, surtout quand on les regarde à travers un rayon lumineux.

LES PLANTES PARASITES

Avec l'étude des plantes parasites, c'est un tout autre aspect de la vie des plantes que nous abordons. Cette fois, nous nous éloignons du règne animal pour ne parler que des associations entre plantes: associations positives, lorsque les plantes vivent en symbiose parfois obligatoire, et négatives, lorsqu'une plante en parasite une autre jusqu'à la détruire et, la plupart du temps, se détruire elle-même (quoique la plupart aient un cycle de vie relativement court).

Bien que ces modes d'association se rencontrent surtout dans le vaste groupe des champignons, on les rencontre aussi chez certaines plantes qui présentent d'ailleurs, même chez les non-parasites, des caractères fongiques. Ainsi, le *Monotrope* (dont on compte, au Québec, deux variétés), plante dépourvue de chlorophylle, se rapproche beaucoup du groupe des champignons de même que les fougères qui se reproduisent non par graines mais par spores. De nombreuses plantes parasites, comme la cuscute et l'orobanche, sont aussi dépourvues de chlorophylle. Ce manque de chlorophylle est d'ailleurs l'indice de la fragilité de l'équilibre minéral existant dans la nature, certaines plantes ne trouvant leur nourriture qu'en d'autres plantes. Où l'on commence à s'interroger, c'est quand on voit que ces plantes «imparfaites» doivent puiser cette nourriture sur des organismes vivants alors que la plupart des plantes de même que des champignons et des bactéries sont saprophytes (se nourrissent de matières en décomposition). Où l'on s'interroge encore plus, c'est, comme chez l'Épifage et son hôte unique, le hêtre, quand on voit l'arbre venir lui-même installer une pousse conductrice de sève dans le bulbe de son parasite. Le hêtre a-t-il besoin d'une saignée saisonnière? L'association reste sans explication.

Il n'y a, par ailleurs, pas que les champignons et les plantes qui peuvent présenter des caractères ou des modes de parasitisme puisque certaines algues et certains lichens ne peuvent vivre qu'en association symbiotique ou parasitique avec des animaux marins, des champignons ou même... des rochers, ce qui les situe, pour quelques-uns d'entre eux, aux confins des règnes animal, minéral et végétal. La même chose peut se dire de nombreux champignons qui peuvent s'attaquer aussi bien au verre (lentilles...) et au métal (circuits électriques) qu'au plastique.

Beaucoup d'autres plantes peuvent être appelées semi-parasites, comme par exemple les plantes grimpantes qui, souvent, ne deman-

253

dent qu'un support et/ou un abri contre le soleil ou le vent à leur hôte, quoique certaines, comme le *Célastre grimpant* (appelé aussi *Bourreau des arbres)*, soient de véritables étrangleuses d'arbres. De même, de nombreuses orchidées, dont le *Cypripède* (ou *Sabot-de-la-Vierge)* et, dans certains pays tropicaux, le *Vanillier,* vivent en association obligatoire autant avec certains cryptogames qu'avec certaines essences d'arbres mais ne semblent pas avoir sur ces dernières d'action néfaste. À noter au passage qu'on compte au Québec une quarantaine d'espèces d'orchidées.

Sauf exception, les plantes parasites sont, contrairement aux plantes carnivores ou à celles décrites plus loin, peu douées de mouvements nerveux spectaculaires, étant par ailleurs assujetties à leurs hôtes au point de devoir se fixer, et toujours selon des lois très précises, sur telle ou telle partie (écorce, racines, etc.) de ceux-ci.

Parmi les modes de fixation à l'hôte des plantes parasites, mentionnons, pour les plantes grimpantes, la vrille et l'enroulement de la tige puis, pour les autres, la ventouse (ou haustorium) qui, par certains aspects se rapproche du mycélium pénétrateur des champignons; la plupart des plantes parasites québécoises, arceuthobie, *Comandre,* cuscute, orobanche et *Conopholis* procèdent ainsi.

À titre de curiosité, glissons ici un mot sur la *Rafflésie,* plante de la jungle malaise dont les fleurs, à odeur cadavérique, sont probablement les plus grandes du monde; poussant à fleur de terre au pied des arbres qu'elles parasitent, certaines atteindraient en effet jusqu'à 60 cm de diamètre et pèseraient jusqu'à 9 kg.

On trouvera plus loin, dans les plantes «explosives», la description de l'arceuthobie.

LA CUSCUTE DE GRONOVIUS
(Cuscuta Gronovii)

Bien qu'on rencontre six variétés de cuscutes au Québec, je ne donne ici que la description de la plus répandue, la Cuscute de Gronovius, appelée encore, même si elle s'attaque à un grand nombre d'autres plantes, *Mort du Chanvre.* Ici, nous avons affaire à une plante à la fois grimpante et parasite dépourvue de racines, de rameaux et de feuilles, ce qui la ferait prendre pour un champignon si elle ne portait pas de fleurs, fort jolies du reste.

La façon dont la plante se fixe sur son hôte est remarquable: en l'espace de vingt-quatre heures, sa gaine germe et sa tige peut atteindre 2 cm; aussitôt née, cette tige, qui constitue à elle seule le corps entier de la plante, se met, grâce à son bourgeon terminal, en quête d'un hôte le long duquel elle fixera bientôt ses ventouses qui feront ainsi office de racines; il arrive même que la plante quitte le sol et, s'élevant sur son hôte, fleurisse et fructifie... dans les airs, phénomène qui en fait une véritable plante aérienne.

L'OROBANCHE UNIFLORE
(Orobanche uniflora)

Heureux qui possède dans son herbier un spécimen de cette plante qui est fort rare et ne se rencontre que dans le sud et l'ouest du Québec. Ici, nous avons un très bon exemple d'une plante qui en parasite une autre à l'aide de suçoirs radicellaires qu'elle va, un peu comme si elle était dotée d'un radar, fixer sur son hôte. Ce n'est même qu'en déterrant l'orobanche qu'on peut observer son réseau de suçoirs (formant de petits nodules) qui peut occuper une grande surface des racines de l'arbre hôte puisque le processus floral de la plante n'a rien d'extraordinaire même si celle-ci n'a que des feuilles rudimentaires en forme d'écailles et une tige presque souterraine. Les fleurs, printanières, sont blanches ou violettes et portées sur des hampes pouvant mesurer jusqu'à 10 cm. La plante parasite les racines d'un grand nombre de plantes.

LES PLANTES EXPLOSIVES

On trouvera peut-être étonnant le titre de la partie de ce chapitre. Il n'en demeure pas moins que de nombreuses plantes présentent, soit au niveau de leurs fleurs, soit au niveau de leurs organes de fructification, un caractère «explosif» qu'on pourrait rapprocher du caractère nerveux de certaines réactions observées chez les plantes carnivores et plus observables encore chez les plantes «sensitives» comme le *Mimosa* (ou *Sensitive)* qui, au moindre toucher, replie ses feuilles.

L'ARCEUTHOBIE NAINE
(Arceuthobium pusillum)

Ici, nous avons affaire à l'une des plantes les plus extraordinaires de notre flore. L'arceuthobie, malheureusement très rare, est en effet à la fois aérienne — elle ne croît que sur l'écorce du mélèze et des épicéas (épinettes) —, parasite et «explosive». C'est aussi l'une des plus petites plantes de notre flore puisqu'elle ne mesure jamais plus de 20 mm (on peut en trouver jusqu'à quinze exemplaires sur 2,5 cm de rameau de l'arbre hôte).

Là où la plante offre une particularité, c'est que, lorsqu'elles sont mûres, et par temps humide seulement, ses graines explosent littéralement pour aller infecter les arbres voisins. Quant à la façon dont la plante parasite son hôte, c'est, un peu comme la cuscute, à l'aide de suçoirs. Comme elle aussi, elle n'a pas de feuilles mais des écailles. L'arceuthobie est de la même famille (Loranthacées) que le Gui, plante sacrée des druides celtes. On lui donne d'ailleurs le nom de *Petit Gui.*

LE PILOBOLUS

Ici encore, nous avons affaire à une merveille du monde végétal. En effet, ce champignon en forme de petite massue qui se rencontre en colonies serrées sur le fumier est capable, quand il est mûr, de projeter, au loin et avec force, ses spores, et ce, toujours vers la première source lumineuse se trouvant à sa portée.

C'est ainsi que si l'on place une colonie de pilobolus sous une cloche de verre opaque dans laquelle on a percé un trou (vis-à-vis duquel on place une lampe ou une ampoule électrique), on peut bientôt observer que les bords de ce trou se couvrent des masses de spores des champignons. Autre fait étrange (quoique fort répandu dans le monde des plantes) à noter, il arrive souvent que les spores du pilobolus, au lieu d'être projetées dans le fumier, atterrissent dans l'herbe ; elles sont alors broutées en même temps que l'herbe par divers animaux, traversant ainsi, mais sans être digérées, leur estomac et leurs intestins, elles se retrouvent dans leurs excréments où elles recommencent le cycle de vie du champignon.

LE KALMIA
(Kalmia angustifolia)

Si des phénomènes de sensibilité des fleurs se rencontrent chez beaucoup de plantes (autant chez le *Berbéris* (ou *Épine-vinette)* que chez de nombreuses composées comme l'artichaut et la chicorée), aucune n'égale en merveilleux celui présenté par le kalmia: on observe en effet chez elle le mécanisme suivant (je reproduis ici Marie-Victorin, pour donner un exemple de ses descriptions, et parce que jamais je ne saurais le décrire aussi bien que lui): «Le dispositif par lequel est assurée la dissémination du pollen est une véritable merveille: les anthères (anthère: partie terminale de l'étamine renfermant le pollen) sont engagées dans de petites niches creusées dans le limbe, et assez bas pour que les filets (filet: partie inférieure de l'étamine qui supporte l'anthère) soient courbés en demi-cercle. Un peu après l'anthèse (épanouissement de la fleur), les sacs s'évasent et, une à une, les anthères s'échappent, les filets élastiques se redressent brusquement et font voler au-dessus de la coupe corollaire un petit nuage de pollen. Comme il y a dix de ces catapultes qui fonctionnent à intervalles, on conçoit que la fécondation soit assurée et que la plante devienne, dans son habitat, un des éléments essentiels.»

Comme beaucoup d'autres plantes curieuses, le kalmia se rencontre principalement dans les tourbières.

LA VALLISNÉRIE
(Vallisneria americana)

Le cas de l'amoureuse compliquée

Notre court tour d'horizon des plantes curieuses du Québec ne saurait s'achever sans parler de la vallisnérie, plante aux moeurs uniques dans le monde végétal. C'est sous l'eau que les plants mâles (staminés) et femelles (pistillés) forment d'abord leurs fleurs; une fois les fleurs formées, celles des plants mâles rompent le fil (pédicelle) qui les attache à la plante et, aidées par une bulle gazeuse enfer-

257

mée dans le bouton, vont flotter à la surface de l'eau, où elles s'épanouissent; en même temps, les fleurs femelles vont, sans se détacher de la plante, en allongeant leur pédicelle à la hauteur requise (selon le niveau de l'eau) les rejoindre en surface; une fois la fécondation achevée, le pédicelle des fleurs femelles se contracte et, prenant la forme d'un ressort, ramène la fleur au fond de l'eau où elle achèvera la formation des graines. Une proche parente de la vallisnérie, l'*Élodée,* présente des phénomènes parallèles.

CONCLUSION

Bien que beaucoup d'autres plantes présentent des comportements de tous ordres fort intéressants, je ne parlerai ici que très brièvement de quelques-unes.

Mentionnons d'abord les plantes dites «plantes-baromètres» qui réagissent plus ou moins rapidement aux cycles d'ombre et de lumière du soleil. Parmi celles-ci, mentionnons les fleurs des plantes suivantes qui toutes se referment à l'approche d'une pluie ou d'un orage: la chicorée, le laiteron des champs et le souci; plus sensible encore, la *Gentiane de Victorin* dont les fleurs capables de se refermer en une demi-heure gardent parfois prisonniers pendant toute une nuit les gros bourdons qui les visitent.

Glissons aussi un mot sur les plantes dites «plantes-boussoles» qui s'orientent plus ou moins vers le soleil en tournant vers lui, soit leurs fleurs, comme le tournesol, soit leurs feuilles, comme la laitue serriole.

Parlons enfin des plantes phosphorescentes qui se retrouvent surtout parmi le groupe des champignons; cette phosphorescence ou bio-luminescence, est principalement due à la présence dans ces champignons de différents composés chimiques; le phénomène se rencontre, au Québec, chez l'*Armillaire couleur de miel* et, probablement le *Clitocybe lumineux.*

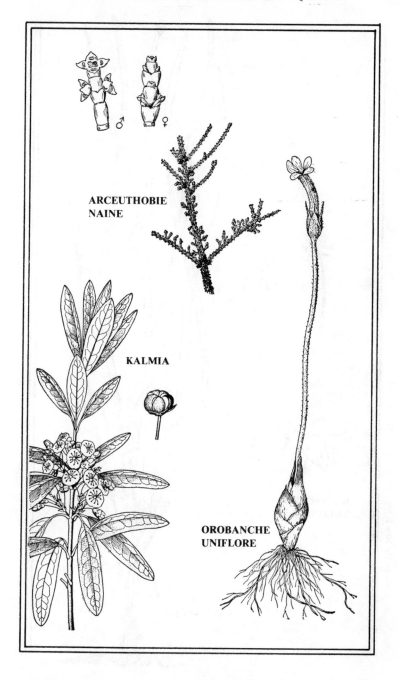

ARCEUTHOBIE
NAINE

KALMIA

OROBANCHE
UNIFLORE

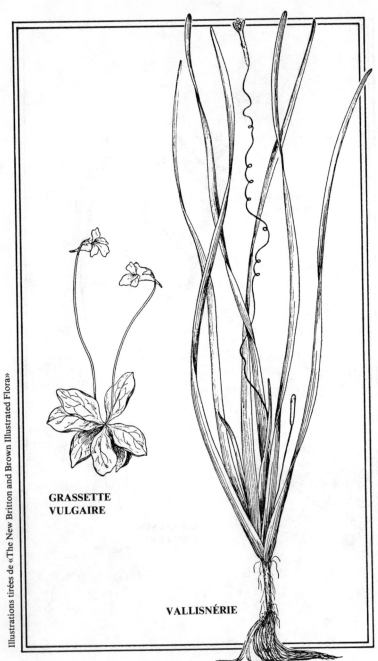

Illustrations tirées de «The New Britton and Brown Illustrated Flora»

GRASSETTE VULGAIRE

VALLISNÉRIE

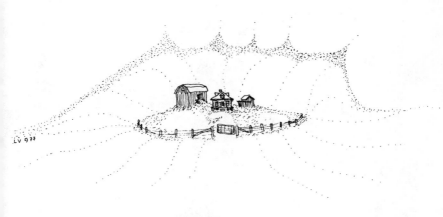

ANNEXE

RECETTES DIVERSES
NOUVELLES

Toutes les recettes publiées ici ont été choisies en fonction de leur facilité et de leur rapidité d'exécution. La plupart sont économiques et toutes ont été réalisées avec succès par l'auteur.

Note pour le lecteur français : une tasse équivaut à 250 ml.

SOUPES ET POTAGES

Bortsch (soupe aux betteraves)

Préparer un bouillon avec un bouquet de fines herbes, un gros oignon haché, une cuiller à soupe de vinaigre, 1 tasse de jus frais de betteraves et une pincée de graines de carvi. Mijoter pendant 20 minutes puis ajouter au liquide des feuilles finement hachées de betteraves et de chou, 1 ou 2 poireaux, 3-4 branches de céleri, 2-3 oignons finement hachés. Laisser fondre les légumes puis ajouter à la soupe de la sauce soya (ou mieux, du miso) puis beaucoup de crème sure. Ramener la soupe très chaude, l'assaisonner de sel, de poivre et de muscade.

Bouillabaisse (8-10 personnes)

1/4 de tasse d'huile d'olive
3 oignons moyens hachés
3 caïeux d'ail hachés finement
8 tasses d'eau froide
1 grosse boîte de conserve de tomates
1 c. à thé de sel
1/2 c. à thé de poivre
1/4 de c. à thé de sarriette
1/4 de c. à thé de thym
1/4 de c. à thé de safran
1 c. à soupe de persil frais haché
2-3 feuilles de laurier
1 tasse de vin blanc sec
3 livres (1 1/2 kilo) de filets de poisson
Chair de homard ou de crabe
Fruits de mer (crevettes, pétoncles, palourdes)

Faire frire, à feu doux, dans l'huile d'olive, l'oignon et l'ail. Puis y ajouter les tomates, les assaisonnements et l'eau froide. Porter à ébullition. Trancher le poisson cru et le jeter dans le mélange. Verser le vin blanc, couvrir et mijoter jusqu'à ce que le poisson soit cuit (10 minutes environ). Ajouter les fruits de mer et mijoter 5-10 minutes encore. Servir avec des croûtons de pain frottés au beurre d'ail et passés au four.

Clam chowder (soupe aux palourdes)

1 boîte de palourdes (clams)
3 pommes de terre coupées en dés
2-3 branches de céleri
2 gros oignons
4 tasses de lait
Poivre, sel, persil

Faire revenir, dans un peu de beurre, les oignons et le céleri finement hachés, les pommes de terre et le persil. Saler et poivrer. Cuire à feu doux pendant quelques minutes après avoir ajouté le lait et les palourdes (avec le jus de la boîte). Laisser reposer une heure avant de réchauffer la soupe et de la servir avec des croûtons frottés au beurre d'ail.

Potage à la citrouille (ou à la courge)

Couper 2-3 bonnes tranches de citrouille pelée en petits cubes. Faire dorer ces cubes dans du beurre. Pendant ce temps, hacher un oignon, du persil, du basilic, du céleri, du thym, de l'ail et quelques feuilles de menthe. Mêler le tout et y ajouter 2 clous de girofle, 4 tasses d'eau et quelques cuillers à soupe d'huile d'olive. Mijoter pendant une heure et servir avec des croûtons.

Potage aux marasmes d'Oréade

Hacher finement deux tasses de marasmes d'Oréade débarrassés de leurs pieds et bien nettoyés. Les faire revenir avec un peu d'ail et quelques échalotes finement tranchées dans un peu de beurre ou d'huile. Les saupoudrer de farine et bien mêler le tout. Incorporer le lait petit à petit en brassant bien. Saler, poivrer, parfumer d'une pincée de thym. Servir très chaud avec des croûtons frottés au beurre d'ail.

Soupe à l'ail provençale

1 gousse d'ail complète
8 tasses d'eau
4-5 c. à soupe d'huile d'olive
Thym, laurier, persil, sauge, sel, poivre, 1 clou de girofle

Faire fondre l'ail haché dans l'huile. Ajouter les fines herbes, les épices et l'eau. Mijoter 10 minutes et servir sur des croûtons de pain grillé.

Soupe aux huîtres

2 tasses d'huîtres
1 c. à table d'oignon haché finement
2 c. à table de beurre
1 feuille de laurier
2 branches de céleri
4 c. à table de farine
4 tasses de lait
Persil, sel et poivre

Chauffer le lait avec les condiments et les légumes pendant 15 minutes (gare au lait qui déborde!) puis passer et ne garder que le lait. Faire une sauce avec le beurre, la farine et le lait. Cuire la sauce pendant 10-15 minutes, y jeter les huîtres (avec leur jus) 2-3 minutes avant de servir.

Soupe au persil

1 tasse de persil frais haché
1 c. à soupe de farine
1 c. à soupe de beurre ou d'huile
2 tasses de lait
3 tasses d'eau
Sel et poivre

Mijoter le persil haché dans l'eau pendant 15 minutes. Puis griller la farine et y ajouter le beurre; sans cesser de remuer le mélange, incorporer le lait petit à petit. Quand cette sauce est cuite, y incorporer le premier mélange. Saler, poivrer et servir avec des croûtons frottés au beurre d'ail.

Soupe froide aux tomates

12 grosses tomates très mûres
2 oignons très finement hachés
1 c. à soupe de sel

1 c. à thé de poivre
1 c. à soupe de sucre
1 c. à soupe de basilic frais haché

Blanchir les tomates en eau bouillante pendant quelques minutes puis les passer aussitôt à l'eau froide. Les peler, en enlever les coeurs et puis les couper en petits morceaux. Les mêler avec les autres ingrédients et refroidir cette soupe pendant une heure avant de la servir.

LÉGUMES (plats de)

Brocoli gratiné

Laver le brocoli et le mettre à tremper en eau froide salée pendant 1 heure. Le rincer, le découper en morceaux puis le mettre à cuire à la marguerite après l'avoir salé. Pendant ce temps, mettre 10 c. à soupe de sauce blanche dans une poêle avec un peu d'oignon émincé. Cuire quelques minutes, en brassant fréquemment. Ajouter à la sauce 1/4 de livre de fromage râpé. Quand la sauce a recommencé à mijoter, y incorporer un jaune d'oeuf et une pincée de poivre de Cayenne. Bien mêler puis déposer un peu de cette sauce au fond d'un plat à gratiner. Y disposer le brocoli cuit, le couvrir de sauce. Saupoudrer le plat de fromage râpé et de panure. Dorer le plat au four pendant une demi-heure et servir.

Brocoli aux amandes

1 gros brocoli découpé en morceaux et cuit
1/4 de tasse de beurre
1/2 tasse d'amandes taillées en allumettes

Faire sauter les amandes dans le beurre jusqu'à ce qu'elles soient dorées et croustillantes. Verser sur le brocoli déjà découpé en morceaux d'une bouchée, et servir.

Célériac (céleri-rave)

Ce frère-racine du céleri est mal connu. C'est pourtant un légume délicieux qui s'apprête aussi bien cru (râpé et servi en salade avec une vinaigrette) que cuit. Il a aussi l'avantage, quoique de culture difficile, de se conserver très longtemps. **Frites de célériac:** peler les racines, les couper en frites puis les faire bouillir dans de l'eau salée jusqu'à ce qu'elles soient tendres; les égoutter, les assécher à fond sur un linge, les passer dans une pâte à frire et les faire sauter dans l'huile. Le célériac peut aussi être servi en purée.

Chanterelles à l'étouffée

1 livre (450 grammes) de chanterelles fraîches
2 c. à soupe d'huile
1 c. à soupe de beurre
1 caïeu d'ail haché finement
Estragon, cerfeuil, persil, sel et poivre

Faire suer les champignons avec un peu de sel dans un chaudron couvert pendant 10 minutes, à feu très doux. Égoutter à fond puis faire sauter les chanterelles dans l'huile et le beurre pendant un quart d'heure avec les condiments, en remuant souvent le tout. Servir aussitôt.

Chou rouge à l'étouffée

Débarrasser le chou de ses feuilles coriaces ou gâtées puis le couper en deux. Le passer dans l'eau salée glacée puis en enlever le trognon. Le trancher le plus finement possible de même que deux gros oignons espagnols et quelques pommes. Dans le fond d'une marmite où vient de fondre un morceau de beurre, empiler les légumes, les arroser d'une bonne cuiller à soupe de vinaigre de vin et d'un petit verre de vin rouge. Ajouter un peu de sucre, de poivre et de sel. Couvrir la marmite et laisser mijoter le plus doucement possible pendant 3-4 heures. Retourner de temps en temps avec une cuiller de bois. Ce chou se réchauffe très bien et est même meilleur réchauffé. Ainsi préparé, il est très digestible.

Courge d'hiver au four

Couper une courge en deux et débarrasser l'intérieur des graines et des filaments. Saler et poivrer l'intérieur des morceaux, placer dedans des noix de beurre puis saupoudrer de sucre brun sur la surface de toute la chair. Cuire au four à 300-325 F. (150-160 C.) jusqu'à ce que la courge soit tendre.

Endives braisées

Rejeter les feuilles endommagées et laver les endives dans de l'eau froide salée. Les égoutter complètement puis les disposer dans un plat pouvant aller au four bien beurré. Saler et poivrer, répandre quelques gouttes de jus de citron, ajouter 1 tasse d'eau et cuire à 350 F. (175 C.), jusqu'à ce que les endives soient bien tendres. La cuisson demande entre 50 et 90 minutes selon la grosseur et le degré de fraîcheur des endives. Les endives peuvent encore se manger crues, en salade.

Pommes de terre farcies

Cuire au four à 450 F. (230 C.) pendant 50 minutes des pommes de terre moyennes non pelées et enveloppées dans du papier d'aluminium. Quand elles sont cuites et refroidies, les couper en deux dans le sens de la longueur puis les vider de leur pulpe sans briser les peaux. Piler cette pulpe et pour chaque tasse obtenue, compter et ajouter en mêlant bien le tout: 1/4 de cuiller à café de sel, 1/8 de c. à café de poivre, 1/2 c. à café de jus d'oignon, 1 c. à café de beurre. Farcir les peaux des pommes de terre de cette farce puis couvrir de noix de beurre, d'un peu de fromage râpé et de paprika. Mettre au four à 450 F. (230 C.) pendant 10 minutes. À noter que les peaux de pommes de terre ayant séjournées au soleil contiennent beaucoup de solanine et sont pour ainsi dire vénéneuses.

Crêpes

4 tasses de farine
1 1/2-2 tasses de lait
2 oeufs
3/4 de c. à thé de sel
2 c. à soupe de beurre fondu
2 c. à soupe de poudre à pâte
1 c. à soupe de sucre

Mettre dans un grand bol le beurre fondu, les oeufs battus et le lait. Bien battre puis y incorporer les ingrédients secs tamisés ensemble. Cuire dans un peu de shortening dans une poêle très chaude. Servir avec de la mélasse ou du sirop d'érable.

Filets d'aiglefin ou de sole

2 livres (1 kilo) de filets de poisson
2 paquets d'épinards
Quelques pommes de terre tranchées
Sauce blanche moyennement épaisse
Paprika et fromage râpé

Faire cuire les épinards à la marguerite après les avoir salés un peu puis les disposer au fond d'un plat pouvant aller au four. Couvrir les épinards des pommes de terre tranchées puis disposer pardessus les filets de poisson. Couvrir de sauce blanche parfumée à l'aneth (frais, si possible) puis saupoudrer le plat de fromage râpé et de paprika. Cuire pendant 1 heure à environ 325-350 F. (160-175 C). Servir avec des morceaux de citron.

Galettes aux oignons

1 gros oignon par personne
Farine de blé entier
Crème ou lait
Huile d'olive
Sel, poivre et thym

Faire une pâte assez épaisse avec de la farine et de l'eau puis y mêler l'huile, la crème, le sel, le poivre et le thym. Laisser reposer cette pâte. Peu avant la cuisson, hacher les oignons, les faire dorer dans un peu d'huile, les mêler à la pâte. Préparer à la main des galettes d'un cm (1/2 po) d'épaisseur et les faire frire dans un peu d'huile. Servir ces galettes avec des tranches de tomates sautées dans un peu d'huile avec de l'ail émincé, du persil, du basilic (frais, si possible). Poser une noix de beurre sur chaque galette avant de servir.

Galettes de sarrazin (fourrées)

3 tasses de farine de sarrazin
4 tasses de lait
1 c. à thé de sel
1/2 c. à thé de poudre à pâte
1 c. à thé de bicarbonate de soude
2 oeufs

Battre les oeufs, y ajouter le lait puis les ingrédients secs tamisés ensemble. Laisser reposer au moins 5 minutes puis cuire avec un peu de shortening dans une poêle très chaude. Servir avec du beurre fondu, de la mélasse ou du sirop d'érable ou remplir de la garniture suivante: pour chaque crêpe, compter 2 grosses échalotes, 1 gros champignon, 1 branche de persil, 1 c. à soupe de crème fraîche, 1 c. à soupe d'huile d'olive et 1 pincée de sel; hacher les échalotes, les faire fondre dans l'huile puis y ajouter le persil et les champignons et faire dorer le tout en mêlant bien. Ajouter la crème, assaisonner et fourrer les crêpes de cette garniture. Les mêmes galettes peuvent être garnies de pommes tranchées saupoudrées de cannelle et cuites dans le beurre. Passer les crêpes bien roulées au four avant de les servir.

Omelette aux lactaires

Nettoyer et trancher des lactaires en morceaux assez gros puis les faire sauter jusqu'à ce qu'ils commencent à dégorger leur eau dans un peu de beurre avec une pointe d'ail. Pendant ce temps, battre les oeufs avec un peu de lait, de beurre fondu, du sel, du poivre et du thym et jeter ce mélange sur les champignons répartis le plus également possible dans la poêle. Couvrir et cuire à feu très doux le temps requis.

Pissaladière (pizza aux oignons)

Pâte à pain (faite à la maison ou achetée dans une pâtisserie), huile d'olive, gros oignons, 3 caïeux d'ail, 1 clou de girofle, le laurier dans deux cuillers à table d'huile d'olive. Frire le tout lentement jusqu'à ce que les oignons aient pris une belle couleur dorée. Remplir le fond d'une plaque à biscuits graissée puis farinée de la pâte à pain (qu'on peut étendre plus facilement en l'humectant de quelques gouttes d'huile d'olive). Y étendre les oignons après en avoir retiré le clou de girofle et le laurier; poivrer généreusement et couvrir avec des olives tranchées et des filets d'anchois (qu'on a pu dessaler un peu en eau glacée). Faire cuire pendant 15 minutes à four vif (450 F., soit 230 C.) et servir aussitôt.

Poisson au court-bouillon

4-5 livres (2-2 1/2 kilos) de poisson frais
Une carotte, un oignon et 2-3 branches de céleri hachées
2 c. à soupe de vinaigre
Persil, feuilles de laurier, sel et poivre

Amener au point d'ébullition ce qu'il faudra d'eau pour couvrir le poisson après y avoir déposé les légumes hachés et les assaisonnements. Puis, déposer le poisson dans l'eau, y verser le vinaigre et mijoter jusqu'à ce que le poisson soit cuit. Servir le poisson avec des morceaux de citron et de petites branches de persil. Servir avec un légume vert et des pommes de terre.

Ratatouille au riz (6 personnes)

6 cuillers à soupe d'huile d'olive
3 caïeux d'ail émincé
2 oignons moyens émincés
2 petites aubergines
2 piments verts (poivrons)
3 grosses tomates bien mûres
Sel, poivre, estragon, thym, laurier
Une pincée de safran

Faire dorer l'ail et les oignons émincés dans l'huile d'olive. Ajouter ensuite les aubergines et les piments coupés en morceaux d'une bouchée et 10 minutes plus tard, ajouter le riz non cuit. Mêler pendant quelques minutes, assaisonner et aromatiser puis couvrir d'eau (en quantité correspondant à deux fois le volume du riz employé). Couper les tomates et les joindre au reste puis cuire pendant 20-25 minutes à feu doux.

Ratatouille d'été (6 personnes)

Courgettes, tomates, piments verts (poivrons), une aubergine moyenne, trois gros oignons, deux caïeux d'ail, 4 c. à soupe d'huile d'olive.

Faire dorer l'ail et les oignons émincés dans l'huile. Ajouter les piments et l'aubergine coupés en morceaux d'une bouchée. Mijoter le tout pendant 20 minutes puis ajouter les tomates coupées en morceaux. Cuire 15 minutes encore et ajouter les courgettes, le sel et le poivre. Ajouter des herbes au goût (basilic, origan, estragon...) et une pincée de safran. Couvrir et cuire 1 heure à feu très doux. Servir avec du riz ou du millet cuit à part.

Riz espagnol

1 tasse de riz
5 c. à soupe d'huile d'olive

273

3 gros oignons
2 piments verts (poivrons)
1 tasse de tomates en conserve
1 c. à thé de sel
1/2 c. à thé de paprika
1 c. à table de sucre
1 tasse d'eau chaude

Faire sauter le riz dans l'huile d'olive puis y mêler les oignons et les piments émincés. Frire à feu doux pendant 10 minutes puis ajouter les tomates, le sucre, le sel, le paprika. Cuire 5 minutes encore puis ajouter l'eau et mijoter jusqu'à ce que le riz soit tendre.

Sauce aux tomates

1 oignon
3-4 caïeux d'ail
2-3 branches de céleri
2 piments verts (poivrons)
2 grosses boîtes de tomates entières
1 petite boîte de pâte de tomates
Champignons

Huile d'olive. Une pincée de sucre (pour corriger l'acidité des tomates). Sel, poivre, feuilles de laurier, petits piments rouges forts (1 ou 2), origan, basilic, romarin.

Faire frire dans l'huile d'olive l'ail, les oignons et le céleri émincés. Ajouter ensuite les poivrons et les faire revenir, puis les tomates entières et le concentré. Incorporer les autres ingrédients et mijoter le tout pendant 2-3 heures à feu doux et le chaudron couvert. N'ajouter les champignons coupés en gros morceaux qu'à la dernière demi-heure de cuisson. Pour ne pas coller ensemble, les pâtes doivent être cuites rapidement, dans beaucoup d'eau avec du sel et quelques gouttes d'huile.

Beignes (4 douzaines environ)

4 c. à table de beurre
3 oeufs (jaunes et blancs séparés)
1/2 tasse de lait
1 tasse de sucre
4 tasses de farine
3 c. à thé de poudre à pâte
1 1/2 c. à thé de sel
Macis ou cannelle au goût

Défaire le beurre en crème et y incorporer le sucre. Ajouter, en mêlant bien le tout, les jaunes d'oeufs battus et le lait. Mêler, dans un autre bol, la farine, la poudre à pâte, le sel et le macis. Incorporer les deux mélanges. Puis, battre les blancs d'oeufs en neige et les mêler délicatement avec une fourchette au mélange. Refroidir la pâte couverte au frigo pendant une heure puis la rouler sur une surface enfarinée à une épaisseur de 1/2 cm (1/4 po). Découper la pâte. Frire les beignes dans du shortening chauffé à 275 F. (135 C.), puis les égoutter dans une passoire. Les beignes de surplus pourront être congelés dans un sac ou un contenant de plastique; ils mettront une heure à dégeler, une fois sortis du congélateur.

Biscuits au chocolat

6 oeufs (jaunes et blancs séparés)
1 tasse de farine
3 c. à soupe de chocolat amer
2 tasses de sucre

Battre les jaunes d'oeufs avec le sucre et le chocolat. Y ajouter les blancs d'oeufs battus en neige ferme. Incorporer la farine et rouler la pâte à 1/2 cm (1/4 po) d'épaisseur. La découper et cuire les biscuits à 350-400 F. (175-190 C.), pendant 10-15 minutes.

Biscuits au gruau

Un bon morceau de beurre
2 oeufs (jaunes et blancs séparés)
1/2 tasse de cassonade
1 1/2 tasse de flocons d'avoine
1 1/2 tasse de farine
1 c. à thé de poudre à pâte
Épices au goût (cannelle, muscade, macis...)
1/2 tasse de lait
1 c. à thé de bicarbonate de soude
Cerises confites, raisins secs, noix hachées

Défaire le beurre en crème. Y incorporer les jaunes d'oeufs et la cassonade battus ensemble. Ajouter les ingrédients secs tamisés ensemble (flocons d'avoine, farine, poudre à pâte et épices), en alternant avec le lait et le bicarbonate déjà mêlé (pour faire surir le lait). Mêler ensuite au mélange les raisins secs et les noix hachées enduits de farine, puis les blancs d'oeufs bien battus. Déposer le mélange avec une cuiller sur une plaque à biscuits beurrée et cuire 10-15 minutes à 300-325 F. (150-160 C.).

Blanc-manger

2 tasses de lait chaud
1/4 de tasse de sucre
1/8 de c. à thé de sel
4 c. à soupe rases de fécule de maïs
1/4 de tasse de lait froid
1/2 c. à thé de vanille (ou autre essence)

Mêler la fécule, le sucre et le sel au lait froid. Ajouter lentement au lait chaud placé dans la partie supérieure d'un bain-marie. Brasser le tout jusqu'à épaisissement puis couvrir et cuire à feu doux pendant 45 minutes en brassant bien le mélange à toutes les 10 minutes. Retirer du feu, ajouter la vanille et verser dans un moule préalablement mouillé. Mettre au froid et servir soit avec des fruits, soit avec des confitures et des biscuits.

Brittle d'arachides

4 tasses de sucre
2 tasses d'eau
4 tasses d'arachides écalées non salées

Faire fondre le sucre dans l'eau puis faire bouillir le tout dans un chaudron découvert jusqu'à ce que ça prenne une consistance de sirop épais. Pendant ce temps, étendre également les arachides sur deux plaques à biscuits de métal bien huilées. Verser le sirop légèrement caramélisé sur les arachides. Mettre au réfrigérateur puis défaire le brittle en morceaux et le conserver au sec.

Carrés aux dattes

1 1/2 tasse de flocons d'avoine
1 1/2 tasse de farine
1 c. à thé de bicarbonate de soude
1 tasse de cassonade bien pressée
1 c. à thé de sel
3/4 de tasse d'huile d'olive ou de tournesol

Garniture:

3 tasses de dattes
1/2 tasse de cassonade bien pressée
1 tasse d'eau
1/2 tasse de noix de grenoble hachées

Mêler d'abord dans un chaudron les dattes, l'eau et la cassonade et cuire le tout à feu doux, en brassant souvent, pendant 10-15 minutes. Quand c'est cuit, ajouter les noix et laisser refroidir.

Mêler dans un grand bol les flocons d'avoine, la farine, le bicarbonate de soude, la cassonade et le sel. Y incorporer l'huile et travailler le mélange avec les doigts. Presser la moitié de ce mélange au fond d'un moule graissé. Le recouvrir de la garniture puis du reste du mélange. Presser un peu le tout avec les doigts et le cuire à 350 F. (175 C.), pendant 25-30 minutes, jusqu'à ce que la surface de la pâte soit dorée. Laisser ensuite refroidir et découper. Les figues se prêtent à la même préparation mais doivent être mises à gonfler dans l'eau avant d'être cuites.

Crème au sirop d'érable

1 tasse de sirop d'érable
2 blancs d'oeufs battus en neige (on peut se servir des jaunes qui restent pour épaissir une soupe).

Faire bouillir le sirop d'érable et le jeter bouillant, petit à petit, sur les blancs d'oeufs, en fouettant vivement le tout. Servir sur du blanc-manger ou du yogourt (voir recettes) avec des biscuits ou du gâteau.

Galettes à la mélasse

4 tasses de farine
1 tasse de beurre fondu
1 oeuf battu
1/2 tasse de lait
1 tasse de mélasse
1 tasse de sucre
4 c. à thé de gingembre moulu
1 c. à thé de bicarbonate de soude
2 c. à thé de poudre à pâte

Mêler bien le beurre fondu et le sucre puis y incorporer l'oeuf battu et la mélasse. Dissoudre le bicarbonate de soude dans le lait pour le faire surir. Ajouter la farine, le gingembre et la poudre à pâte tamisés ensemble au premier mélange puis le lait. Rouler à environ 1 cm (1/2 po) d'épaisseur, découper et cuire sur une plaque à biscuits beurrée à 325-350 F. (160-175 C.) pendant 10-15 minutes.

Gâteau aux bananes

1/2 tasse de beurre défait en crème
1 tasse de sucre
2 oeufs battus
3 bananes bien mûres écrasées
4 c. à soupe de lait sur

1 c. à soupe de bicarbonate de soude
2 tasses de farine
2 c. à thé de poudre à pâte
1/4 de c. à thé de sel
1 c. à thé de vanille

Mêler ensemble le beurre et le sucre. Puis y incorporer les bananes écrasées et, alternativement, les oeufs battus et les ingrédients secs (farine, poudre à pâte et le sel). Ajouter ensuite le lait sur et le bicarbonate de soude mêlés ensemble, puis la vanille. Cuire à 370 F. (185 C.) pendant 30-45 minutes.

Gâteau au café

1/2 tasse de beurre
2 oeufs
1 7/8 tasse de farine
1/4 de c. à thé de clou de girofle
1/2 c. à thé de cannelle
1 tasse de sucre
1/2 tasse de café très fort tiède
2 1/2 c. à thé de poudre à pâte
1/4 c. à thé de muscade
1/2 tasse de raisins et de fruits confits

Mettre le beurre en crème avec la moitié du sucre. Battre les oeufs et le reste du sucre et les incorporer au premier mélange. Tamiser ensemble la farine, les épices et la poudre à pâte et les ajouter au mélange en alternant avec le café tiède. Ajouter les raisins secs et les fruits confits après les avoir enduits de farine. Cuire pendant 45-50 minutes dans un moule graissé à 325-350 F. (160-175 C.).

Gâteau au chocolat

1 3/4 tasse de farine
1 1/2 tasse de sucre brun
1/2 tasse de beurre

2 c. à thé de vanille
1/2 tasse de lait sur (et 1/2 c. à thé de bicarbonate de soude)
3 c. à thé de poudre à pâte
2 oeufs battus
1/2 tasse de cacao
1/2 tasse d'eau bouillante
1/2 c. à thé de sel

Défaire le beurre en crème et y mêler le sucre. Ajouter les oeufs battus en alternant avec les éléments secs tamisés ensemble; ajouter ensuite le lait et le bicarbonate de soude mêlés puis l'eau bouillante et la vanille. Bien battre le tout et cuire pendant 45 minutes environ, à 350-375 F. (175-190 C.). Pour faire le glaçage, battre quelques cuillers à soupe de beurre, y ajouter un oeuf; bien mêler puis ajouter quelques cuillers à soupe de chocolat et autant de sucre en poudre nécessaire pour obtenir un mélange onctueux. N'enduire le gâteau de ce glaçage qu'une fois bien refroidi. On peut parsemer ce gâteau de noix de Grenoble hachées et de cerises.

Gâteau aux épices

1 tasse de mélasse
2 c. à thé de bicarbonate de soude
1/2 tasse de cassonade
3/4 de tasse de crème sure (ou lait caillé)
1 oeuf battu
1 c. à thé de clou de girofle moulu
2 c. à thé de cannelle
2 c. à thé de gingembre
1/2 c. à thé de muscade
1/2 c. à thé de sel
1 1/2 tasse de farine de sarrazin
1 1/2 tasse de farine de blé

Mêler la mélasse et le bicarbonate de soude. Ajouter tour à tour la cassonade, l'oeuf battu et la crème sure. Incorporer les ingrédients secs (sel, épices, farine) tamisés ensemble. Cuire dans un moule graissé, à 350 F. (175 C.) pendant environ 45 minutes.

Gâteau au miel

2 oeufs
1 tasse de sucre
1 tasse de miel
5 c. à soupe d'huile d'olive
2 2/3 tasses de farine
1 c. à thé de bicarbonate de soude
1/2 c. à thé de sel
1/2 c. à thé de cannelle
1/2 c. à thé de quatre-épices (ou mélange équivalent de muscade et de gingembre)
1/2 c. à thé de clou de girofle moulu
1 tasse de thé très fort tiède

Battre les oeufs puis y incorporer le sucre et ensuite, le miel et l'huile. Incorporer les ingrédients secs (farine, bicarbonate de soude, sel, épices) en alternant avec le thé. Cuire 35 minutes ou plus à 350 F. (175 C.) dans un moule graissé. Servir tiède ou froid avec du thé ou du café.

Gâteau marbré (de luxe)

Il s'agit d'un gâteau à deux mélanges, l'un plus léger que l'autre, qu'on verse l'un sur l'autre dans le plat à cuire, et qui donne au produit final de belles marbrures brunes et dorées:

Mélange léger:
3 blancs d'oeufs battus en neige
1 tasse de sucre
1/2 tasse de beurre
1/2 tasse de lait
2 tasses de farine
2 c. à thé de poudre à pâte

Mêler ensemble le sucre et le beurre. Y incorporer le lait en alternant avec la farine et la poudre à pâte tamisées. Puis, y mêler délicatement les blancs d'oeufs battus en neige ferme.

Mélange lourd:

3 jaunes d'oeufs
1/2 tasse de cassonade
1/4 de tasse de beurre
1/2 tasse de mélasse
1/4 de tasse de lait
1/2 c. à thé de muscade
1 c. à thé en tout de chocolat, cannelle et clou de girofle moulu
2 tasses de farine
2 c. à thé de poudre à pâte
1/4 de tasse de raisins secs
1/4 de tasse de fruits confits
1/4 de tasse de noix de Grenoble hachées

Mêler ensemble la cassonade et le beurre. Ajouter la mélasse et les jaunes d'oeufs. Incorporer ensuite le lait en alternant avec les ingrédients secs (épices, chocolat, farine, poudre à pâte). Mêler ensuite au mélange les raisins secs, les noix et les fruits confits préalablement enrobés de farine.

Verser le mélange lourd sur le mélange léger sans mêler. Cuire 30-40 minutes ou plus, à 350 F. (175 C.). Ne pas oublier de beurrer le moule avant d'y verser la pâte.

Gâteau sans feu de luxe

1/2 livre (225 grammes) de doigts de dame (achetés dans une pâtisserie)
10 c. à table de beurre
1 tasse de sucre
4 c. à soupe de chocolat amer
2 jaunes d'oeufs battus
1 tasse de crème 35% (à fouetter)
3/4 de tasse d'amandes broyées

Couper les doigts de dame en deux, les dresser en lit dans un plat à gâteau en leur donnant la forme désirée. Mettre le beurre en crème, y mêler le sucre, les jaunes d'oeufs battus et le chocolat (ce mélange est très épais). Étendre délicatement cette crème sur les doigts de dame et faire refroidir. Couvrir ensuite de la crème fouettée puis des amandes broyées. Servir froid.

282

Pain aux raisins et aux noix

2 c. à soupe de beurre
1/2 tasse d'eau bouillante
1/3 de tasse de jus d'orange
Zeste râpé de l'orange
1/2 tasse de sucre
1 oeuf battu
1 1/2 tasse de fruits confits hachés et raisins secs
1/2 tasse de noix hachées
1/2 c. à thé d'essence d'amande
2 1/4 tasses de farine
1/2 c. à thé de sel
2 c. à thé de poudre à pâte
1/4 c. à thé de bicarbonate de soude

Faire chauffer le four à 325 F. (160 C.) puis graisser un moule à pain ordinaire. Placer le beurre dans un grand bol, y mêler l'eau bouillante et bien battre. Ajouter ensuite, tour à tour, le zeste râpé et le jus de l'orange, le sucre, l'oeuf battu, les fruits secs confits, les noix hachées et l'essence d'amande. Tamiser ensemble la farine, le sel, la poudre à pâte et le bicarbonate de soude et les incorporer au premier mélange, en battant bien le tout qui est d'une consistance grumeleuse. Verser la pâte dans le moule et cuire 1 1/4 heure environ. Laisser refroidir avant de démouler.

Pouding aux amandes (très riche)

3 c. à soupe de gélatine
1 tasse d'eau bouillante
1 tasse de crème 35% (à fouetter)
1/2 tasse d'amandes broyées
2 oeufs
1 tasse de sucre
1 c. à thé de jus de citron

Dissoudre la gélatine dans un peu d'eau tiède, y ajouter l'eau bouillante. Bien mêler le tout et laisser refroidir (mais sans laisser prendre). Fouetter la crème et y incorporer délicatement les amandes (grossièrement concassées puis passées dans un moulin à café ou au mortier et au pilon). Battre à part les oeufs et le sucre. Quand la gélatine est refroidie, y incorporer les oeufs et le sucre puis la crème fouettée et les amandes ainsi que le jus de citron, en mêlant délicatement le tout. Refroidir et servir avec des biscuits.

Pouding au pain

Mêler ensemble:
3 tasses de lait
4 oeufs battus
1 tasse de sucre
1/4 de livre (100 grammes environ) de beurre
1 c. à table de vanille
Raisins secs

Verser sur les morceaux de pain sec disposés au fond d'un plat à gratiner. Faire dorer au four à 350 F. (175 C.) pendant le temps requis.

Pouding au riz

4 tasses de lait
1 tasse de riz non cuit
1/2 c. à thé de sel
1/4 de tasse de sucre brun
Raisins secs
Muscade

Laver le riz et le mêler aux autres ingrédients (sauf les raisins secs). Mettre le tout dans un plat à gratiner beurré. Cuire 2 heures environ à 300 F. (150 C.). Brasser le mélange trois ou quatre fois pendant la première heure de cuisson, deux fois pendant la seconde. Les raisins sont incorporés au pouding à la deuxième heure. C'est cuit quand une croûte dorée s'est formée sur le pouding.

Tarte à la citrouille

Cuire dans une pâte à tarte ordinaire le mélange suivant: 1 tasse de purée de citrouille à laquelle on ajoute, dans l'ordre, en battant bien: 1 oeuf, 1 1/2 tasse de sucre, 1 craquelin finement broyé, 1/2 c. à thé de gingembre, 1/2 c. à thé de muscade, 1/2 c. à thé de cannelle, une pincée de sel, et finalement 1/2 tasse de lait. Cuire à 350 F. (175 C), sans couvrir de pâte, jusqu'à ce que le mélange forme une belle croûte dorée.

CONSERVES DE LÉGUMES

Catsup vert cuit

3 paniers de tomates vertes
1 terrine (environ 1 1/2 kilo)
2 pieds de céleri
4 piments verts
6 poires
6 pêches mûres pelées
1 livre (450 grammes) de cassonade
1-2 bouteilles de vinaigre
2 c. à soupe de moutarde sèche
1 c. à thé de clous de girofle entiers
Épices au goût
Gros sel

Trancher les tomates et les placer en rangs dans un chaudron à confire en jetant un peu de gros sel (mais pas trop) entre chaque rang. Le lendemain, jeter l'eau dégorgée, ajouter les légumes et les fruits hachés et le reste des ingrédients aux tomates et cuire le tout à feu doux pendant 3 heures. Empoter chaud et sceller.

Céleri mariné

Mêler dans un grand chaudron à confire (on peut couper les proportions de moitié): 6 pieds de céleri hachés finement, 2 gros oignons émincés, 1/4 de livre (100 grammes environ) de moutarde sèche, 1/8 de livre de graines de moutarde, 1 c. à soupe de poivre, 1 c. à soupe de sel, 1 1/2 livre (675 grammes) de cassonade, 1 c. à thé de curcuma et 4 tasses de vinaigre. Cuire jusqu'à ce que le céleri soit tendre. Empoter aussitôt et sceller.

Choucroute

À l'aide d'une râpe spéciale ou d'un bon couteau à légumes, hacher finement des choux blancs d'hiver. Puis, au fond d'un pot de grès ou d'un baril de bois très propre, disposer une bonne couche de sel marin puis une couche de 15 à 20 cm (6-8 po) d'épaisseur de chou râpé. Jeter dessus des graines de carvi (ou des condiments comme: poivre en grains, thym, feuilles de laurier, marjolaine, baies de genièvre, clous de girofle entiers, muscade râpée, ail, coriandre) puis une bonne poignée de sel marin (il faut compter une livre, 450 grammes, de sel marin pour dix choux). Chaussé de bottes de caoutchouc, monter sur cette couche et la presser jusqu'à ce que son volume ait diminué de moitié (ceci est important pour éviter que l'air ne fasse fermenter la choucroute). Remplir ainsi le baril par étages jusqu'à 15 à 20 cm (6-8 po) du bord. Couvrir le chou de saumure (mettre 100 g (1/4 de lb) de sel par 4 tasses d'eau). Ensuite, placer à la surface de la choucroute quelques feuilles de chou sur lesquelles on placera un couvercle de bois au diamètre de celui de l'ouverture du baril et, par-dessus, une grosse pierre lourde. Une semaine plus tard, enlever la pierre, le couvercle et les feuilles de chou, changer la saumure et recouvrir (répéter l'opération à chaque semaine pendant un mois). La choucroute est prête à être consommée environ un mois après sa préparation. On prend alors la quantité voulue, on la lave à l'eau claire, on l'égoutte et on la sert, cuite ou crue, en salade. Pour conserver la choucroute pendant longtemps, changer la saumure à quelques reprises, à tous les mois ou deux mois. La choucroute doit être conservée dans un endroit très frais et à l'ombre.

Le meilleur temps de l'année pour la préparer est le mois d'octobre (avant, il fait trop chaud et les risques de fermentation sont d'autant plus grands). Les navets, les carottes et les betteraves se prêtent à la même préparation et sont tout aussi savoureux en plus d'être une source de vitamines et de sels minéraux appréciable.

Conserve de blé d'Inde (maïs) en grains

Blanchir les épis 15 minutes en eau bouillante puis les jeter en eau froide un moment. À l'aide d'un bon couteau, égrener les épis. Remplir les pots, les couvrir d'eau bouillante salée (1 c. à thé de sel par pot de 4 tasses). Stériliser les pots pendant trois heures puis les sceller.

Conserve de tomates entières

Prendre de belles grosses tomates très mûres, les blanchir (les passer dans l'eau bouillante jusqu'à ce que la peau se détache de la chair), les passer dans l'eau froide. Les peler puis les faire bouillir pendant 20 minutes et les écraser en purée. Choisir ensuite de petites tomates mûres et fermes, les blanchir, les passer dans l'eau froide, les peler et les mettre dans les pots. Les couvrir de la purée des tomates en ajoutant 1 c. à thé de sel par quatre tasses. Placer les rondelles de caoutchouc et les couvercles sur les pots mais sans les visser complètement. Stériliser les pots dans l'eau bouillante pendant 30 minutes puis les sceller.

Marinade de tomates mûres

36 belles tomates mûres
3 pieds de céleri finement hachés
1 oignon finement haché
2 piments finement hachés

1 c. à soupe de sel
7 tasses de vinaigre
3 grosses c. à soupe de cassonade

Mêler et bouillir le tout à feu doux pendant 2 heures. Empoter chaud et sceller.

Marinade de tomates vertes

1 terrinée (1 1/2 kilo environ) de choux finement hachés
1 terrinée d'oignons émincés
1 terrinée de tomates vertes hachées

Mettre les légumes pendant une nuit dans une saumure faible. Le lendemain, jeter la saumure et faire bouillir le vinaigre avec un sac d'épices contenant des clous de girofle, du poivre noir, de la cannelle et un poivron haché. Jeter le sac d'épices et ajouter le vinaigre aux légumes et faire cuire le tout pendant 3 heures à feu doux. Empoter chaud et sceller.

Tomates vertes marinées

Blanchir 1-2 minutes des petites tomates vertes. Piquer dans chacune, sans les peler, 3 clous de girofle. Jeter les tomates dans du vinaigre légèrement sucré qui bout déjà. Cuire le tout pendant 20 minutes, sans couvrir le chaudron. Placer dans les pots stérilisés et jeter le vinaigre par-dessus pour couvrir les tomates. Le vinaigre employé peut avoir été additionné d'une partie d'eau.

CONSERVES DE FRUITS

Confiture de cerises

Faire bouillir doucement, pendant 20 minutes, 10 livres (4,5 kilos environ) de cerises dans 4,5 litres (1 gallon) d'eau (les queues de cerises peuvent être gardées et séchées pour en faire des infusions diurétiques). Ajouter 12 livres (5,4 kilos environ) de sucre et faire bouillir à haut feu pendant 4-5 minutes. Laisser refroidir complètement puis emplir les bocaux des cerises puis du sirop. Stériliser les pots pendant 16 minutes puis sceller aussitôt.

Confiture de citrouille

Une citrouille de 8 livres (3,6 kilos)
6 livres (2,7 kilos) de sucre
3 citrons (zeste râpé et jus)
Gingembre et muscade au goût

Peler puis couper la citrouille (en mettant de côté les graines qui, débarassées des filaments, seront frites dans l'huile et le sel au four). Trancher la citrouille en petits morceaux puis la couvrir du sucre et la laisser dégorger son eau pendant 12 heures. Mijoter ensuite le tout pendant deux heures, jusqu'à transparence des morceaux. Retirer les morceaux du sirop avec une cuiller à trous puis les passer au tamis et les remettre en purée dans le sirop. Bien mêler le tout et, quand le mélange recommence à bouillir, incorporer le zeste râpé et le jus des 3 citrons. Parfumer de gingembre et de muscade.

Mettre ensuite dans les pots stérilisés et sceller.

Confiture de marrons

Éplucher et faire cuire, jusqu'à ce qu'ils soient tendres, plusieurs livres de marrons. Les égoutter, les peser, les hacher puis, dans une

quantité égale (en poids) de miel et 3 c. à thé d'eau de fleur d'o-
ranger et 1/4 de c. à thé de vanille par livre (1/2 kg) de marrons, les
cuire à feu doux jusqu'à consistance épaisse en les brassant fréquemment. Mettre en pots et sceller. Ne pas abuser de cette confiture
qui est un peu difficile à digérer.

Confiture de rhubarbe

4-5 livres (2-2 1/4 kilos) de rhubarbe non pelée, lavée et coupée en
morceaux
5 livres (2 1/4 kilos) de sucre
2 citrons (zeste râpé et jus)
5 tasses de pectine naturelle (voir recette)

Placer la rhubarbe préparée dans un chaudron avec juste assez
d'eau pour la couvrir. Bouillir doucement et quand la rhubarbe
commence à se défaire, ajouter les autres ingrédients et cuire jusqu'à
épaississement. Mettre en pots stérilisés et sceller.

Gelée de canneberges

4 tasses de canneberges
1 tasse d'eau
1 3/4 tasse de sucre

Porter l'eau à ébullition et y jeter les canneberges. Couvrir et
cuire à feu doux jusqu'à l'éclatement des baies, 15 minutes environ.
Ajouter le sucre et bouillir encore 5-10 minutes. Couler dans des pots
de grès ou de verre et conserver au froid.

Gelée de raisins sauvages

Laver les grappes puis les débarrasser des raisins secs ou verts.
Les étiger et les faire cuire dans le moins d'eau possible jusqu'à ce

qu'ils soient tendres. Les écraser au pilon puis faire égoutter le tout dans un sac de coton-fromage pendant 12 heures. Faire bouillir le jus obtenu pendant 20 minutes, le mesurer et ajouter, en tasses, autant de sucre, en l'incorporant petit à petit, après l'avoir fait chauffer au four. Faire cuire dix minutes, à feu vif, jusqu'à ce que ça prenne la consistance d'une gelée. Ajouter de la pectine naturelle à raison d'une tasse par livre (1/2 kilo) de sucre employé (celle-ci est incorporée au mélange 3-4 minutes avant la fin de la cuisson).

Marmelade d'oranges

6 oranges
1 citron
11 tasses d'eau froide
7 tasses de sucre

Peler les oranges et bouillir les écorces dans l'eau jusqu'à ce qu'elles soient transparentes; les laisser refroidir puis les trancher en fines lanières. Hacher les oranges et les citrons, les couvrir d'eau froide et les faire macérer pendant 12 heures ou plus. Le lendemain, faire bouillir les fruits et les écorces tranchées pendant 3 heures. Y incorporer le sucre et cuire une heure encore, jusqu'à ce que ça prenne une consistance épaisse. Verser chaud dans les bocaux stérilisés, sceller et conserver au froid.

Marmelade de rhubarbe

5 livres (2 1/4 kilos) de rhubarbe coupée en morceaux
6 livres (2,7 kilos) de sucre
1/2 livre (225 grammes) d'amandes hachées
2 citrons
1 1/2 tasse d'eau

À la rhubarbe préparée, ajouter les citrons hachés finement, l'eau et le sucre. Bouillir jusqu'à épaississement. Retirer du feu et incorporer les amandes. Conserver au froid.

Marmelade de trois fruits

    1 pamplemousse
    6 oranges
    3 citrons

Peler le pamplemousse et les citrons et en jeter les écorces. Trancher finement les oranges non pelées et hacher la pulpe du pamplemousse et des citrons. Pour chaque 2 tasses de fruits obtenues, compter 2 1/4 tasses d'eau froide, en couvrir les fruits et faire macérer le tout pendant 12 heures. Cuire jusqu'à ce que les fruits soient tendres. Mesurer de nouveau les fruits et mettre une quantité égale de sucre. Cuire jusqu'à ce que ça prenne la consistance d'une gelée.

RECETTES DIVERSES

Bière

    10 livres (4,5 kilos) de sucre
    4 tasses de mélasse
    3 paquets de houblon
    2 boîtes de malt
    2 sachets de levure sèche
    10 gallons (45 litres) d'eau

Déposer le sucre, la mélasse et le malt dans un récipient. Couvrir d'eau chaude et brasser. Mettre le houblon dans un sac de coton et le faire bouillir dans 1 1/2 gallon (7 litres) d'eau pendant 15 minutes et ajouter ce liquide au premier mélange, en brassant bien le tout. Délayer la levure dans un peu d'eau tiède et laisser reposer 15 minutes puis la mettre dans le baril et bien l'incorporer. Laisser fermenter pendant 8-10 jours puis siphonner dans les bouteilles.

Granola

4 tasses de flocons d'avoine
1 1/2 tasse de coco râpé
1 tasse de germe de blé
1 tasse de graines de tournesol décortiquées
1/2 tasse de graines de sésame
1/2 tasse de graines de lin
1/2 tasse de son de blé
1 tasse de fèves soya grillées
1/2 tasse d'huile de tournesol
1/2 tasse de miel (ou sucre brun à la rigueur)
1 1/2 c. à thé de vanille (ou essence d'amande)

Mêler tous les éléments secs dans une grande poêle ou une lèche-frite. Chauffer les liquides (huile, miel et vanille). Verser lentement le mélange liquide sur le mélange sec en brassant bien de sorte que le tout soit homogène. Chauffer le four à 325 F. (160 C.) et cuire le granola 15-30 minutes en brassant fréquemment, surtout les 5 dernières minutes de cuisson. Cette recette est la recette de base; on peut ajouter au granola, au goût, des raisins ou des bleuets secs, des noix hachées, des fruits confits. C'est une recette assez dispendieuse mais très nutritive. La granola se sert avec du lait et des fruits frais coupés.

Muësli (céréale pour enfants)

Flocons d'avoine broyés
Lait en poudre
Pommes séchées (ou fraîches)
Raisins de Corinthe
Noix moulues
Sucre brun
Farine de seigle et seigle concassé
Germe de blé
Un peu de sel

Mêler tous ces ingrédients et les empoter. Quand on sert le muësli, on n'a qu'à le mettre à tremper quelques minutes dans du lait chaud puis à le brasser. On peut le servir avec des fruits coupés.

293

Yogourt (Yaourt)

Amener 4 tasses de lait au point d'ébullition puis l'amener à 115-118 F. (45 C.), en contrôlant la température avec un thermomètre. Ajouter une enveloppe de culture bactérienne au lait, bien l'incorporer et verser le lait dans des contenants de verre stériles. Placer les contenants dans une casserole pouvant aller au four, verser de l'eau tiède (45 C.) dans la casserole jusqu'au col des contenants. Couvrir la casserole et la faire incuber au four à 45 C. La coagulation demande environ 3 1/2 heures ou plus. Déposer le yogourt au froid avant de le consommer. Les préparations suivantes se font en comptant 3 c. à soupe de yogourt déjà fait par 4 tasses de lait. Au bout d'un mois, il faut renouveler la culture bactérienne. On peut obtenir ces cultures, au Québec, en écrivant à: Institut Rosell de bactériologie laitière Inc., 1000 Boul. Bédard, Chambly, Qué.

ANNEXE

UN MYTHE:
LE PSILOCYBE QUEBECENSIS
(une interview avec René Pomerleau,
l'un des plus grands spécialistes des champignons du Québec)

C'est à sa maison de Sillery, en banlieue de Québec, que nous avons, cet après-midi là, rencontré, Paul Décarie et moi, celui que beaucoup considèrent comme le plus grand spécialiste des champignons québécois: René Pomerleau. C'est un jeune homme de soixante-douze ans à l'oeil alerte, au verbe libre qui nous a longuement entretenus des choses qui lui tiennent le plus à coeur et auxquelles il a consacré toute sa vie: l'écologie, la protection de la nature, le livre qu'il a récemment réédité aux Éditions de la Presse, mais surtout de celui qu'il est en train de préparer et qui sera ni plus ni moins que la flore complète des champignons charnus du Québec (ce texte est déjà paru dans le numéro 69 de Mainmise et je l'ai reproduit tel quel ici):

RENÉ POMERLEAU: D'abord qu'est-ce que vous me voulez et pour quel journal venez-vous m'interviewer?

MÈRE MICHEL: C'est pour le journal Mainmise...

— Mainmise... c'est quoi ça?

— C'est un journal d'informations culturelles et contre-culturelles...

— C'est pas de l'anti-culture, ça?... C'est pas ce qu'on appelle "underground", ça?

— **En partie...**

— Écoutez, il y a deux ans, un de mes amis médecins m'a montré quelque chose comme ça. J'ai trouvé ça affreux.

— **C'était quoi au juste?**

— Des trucs de narcotiques et tout ce que vous voulez... Je crois qu'il était aussi question de champignons...

— **Nous avons effectivement beaucoup parlé de champignons... J'ai moi-même traduit certains articles américains... Des choses sur Wasson en particulier... Nous avons aussi parlé de Roger Heim, d'Allegro...**

— Ah! bon... Roger Heim est un de mes amis personnels... Il y a évidemment tout ce truc des hallucinogènes du Mexique... Avez-vous lu le *Soma* de Wasson? Le *Soma,* c'est bien ça. Allegro, par contre, c'est de la foutaise. Je comprends qu'il soit arrivé, avec les mots, à démontrer que les religions judéo-chrétiennes étaient, du moins celles du Proche-Orient, fondées sur les champignons. Mais à tout prendre...

— **Est-ce que l'oeuvre de Wasson n'est pas considérée aujourd'hui comme scientifiquement valable?**

— Écoutez... «scientifiquement»... ça donne de bonnes indications mais, vous savez, la preuve scientifique, ça, c'est autre chose; même nous, en sciences naturelles, il faut en faire des preuves. Mais, après ça, il faut que ce soit corroboré. Il faut qu'il y ait des preuves nouvelles nombreuses. La théorie atomique en est une qui a bien marché. Ç'a donné la bombe atomique. Quand on arrive dans l'histoire humaine, dans l'économique, dans la politique, c'est là que les difficultés commencent. Et il y en a encore plus quand on arrive dans l'histoire des religions, des croyances, des mythes... Le langage lui-même... Vous partez du mot paléo-sibérien *pang* et vous arrivez à *sphonga* en grec puis *fungus* en latin... En science, on ne parle même pas de «champignon». Ça, c'est un mot dérivé du palatin *campinio,* c'est-à-dire «qui croît dans les champs». Ça n'a rien à voir.

— **Après toutes les recherches que vous avez faites, auriez-vous tendance à croire que toutes les religions ont tiré leur origine d'un produit hallucinogène?**

— Ça, c'est assez difficile à dire mais il semble bien que, dans certains cas, ces produits ont joué un rôle important. C'est-à-dire au Mexique et probablement aussi, chez nos Indiens d'ici.

— **Les Montagnais?**

— Oui. C'est la grande affaire que je cherche. J'ai donné une conférence là-dessus déjà. Il semble bien que nos Indiens savaient utiliser l'amanite tue-mouches. Il se pourrait que la cérémonie montagnaise de la tente tremblante soit un vestige d'un rite divinatoire basé sur la consommation de l'amanite. Ce n'est que depuis Wasson que nous avons une clé sur le rôle des champignons hallucinogènes...

— **Avez-vous personnellement rencontré des gens qui ont consommé de l'amanite tue-mouches?**

— J'ai entendu parler de certains cas comme celui d'un officier de la Gendarmerie Royale qui avait une propriété dans les bois. Il a vu des champignons qu'il a trouvés très beaux. Il les a fait cuire et les a mangés. Il devait revenir à Québec pour reprendre son service. Mais là, il n'avait plus envie que de dormir tellement il avait de la difficulté à marcher. Il n'a pas perdu la tête et est monté se coucher. Dans l'escalier qui menait à sa chambre, il a vu de gros insectes. Il a fini par s'endormir et n'a même pas été malade. J'ai entendu parler de cas plus graves aussi. Par contre, il y a des gens qui mangent de l'amanite tue-mouches et qui n'ont rien.

— **Par rapport au groupe des amanites, vous avez apporté dans la réédition de votre livre des corrections majeures. C'est ainsi qu'on y apprend que l'amanite phalloïde n'existe pas au Québec mais que nous avons quand même des espèces mortelles. On ne se lance donc pas dans la cueillette des champignons comme dans n'importe quoi.**

— Non, bien sûr que non. Il faut au moins apprendre à connaître les amanites vireuses, bisporigènes, etc., de même que les inocybes et autres espèces dangereuses sinon mortelles.

— **Les cas d'empoisonnement mortel sont quand même assez rares au Québec?**

— Il y en a eu à Ottawa, en 1959. Des Canadiens-Français avaient vu des Italiens ramasser des champignons dans le bois et s'étaient dit qu'ils étaient capables d'en faire autant. Il y a eu deux morts. Ils avaient mangé des amanites vireuses.

— **Est-ce qu'il y a un remède connu contre ce genre d'empoisonnement?**

— Nous avons l'acide thiotique, un enzyme du foie. On a sauvé des vies avec ça aux États-Unis. Mais là-dessus comme dans le reste, il y a des chicanes. C'est un médicament extrait du foie des animaux.

— **Comment avez-vous commencé à vous intéresser aux champignons?**

— Moi, je suis phytopathologiste forestier, c'est-à-dire que j'ai passé ma vie à faire des recherches sur les maladies des arbres. Je ne sais pas si vous avez déjà vu des ormes mourir... La maladie hollandaise de l'orme, c'est moi qui l'ai trouvée pour la première fois au Canada en 1944. À Saint-Ours et à Berthier. Elle est arrivée en France en 1919, aux États-Unis en 1930. De Chine. Nous, je crois qu'elle a été importée ici, à Sorel, pendant la guerre, au moment où on commençait à faire venir des pièces de canon à la Marine Industries. Ces pièces étaient emballées dans du bois d'orme. C'est ainsi que le champignon s'est introduit et a infecté nos arbres.

— **Est-ce qu'on a trouvé un remède, à date, contre cette maladie?**

— Non. On a progressé dans sa connaissance. À tous les ans, depuis vingt-cinq ans, on trouve un remède. Ça ne marche pas.

— **Pouvez-vous nous raconter comment vous êtes venu à écrire ce livre que vous venez de republier aux Éditions de la Presse?**

— C'est dans une chambre d'hôtel, à Rivière-du-Loup, en 1946, que j'ai commencé à écrire ce livre. J'avais un ami avec lequel j'allais aux champignons, à Saint-Aubert, Monsieur Henry Jackson qui faisait d'admirables aquarelles... On a décidé de faire un livre. Il m'a fait les planches que je voulais...

— **Celles qui précisément se trouvent dans votre livre?**

— Oui... En 1951, on a tiré 5 000 copies anglaises et 5 000 copies françaises du livre. Ç'a pris vingt ans pour vendre ça. En fin de janvier dernier, on en a tiré 5 000 nouvelles copies... Cette fois, tout s'est vendu en un mois...

— **Le nouveau livre que vous préparez actuellement, c'est quoi?**

— C'est la flore des champignons charnus du Québec. «Charnu», c'est-à-dire suffisamment tendre pour être consommé. La taille des espèces que décriront cette flore varie de 1/2 à 50 centimètres. Ceci représente, dans ce que nous connaissons, 1 400 espèces.

— **Ce sera donc la somme de toutes vos recherches?**

— Dans ce domaine-là, oui... J'ai aussi songé, à un certain moment, à écrire un livre sur les maladies d'arbres. Mais je me suis dit qu'ici, au Québec...

— **À combien est estimé le nombre total des espèces de champignons microscopiques et autres du Québec?**

— 25 000 espèces environ...

— **Allez-vous proposer des clés nouvelles dans cette flore?**

— Bien sûr...

— **De nouveaux genres aussi?**

— Oui, comme celui des Fuscoboletinus, un genre nouveau que j'ai créé.

— **Quel est votre sentiment par rapport à la prise de conscience écologique qui se fait actuellement au Québec?**

— C'est ambivalent. De l'écologie, j'en fais depuis cinquante ans et il est bien évident qu'il faut corriger un tas de choses. Il est clair que l'automobile, les industries chimiques, la pollution et tout ce qu'on raconte, c'est important. Il est excellent que le public, les jeunes notamment, ait été informé de ces questions-là. Mais on ne va tout de même pas arrêter de vivre à cause de ça. Il y a des gens aujourd'hui, des Européens surtout, qui voudraient qu'on retourne à l'état sauvage. Ils font toutes sortes d'histoires avec ça. Prenez le cas de la rivière Jacques-Cartier. Je ne sais pas si vous êtes au courant. Cette rivière, personne n'y est allé, personne ne peut y aller. J'y suis allé, moi, il y a une trentaine d'années et tout ce que j'ai vu là, c'est un ruisseau, à demi desséché, entre deux montagnes. Avec ça, si on avait fait un barrage, on aurait pu augmenter la puissance du Québec d'un million de kilowattheures. J'ai vu des gens qui ont fait des tas d'histoires, qui en ont profité, de ça comme de la Baie de James. C'est de la foutaise à 90 pour cent. À côté de ça, vous faites des autoroutes, vous détruisez de la bonne terre, vous construisez des villes sur de bons terrains, autour de Montréal, par exemple. Ça, c'est très grave. Qui en parle? Et puis, la pollution, il y en avait beaucoup plus quand j'étais jeune. Dans les campagnes en particulier, avec le fumier, le manque d'hygiène et le reste. On est en train de remettre nos rivières en état de production de poissons. On protège beaucoup mieux nos animaux qu'autrefois. Nous avons sauvé l'oie blanche. Nous avons même donné un exemple au reste du monde avec ça. Au début du siècle, il n'y en avait plus que trois ou quatre mille. Aujourd'hui, certaines années, il y en a 200 000, et partout le long du fleuve, du Cap Tourmente jusqu'à Cacouna. Personne ne parle de ça. D'une part, il y a de l'exagération, de l'autre, on comprend mal la nature. Vous avez des gens qui rouspètent parce qu'on coupe les forêts pour en faire du bois. Quand on sait que, dans notre pays, la forêt se régénère avec une facilité incroyable. On a rouspété parce que le gouvernement a donné, sur la Côte Nord, une concession à la I.T.T. Qu'on coupe des arbres là-bas, dans ces forêts vétustes qui pourrissent plus vite qu'elles ne se régénèrent, où les animaux ne peuvent pas vivre parce que le feuillage est absolument inexistant, il n'y a rien de mieux. À mesure qu'on les coupe, elles se régénèrent. En vingt-cinq, trente ans, elles seront plus belles que jamais. Donc, un manque de connaissance incroyable de ce qu'est la nature. Il faut faire quelque chose pour protéger la nature. Indubitablement. Il faut le faire intelligemment. Mais là, il faudrait remonter jusqu'au judéo-christianisme qui a toujours dit que l'homme était le roi de la nature et que tout le reste était à son service. Ce qui est absolument faux. D'autre part, le loup a le droit de manger ses proies pour survivre... Nous aussi, nous avons le droit de vivre, de manger et de nous chauffer, à condition, bien sûr, de ne pas être trop nombreux. Ici, on contrôle maintenant ça, mais dans des pays comme les Indes, ça continue...

— Est-ce que nous ne sommes quand même pas responsables écologiquement de tout ce qui se passe sur la planète?

— Nous ne sommes pas responsables de ce que, dans des pays qui crèvent la faim, les gens se reproduisent comme des lemmings. Au moins, les lemmings ont l'intelligence d'aller se noyer quand ils sont trop nombreux.

— Quelles seraient les causes de la surpopulation mondiale actuelle?

— Le développement scientifique et technique de l'Ouest d'une part et, de l'autre, la colonisation européenne qui a arrêté les famines, les guerres et les maladies qui agissaient comme agents régulateurs des populations. Dans une certaine mesure, c'est nous qui sommes responsables de tout ça...

— Vous dites qu'avant de pouvoir intervenir dans les processus naturels, il faut une grande connaissance. N'est-il pas, au départ, presque impossible de connaître toutes les implications, et toutes les répercussions possibles d'une intervention, quelle qu'elle soit, dans les processus naturels?

— Écoutez, même les hommes de science, quand ils se mêlent de vouloir tout régler dans la société, pf...! Quand nous sortons de nos théories, nous sommes comme tout le monde, nous pouvons être critiqués, sauf... sauf que nous avons quand même un fondement plus exact que celui de la majorité.

— **N'est-ce quand même pas l'homme de science qui, comparativement à celui qui n'intervient pas dans les processus naturels, accumule le plus de gaffes? N'est-ce pas lui le premier responsable de la destruction de la planète?**

— Moi, je suis dans le groupe scientifique qui est le protecteur de la nature. Je suis un protecteur de la nature. Tout ce que j'ai pu faire dans ma vie l'a été dans le but de conserver la nature. En en augmentant la productivité, mais d'une façon aussi intelligente que possible, en n'intervenant pas avec des procédés artificiels. L'ingénieur ou le chimiste qui n'est pas satisfait de ses procédés, qu'il change son fusil d'épaule et trouve des procédés qui ne sont ni polluants, ni dangereux. Écoutez, l'homme est curieux. Il a un ordinateur. Il va s'en servir de toute manière. Peu importe ce que vous dites. Vous n'empêcherez pas les gens d'être curieux. Mais parlons donc de champignons, puisque c'est pour ça que vous êtes venus me rencontrer!

— **Parlez-nous donc encore du livre que vous êtes en train d'écrire...**

— Donc, ce ne sera pas un livre de vulgarisation. Ça va être un gros bouquin scientifique qui coûtera une quarantaine de dollars ou plus. Il sera cependant axé sur l'utilisation par les gens des espèces comestibles.

— **Ce sera quand même la flore complète des champignons charnus québécois?**

— Oui, mais faite d'après mes connaissances à moi.

— **Il y a combien de temps que vous travaillez à ce livre?**

— On peut dire que ça fait maintenant deux ans. C'est-à-dire que j'avais décidé, il y a trois ans — je suis retraité depuis 1970 — de faire un nouveau livre de vulgarisation avec cent, cent cinquante espèces. Il y a alors des jeunes qui m'ont dit: «C'est très beau ça, mais pourquoi ne laissez-vous pas tout ce que vous savez sur les champignons?» Ça m'a frappé. Moi, je reprochais justement aux autres, notamment à des types comme Jacques Rousseau qui ne nous a pas laissé sa flore du Nord, de ne pas avoir laissé un certain nombre de choses qu'ils savaient très bien. C'est un peu ce qui m'a décidé.

— **Incluez-vous, dans votre flore, le psilocybe quebecensis?**

— Non. Je suis contre. Ce n'est pas une espèce nouvelle. D'ailleurs c'est moi qui ai le premier cueilli ce champignon, avec mon ami Roger Heim. C'est une espèce déjà découverte aux États-Unis par Peck et qu'il a décrite sous le nom de psilocybe caerulipes, c'est-à-dire «à pied bleu». En outre, ce champignon est extrêmement rare au Québec.

— **La question peut paraître bizarre, mais, quand vous en trouvez une, comment faites-vous pour vous rendre compte que vous avez découvert une espèce nouvelle?**

— Il faut connaître tout ce qui s'est publié, tout ce qui s'est fait dans le domaine là-dessus et savoir que ça n'existe pas, que c'est différent de tout ce qui a été trouvé.

— **Comment le livre sera-t-il illustré?**

— Au début, j'ai songé à l'illustrer de photos en couleurs, puis je me suis dit que ça allait coûter affreusement cher. Et puis, la photo, surtout sa reproduction, ne montre pas tout. La photo ne rend pas les détails, les traits, les teintes. Et puis, les couleurs s'altèrent avec le temps. Alors j'ai commencé à faire faire des dessins, environ 1 000 pour 1 400 espèces traitées. Il y aura quand même un certain nombre de photos en couleurs. Du moins, je l'espère.

— **Quand le livre devrait-il être prêt?**

— Je crois que j'aurai terminé le manuscrit à l'été. Après ça, ce sera tout le reste, trouver de l'argent pour publier ça, etc. Je ne suis pas un homme d'affaires. Ce sera à l'éditeur de s'occuper de ça.

— **Quelles sont vos espèces de champignons comestibles préférées, dans l'ordre?**

— Le polypore des brebis, les morilles, bien sûr, l'amanite des Césars, les cèpes,... d'autres encore comme la chanterelle.

— **En terminant, quels conseils donneriez-vous à quelqu'un qui désire s'initier au monde des champignons, à part, bien sûr, celui d'acheter votre livre?**

— Vous habitez à Montréal... Faites donc partie du Cercle des Mycologues de Montréal. Si vous étiez à Québec, je vous dirais de prendre nos cours. Ensuite, il y a les excursions. Avec ça, vous allez commencer sur le bon pied. L'important, ce sont les contacts. Il faut beaucoup de contacts. On apprend beaucoup plus vite ainsi. Au lieu de découvrir l'Amérique comme Christophe Colomb, vous arrivez en «jet». Et puis la nature, ça se transmet tellement mieux de vive voix!

(Les cours d'introduction à la mycologie dont il est question dans cette entrevue sont donnés à l'Université Laval de Québec. De tels cours n'existent malheureusement pas à Montréal, où l'on peut cependant faire partie du cercle des Mycologues, situé au 5955 Labrèche, Saint-François, P.Q. Ce cercle organise rencontres, excursions, etc.)

ANNEXE

LES CHAMPIGNONS HALLUCINOGÈNES D'AMÉRIQUE
(une interview avec R. Gordon Wasson,
auteur de Soma, Divine Mushroom of Eternity)

INTERVIEWER: D'où vous est venu votre intérêt pour les champignons?

R. GORDON WASSON: C'est venu comme ça, tout d'un coup, en 1927. Je m'étais marié à la fin de 1926 et, en août 1927, ma femme, Valentina Pavlovna, et moi prenions notre première vraie lune de miel. Nous étions tous les deux dans un chalet, dans les Monts Catskill. Ma femme était Russe; moi, j'étais un Anlo-Saxon du Montana. Même si nous nous connaissions depuis cinq ou six ans, il n'avait jamais été question de champignons entre nous. Ce jour là nous marchions, main dans la main, dans un sentier quand soudain Valentina Pavlovna aperçut dans un sous-bois de belles colonies de diverses espèces de champignons. Délaissant ma main, comme ravie au septième ciel, elle courut dans la forêt et s'agenouilla devant ces champignons comme si elle voulait se mettre à les adorer. Elle était tout émue; elle venait de retrouver aux États-Unis les mêmes espèces de champignons qu'elle avait déjà cueillies en Russie. Me sentant complètement décontenancé, je ne pus que lui crier: «Reviens! Reviens! Ne ramasse pas ces champignons! Ils sont vénéneux!» Elle rit et se mit à ramasser les champignons. Le soir, au souper, elle en avait mis dans la soupe et dans le plat de viande. Chacun selon sa nature, chacun selon son goût particulier.

— **Avez-vous mangé de ces champignons qu'elle avait préparés ?**

— À vrai dire, non. J'étais, à l'époque, encore plein de préjugés à leur endroit et je ne touchai à aucun des plats préparés par ma femme. Je me suis même dit, ce soir-là, que je me réveillerais sans doute veuf le matin suivant. Il n'en fut évidemment rien. En tout cas, c'est ainsi que m'est venu mon intérêt pour les champignons. Pour la plupart des gens, un changement d'attitude vis-à-vis des champignons peut paraître la chose la plus insignifiante du monde. Nous décidâmes pourtant, ma femme et moi, de nous renseigner sur les attitudes existantes auprès de nos connaissances ; elle, auprès de ses amis Russes, moi, auprès de mes amis Anglo-Saxons. Nous ne fûmes pas long à découvrir, dans les semaines suivantes, que tous les Russes originaires de régions forestières nordiques de la Russie connaissaient les champignons depuis leur plus tendre enfance. À l'âge de six ans, ma femme n'avait-elle pas été envoyée par sa mère pour récolter des champignons pour la table familiale ! Certains Russes connaissaient même encore par coeur les couplets d'une chanson, chacun consacré à une espèce différente de champignon, le tout composant un long poème appelé *Voïna Gribov* ou la Guerre des Champignons. De l'autre côté, tous les Anglo-Saxons que je rencontrai me dirent qu'ils ressentaient vis-à-vis des champignons le même sentiment que moi : ceux-ci ne sont bons qu'à être écrasés sous le pied.

«*La Grande-Bretagne est, depuis toujours, le pays le plus violemment mycophobe du globe, et nous ne serions pas tellement éloignés de penser avec nos amis Wasson que cette position n'est pas sans relation avec cette sorte de pudeur quelque peu morbide à laquelle les Anglo-Saxons sont encore aujourd'hui si souvent attachés.*»

Roger Heim

— **C'est alors que vous avez commencé à faire des recherches sur les différentes attitudes des peuples vis-à-vis des champignons ?**

— Oui, mais très lentement. J'étais alors journaliste au Herald Tribune et nous étions tellement pris par le problème de notre survie que nous avions peu de temps à consacrer aux études. C'est au fur et à mesure, avec beaucoup d'application, en lisant ce que d'autres avaient écrit sur la question, que nous avons commencé à ramasser de l'information. Nous avons de même écrit à beaucoup de gens, leur demandant de ramasser de l'information ou de nous donner des noms de gens capables de nous informer sur la haine ou l'amour des champignons. C'est ainsi que nous avons vite découvert que les Russes et les Anglo-Saxons représentent les deux pôles de la différence d'attitude culturelle prise vis-à-vis l'univers fongique. Nous avons ainsi étudié l'étymologie des mots autant russes qu'anglo-saxons employés dans la description courante des champignons. En anglais, il n'y avait que trois mots pour décrire les champignons : «*mushroom*», «*toadstool*» (tabouret de crapaud) et «*fungus*». En russe, par contre, ces mots étaient non seulement innombrables mais très expressifs. Si innombrables, à vrai dire, que jamais nous n'avons pu en dresser la liste complète. Dans toute la littérature anglaise, ce n'est que dans un ouvrage publié vers 1900 que nous avons trouvé un premier mot en faveur des champignons. Ce n'est que vers cette époque, avec l'introduction de la culture des champignons en Angleterre et aux États-Unis, que l'attitude Anglo-Saxonne vis-à-vis des champignons a commencé à changer.

— **Vers quelle époque cette étude philologique a-t-elle finalement débouché sur l'ethnomycologie ?**

— C'est vers les années trente que nous avons commencé à nous plonger à fond dans l'étude de ce qui allait sous peu devenir une science exacte, mais ce n'est que vers 1940 que l'idée d'un livre sur l'ethnomycologie nous est venue. C'est à partir du mot ethnobotanique, science se consacrant à l'étude du rôle des plantes dans la vie de l'homme, que j'ai créé le mot ethnomycologie ; la mycologie est une branche de la botanique ; l'ethnomycologie est donc cette partie de la mycologie se consacrant à l'étude du rôle culturel des champignons.

«En 1953, dans un ouvrage de Mrs. Gwen Raverat, Period Piece, *une citation nous apprend à quelle invention se livrait Aunt Etty :* 'à poursuivre dans les bois — armée d'un bâton à la pointe acérée, d'un chapeau de chasse, de gants qui la protégeaient d'une contamination pernicieuse, et d'un panier — les Phalles impudiques, qui, ainsi abattues, puis recueillies dans le récipient, finissaient incinérées*

dans un lieu caché de la demeure voisine.' Pourquoi? "Because of the morals of the maids." Et qui était Aunt Etty? La fille de Charles Darwin.»

Roger Heim

— **Est-ce que vos études vous ont mené à étudier d'autres comportements ethniques que ceux des Russes et des Anglo-Saxons?**

— Bien sûr. Nous avons étudié ainsi les attitudes culturelles des peuples d'origine indo-européenne installés en Europe de même que celle des Basques, un des éléments les plus énigmatiques, quant à son origine, de toute la culture européenne. Chaque peuple est, soit mycophile, soit mycophobe. Dans l'Est de l'Europe, les Slaves sont particulièrement mycophiles; dans l'ouest, seuls les Catalans (près de Barcelone, dans l'est de l'Espagne) et les Provençaux (dans la région du Languedoc) le sont, ou à peu près; les Français du Nord sont peu mycophiles.

— **Dans votre grande oeuvre** Mushrooms, Russia and History **(Les Champignons, la Russie et l'Histoire), vous dites qu'à un certain moment vous avez eu «l'intuition violente» que l'histoire des religions européennes était sous-tendue par un culte des champignons. Quand cette idée a-t-elle pris forme et quelles en étaient les prémisses?**

— Au début des années 40, ma femme et moi nous demandions encore quoi faire avec toute l'information que nous avions, au cours des années, amassée. Vers cette époque, nous eûmes enfin l'occasion de nous avouer la pensée qui nous était, depuis quelque temps déjà, venue à chacun: que les différences d'attitude culturelle vis-à-vis des champignons étaient, sans doute aucun, d'origine religieuse.

— **Qu'entendez-vous par là?**

— Que si nos lointains ancêtres ont, il y a des milliers d'années, rendu un culte aux champignons, il est bien évident que ces champignons provoquaient en eux des émotions puissantes, que ce soit celles du respect et de l'adoration, ou celles de la peur, et même, de la terreur. La religion, dont la principale caractéristique était, à l'époque, les sacrifices humains, était une chose grave. Quand ma femme et moi échangions nos pensées, nous ne pouvions imaginer encore comment les champignons pouvaient avoir eu une place dans les religions primitives de l'homme. Nous savions que ces religions originelles avaient depuis longtemps été abandonnées mais que, si elles avaient complètement disparu, il pouvait bien en demeurer des traces émotives, lesquelles se manifestaient, ici, en mycophobie, là, en mycophilie, deux formes de l'ancien culte rendu aux champignons.

«Pour John d'Allegro (auteur de Le Champignon sacré et la Croix)*, le champignon serait la base totale de la religion judéo-chrétienne. Il explique «linguistiquement» la formation de tous les noms propres de la Bible et de l'Évangile. Ces mots-noms ne sont en fait que des synonymes cryptés du champignon sacré. Disons, pour simplifier, qu'une grande partie des mots de la Bible et de l'Évangile n'étaient pas compréhensibles avant la découverte des Manuscrits de la Mer Morte car ces derniers apportent un maillon linguistique qui manquait avant eux. Ce maillon existant, on peut remonter à Sumer qui semble être la source de toutes les religions ayant pris naissance au Moyen-Orient et donc, en Europe. Et la religion-source sumérienne était, nous le savons, entièrement basée sur le culte et l'ingestion de l'Amanita Muscaria.»*

Jean Basile (Mainmise 16)

— **Vous supposez donc qu'il y a une origine commune à toutes les religions et que les champignons y jouent un rôle capital?**

— Oui. Bien avant que l'homme n'ait eu ses croyances courantes actuelles, il a très bien pu y avoir une consommation religieuse des champignons. Nous avons à ce sujet des détails très intéressants dans les cultures européennes. Ce n'est pourtant pas là que nous avons trouvé les réponses que nous cherchions, mais en Russie asiatique, au-delà des Monts Oural, chez les Vogoules et les Ostiaks de la vallée de l'Ob qui avaient, jusqu'à récemment encore, une culture chamanique. En effet, les chamans plaçaient l'Amanite tue-mouches (Amanita Muscaria) au centre de leur vie religieuse. En dépit du tabou attaché à son usage général, les chamans et leurs disciples consommaient l'amanite.

— **Vous avez dû sentir, quand vous avez fait cette découverte, que vous aviez enfin trouvé la réponse que vous cherchiez?**

— Oui, et l'amanite tue-mouches est vite devenue le point central de nos recherches. Bientôt, nous avons découvert que, depuis les temps les plus reculés, beaucoup de peuples du Nord de la Russie se servaient du champignon à des fins religieuses. Bien sûr, depuis, ce culte a complètement disparu et l'amanite tue-mouches n'est plus employée, comme la vodka, que comme intoxicant.

— **Où croît l'amanite tue-mouches en Sibérie?**

— L'amanite croît en symbiose avec plusieurs essences forestières, en particulier le bouleau. L'amanite tue-mouches était même appelée le «fruit» du bouleau par les Sibériens.

— **Quand avez-vous été informé pour la première fois de la possibilité de l'existence d'un culte actif rendu aux champignons hallucinogènes?**

— Le 19 septembre 1952, nous recevions, ma femme et moi, une lettre du grand poète anglais Robert Graves qui vivait alors en Espagne. Il nous y indiquait la parution récente d'un article de Richard Evans Schultes dans l'American Anthropologist. Schultes en était arrivé à la conclusion d'un culte mexicain des champignons sacrés.

— **À cette époque, aviez-vous déjà eu des contacts avec des mycologues professionnels?**

— Oui. En 1949, nous avions rencontré le français Roger Heim (n.d.t.: co-découvreur avec G.M. Ola'h, du Psilocybe quebecensis), un des plus grands mycologues de notre époque. Il s'est montré très bienveillant et très intéressé par l'ethnomycologie. Quand nous avons été sur le point de découvrir des champignons sacrés, il a été l'un des premiers à vouloir en avoir des spécimens pour les identifier.

— **Aviez-vous alors l'intention de prendre de ces champignons?**

— Bien sûr. Nous avions même hâte d'en prendre, mais avec des Indiens.

— **Comment vos «contacts» mexicains ont-ils permis que cela se produise enfin?**

— Lors d'un échange de lettres avec Robert Weitlaner et Blas Pablo Reko, j'avais invité Weitlaner à venir nous accompagner dans une expédition qui eut lieu en 1953. C'est Blas Pablo Reko qui nous suggéra d'entrer en contact avec Eunice V. Pike, à Huautla de Jiménez.

— **N'était-ce pas précisément l'endroit où Schultes avait obtenu les spécimens de champignons qui l'avaient poussé à publier son article?**

— Précisément. Weitlaner accepta donc de nous accompagner à Huautla et nous apprit comment nous comporter avec les Indiens afin de les mettre en confiance.

«Les consommateurs sibériens de ces champignons qui n'avaient, jusqu'à ce que les Russes leur fassent découvrir l'alcool, pas d'autre intoxicant, prennent ceux-ci seuls, séchés au soleil ou sur un feu lent, sous forme d'extrait dilué dans de l'eau ou du lait de renne ou encore avec une infusion d'airelle de marécages (Vaccinium uliginosum) *ou d'épilobe à feuilles étroites* (Epilobium angustifolium) *(n.d.t.: ces deux plantes poussent au Québec). Pris seul, un champignon séché peut être gardé dans la bouche jusqu'à ce qu'il se ré-humidifie ou alors ce sont les femmes qui les mâchent puis les roulent pour en confectionner de petites boulettes qu'elles donnent ensuite aux hommes. Comme le prix de ces champignons est, dans ces régions nordiques de toundra sibérienne, fort élevé, les membres de la tribu pratiquent la consommation rituelle de l'urine des individus plus riches déjà intoxiqués, ayant depuis longtemps découvert que les constituants intoxicants du champignon s'y retrouvent tels quels ou ayant été transformés en métabolites actifs par les reins.»*

A. Hoffman et R.E. Schultes

— **Quand avez-vous pris des champignons sacrés pour la première fois?**

— Le 29 juin 1955, c'est-à-dire deux ans plus tard puisque notre première expédition avait été infructueuse. Nous avions bien essayé, à quelques reprises, de nous trouver un curandero qui connaissait les chants rituels devant accompagner la consommation des champignons, mais sans succès. Les Indiens ne voulaient pas officier devant des non-croyants, considérant cela comme un sacrilège. Nous avons finalement trouvé un fonctionnaire d'Huautla, Cayetano Garcia, à qui nous avons demandé de nous aider. Nous avons commencé à parler des récoltes de maïs et des prix terriblement bas du café de cette année-là quand, brusquement, je lui ai demandé: «Est-ce que je peux vous faire confiance?» Avec toute la curiosité dont un Indien est capable quand on lui pose une telle question, il s'est penché vers moi en me répondant que oui. «Est-ce que vous me feriez découvrir le secret du 'nti-si-to'?» ai-je continué. «Nti-si-to» est le nom général mexicain donné aux champignons hallucinogènes. Il était étonné que je connaisse le nom mazatèque du champignon et me répondit que rien n'était plus facile. Il acceptait! Je n'en croyais pas mes oreilles. Il me dit de passer chez lui à l'heure de la sieste. J'avertis en hâte mon photographe Allan Richardson d'être prêt pour le rendez-vous.

— **Votre femme n'était pas de cette expédition?**

— Malheureusement, non. Quand nous sommes arrivés à la maison de Cayetano, il se reposait dans un hamac. Il a demandé à son frère Emilio de nous conduire dans le ravin situé près de leur demeure. C'est là que nous avons trouvé des touffes (à noter que le *Psilocybe caerulescens* var. *Mazatecorum* est une des rares variétés de psilocybe à pousser en touffes) d'une espèce de champignon que je n'avais encore jamais vue. Nous les avons photographiés puis les avons cueillis et placés dans une grande boîte qu'Emilio avait apportée avec lui. Au retour, Cayetano nous avertit que si, sur le chemin du retour, nous croisions un cadavre d'animal, les champignons perdraient leur pouvoir et qu'il faudrait tout recommencer à zéro.

— **C'est plus tard que vous avez découvert que ces champignons s'appelaient, en mexicain, «derrumbes»?**

— Oui. C'étaient des psilocybes *caerulescens* var. *Mazatecorum*. Les Mazatèques donnent le nom de «ki-so» à cette variété.

«Ce champignon (le P. *caerulescens) a été rencontré pour la première fois en 1923 par le mycologue nord-américain Murill en Alabama (Montgomery) sur un sol humifère, au bord d'une rivière. Wasson le recueillait au Mexique, à Huautla de Jiménez, en 1953 et 1955 dans la bagasse, ou déchets de canne à sucre provenant des «trapiche», ou moulins destinés au traitement de cette plante... Quelques particularités nous incitaient à décrire cette forme comme variété Mazatecorum, appelée par les Mazatèques «Nti-si-tho-ki-so» ou champignon des éboulements.»*

Roger Heim

— **Pouvez-vous nous raconter ce qui s'est passé ce jour-là, après votre cueillette?**

— Cayetano nous a indiqué, dans la montagne où nous étions, une maison beaucoup plus élevée que la sienne. C'est là que vivait Maria Sabina, une curandera. «Allez la visiter et demandez-lui si elle veut vous initier» nous dit-il. Voilà enfin ce que je cherchais! me suis-je dit. J'étais sur le point de faire la grande découverte! Nous avons rencontré Maria Sabina non pas chez elle mais chez sa fille, Maria Apolonia. Quand elles ont vu nos champignons, elles ont eu une réaction de joie comparable à celle qu'avait eue ma femme en 1927, dans les Monts Catskill. Emilio me servant d'interprète, j'en vins tout de suite à ce pourquoi nous étions là. «Voulez-vous nous servir de guide cette nuit?» Maria Sabina m'a regardé droit dans les yeux puis m'a dit: «Oui. Soyez à la maison de Cayetano après le coucher du soleil.»

— **Que s'est-il passé, cette nuit-là, à la maison de Cayetano Garcia?**

— Il faisait noir quand nous y sommes arrivés, Allan et moi, vers 9 heures et demie. La maison était sise à flanc de montagne, avec une pièce au niveau du sol et deux autres, situées sous terre. C'est dans une de ces deux pièces que s'est déroulée la cérémonie. Il y avait là un autel, avec des images pieuses, et sur le sol, des paillasses. Maria Sabina est arrivée avec sa fille vers 10 heures et demie. Il était clair que l'événement était pour elle inhabituel. Peu après 11 heures et demie, on nous a servi des calebasses de breuvage au chocolat chaud. Je me suis tourné vers Allan et je lui ai dit: «Maintenant nous y sommes. Pour le meilleur ou pour le pire!» Je m'étais souvenu qu'un moine du seizième siècle, Sahagun, avait écrit quelque part qu'on sert toujours du chocolat avant la cérémonie.

— **C'est alors que la cérémonie a débuté?**

— Oui, mais très progressivement. D'abord Maria Sabina a encensé les champignons avec de la résine de copal. Puis, des chandelles ont été allumées sur l'autel. Maria Sabina a ensuite réparti les champignons en petits tas et en a pris treize paires. Les Mazatèques parlent toujours des champignons par paires et, en Amérique Centrale, le chiffre treize est chanceux. Cela date d'avant la conquête espagnole.

— **Combien de champignons avez-vous mangés?**

— Maria Sabina nous a donné à chacun six paires de champignons. Les proportions étaient établies par elle en fonction de notre taille physique, une personne plus grande ou plus grosse ayant droit généralement à plus de champignons. Nous avons alors mangé ces champignons, en prenant soin de les bien mâcher. Quand Maria Sabina a commencé à ressentir les premiers effets des champignons, elle a pris une fleur puis, en renversant la tête sur la flamme, a éteint la dernière chandelle qui était restée allumée sur l'autel.

— **Vous étiez donc dans l'obscurité complète?**

— Oui, sauf qu'il y avait au-dessus de la porte de la pièce où nous étions une fente à travers laquelle pénétrait un peu de lumière lunaire. Bientôt, Maria Sabina a commencé à chanter. Ce n'était tout d'abord qu'un murmure léger entrecoupé de syllabes isolées; «si-si-si-so-so-so»... Ces syllabes ont ensuite commencé à se former en mots. Ce qu'a chanté Maria Sabina, nous ne le savons pas puisqu'elle ne parlait pas espagnol. Elle a ensuite commencé à chanter et a chanté toute la nuit.

«La curandera chante en mazatèque — la plus proche de la tradition mazatèque reste aujourd'hui cette femme étonnante par son pouvoir, Maria Sabina —; elle invoque les esprits, puis elle agite ses bras, se laisse aller au rythme d'une danse. Elle bat des mains, de plus en plus frénétiquement, frappe ses genoux, claque son front et sa poitrine. Le rythme étrange, doublé d'un accompagnement heurté, donne l'illusion que tous ces bruits arrivent aux spectateurs de toutes les directions. L'ensemble réalisé par le fond du propre décor visuel de chacun et par les chants et les claquements qui assaillent de toutes parts les personnes présentes crée une extraordinaire excitation générale, fort impressionnante, et marquée cependant d'un sérieux, d'une sérénité austère, faite de respect et de douceur qui caractérise essentiellement l'esprit même de ces assemblées.»

Roger Heim

— **Vous était-il interdit de quitter les lieux pendant le temps de la cérémonie?**

— Oui. La maison était fermée et les portes, barrées. On nous avait prévenus que personne ne pourrait quitter les lieux avant le chant du coq. Nous avons d'abord attendu et rien ne s'est passé. Un peu plus tard, après avoir vomi tous les deux, Allan me souffla à l'oreille qu'il avait des visions. Je lui ai répondu que moi aussi. Allan était extrêmement nerveux. Il avait pris des photos jusqu'à ce que la dernière chandelle soit éteinte. Emilio lui avait demandé de ne plus prendre de photos «mientras que la fuerza le agarrara» («pendant que nous étions sous l'influence de la Force, ou Pouvoir»). Nos visions étaient colorées, et kaléidoscopiques; dans mon cas, elles étaient angulaires, évoluant à un rythme tantôt rapide tantôt lent, et correspondant toujours à mes désirs.

— **Ces visions étaient-elles accompagnées de sentiments d'euphorie?**

— Si l'euphorie consiste à avoir des visions ravissantes et paisibles, oui.

— **Ayant ressenti plus tôt que vous étiez sur le point de faire une grande découverte, avez-vous été, par la suite, déçu de cette expérience?**

— Non. Je puis même dire que la découverte anticipée a été, et de loin, dépassée par l'expérience vécue.

— **Combien de temps a duré toute l'expérience et qu'est-il arrivé plus tard?**

— Les effets des champignons ont duré environ quatre heures et demie. Ensuite, imperceptiblement, nous sommes tous — Maria Sabina et sa fille y compris — tombés endormis. C'est deux heures plus tard, soit entre 5 heures et demie et 6 heures et demie du matin que nous nous sommes réveillés, sans aucune fatigue et complètement enchantés de notre expérience.

— **Avez-vous des commentaires à faire sur l'influence du milieu ambiant et sur la façon dont les curanderos manipulent celui-ci pendant l'expérience?**

— Oui. Il faut tout d'abord dire qu'il faut, avant de tenter l'expérience des champignons, en avoir le désir profond. Le moindre doute, la moindre hésitation ne peuvent être que néfastes. Autant parce que l'expérience sera mauvaise que parce que cela désacralise les champignons. Pour ce qui est des conditions physiques de l'expérience, il faut savoir que, partout en Amérique centrale, les curanderos vivent à l'extérieur des villages. C'est une façon pour eux de s'assurer qu'ils ne seront, en aucun temps, dérangés. Quand ils prennent des champignons, les villageois se retirent de même, soit chez un curandero, soit dans un endroit complètement isolé; ce n'est que dans un lieu absolument calme que la cérémonie peut se dérouler convenablement.

— Vous êtes-vous déjà associé à d'autres pionniers du domaine des drogues psycho-actives? Comme, par exemple, Timothy Leary?

— Non. Je suis un solitaire. C'est que, dans ce genre de recherches, on ne sait jamais très bien dans quoi on s'embarque si on s'associe avec quelqu'un. Je préfère travailler seul.

— Quels ont été vos contacts avec Aldous Huxley et que pensez-vous de son oeuvre?

— Huxley est venu me visiter à quelques reprises à New York. C'était un homme doux, affable et érudit pour qui j'ai toujours eu la plus grande estime. C'est d'ailleurs d'après nos découvertes qu'il a, dans *Island*, une de ses dernières oeuvres, conçu le modèle du «Moshka», drogue qui y joue un grand rôle.

— Dans Le Meilleur des Mondes, **Huxley parlait déjà d'une drogue à laquelle il avait donné le nom de Soma. Quand avez-vous pour la première fois entendu parler du Soma des Hindous?**

— Bien avant que Huxley n'en ait parlé. Les grands hymnes hindous s'appellent le *Rig-Veda* et un des livres du *Rig-Veda,* celui consacré à la neuvième Mandala parle du Soma, une plante. C'est mon père qui, le premier, nous en a parlé, à mon frère et à moi, en 1907. Vers 1880, alors qu'il étudiait le sanscrit à l'Université Columbia, il avait découvert qu'il y avait dans cette langue une plante adorée à l'égal d'un dieu et à laquelle on chantait des hymnes. Les brahmanes s'en étaient déjà servis pour entrer en extase. L'identité de la plante s'était, avec le temps, perdue. Ces faits étaient alors inscrits dans un coin de ma mémoire et jamais je ne les ai oubliés.

— Quand avez-vous commencé à entrevoir la possibilité de retracer l'identité du Soma?

— Je me suis d'abord dit qu'il me faudrait bien un jour aller aux Indes pour y apprendre tout ce que je pourrais sur les plantes hallucinogènes qu'on y trouve. Et puis, vers 1960, j'ai rencontré Wendy Doniger qui a bien voulu m'aider à retracer l'histoire du Soma. C'est grâce à son aide précieuse que j'ai pu écrire mon livre *Soma: Divine Mushroom of Immortality*.

— N'est-ce pas elle qui a traduit certains passages du Rig-Veda où il était question, dans la consommation du soma, de boire de l'urine?

— Oui. C'est dans un verset du soixante-quatorzième hymne védique de la Neuvième Mandaia que nous avons trouvé cette référence à la consommation d'urine. Toutes les traductions existantes avaient esquivé ce détail trivial. C'est ainsi que j'ai pu faire le lien entre l'usage sibérien de l'Amanite tue-mouches et l'indien.

— **C'est alors que vous avez quitté votre poste de vice-président de la Morgan Bank et que vous êtes parti aux Indes?**

— Oui. Le 30 juin 1963, j'ai donné ma démission et, la même nuit, je suis parti à Los Angeles d'où je suis ensuite parti aux Indes. J'ai vécu là-bas environ six ans.

— **Vos recherches vous ont alors mené à publier l'hypothèse selon laquelle le Soma n'était, en fait, rien d'autre que l'amanite tue-mouches?**

— Oui. Plus je suis entré à fond dans mes études, plus il m'a semblé évident que le Soma ne pouvait être autre chose qu'un champignon.

— **Est-ce que votre conviction s'appuyait sur les descriptions védiques de l'apparence physique de la plante?**

— Les brahmanes ne donnaient pratiquement aucune description du Soma. Pourtant, tous les faits concordaient. Il y avait un commun dénominateur.

— **Probablement ce verset sur la consommation d'urine?**

— C'est ça. C'est Wendy Doniger qui a traduit ce verset. Le fait le plus troublant était qu'au début, chez les Indiens, la consommation de l'Amanite tue-mouches avait été pratiquée par les brahmanes Aryens seuls. Or ce peuple était originaire du Nord et parlait une langue indo-européenne. Ce sont probablement eux qui ont amené cette pratique religieuse du Nord jusqu'aux Indes. Ils rendaient un culte aux champignons. La petite plante jaune — décrite en sanscrit comme «hari», c'est-à-dire d'une couleur variant du rouge au vert — était par eux comparée à un soleil ou à du feu.

— **Et il n'y avait, dans le Rig-Veda, dans la description de la plante aucune référence à des feuilles, des racines, des fleurs, des graines ou une écorce, n'est-ce pas?**

— C'est exact. On y parlait cependant d'une tige charnue et juteuse.

— **Dans votre livre, vous allez jusqu'à dire que l'emploi sibérien de l'Amanite n'a pas été fondamental seulement dans la religion**

hindoue mais dans beaucoup d'autres. Pouvez-vous expliciter cette idée?

— Mon hypothèse est que toutes les religions d'Eurasie autant que celles du Nouveau-Monde ont tiré leur origine d'un culte rendu à des plantes pouvant provoquer chez les adeptes de ces religions des transes mystiques. Ces plantes ne sont malheureusement plus employées qu'au Mexique.

— D'après vous, y a-t-il un lien à faire entre les cultes sibérien et mexicain rendus aux champignons sacrés?

— Ce n'est qu'une hypothèse mais nous avons aujourd'hui beaucoup de raisons de croire qu'un tel lien existe et que le culte mexicain pourrait être, en fait, originaire de Sibérie. Certains parallèles existant entre les deux cultes sont troublants. Le fait, par exemple, que dans les deux cultes «c'est le champignon qui parle». Ce n'est ni le chaman, ni le curandero qui chantent, c'est le champignon. De même, dans les deux cultes, on donne aux champignons les noms de «petits êtres», «enfants», «petits garçons» ou «petites filles».

— Avez-vous déjà consommé des champignons hors du Mexique?

— Oui, souvent, à New York. Mais je n'en ai toujours pris que quand j'avais un motif sérieux de le faire.

— Qu'appelez-vous un «motif sérieux»?

— Pour découvrir, par exemple, si des champignons ont gardé, huit semaines après leur cueillette, leurs pouvoirs.

— Avez-vous déjà pris de la psilocybine synthétique?

— Oui, mais je ne saurais dire combien de fois.

— Comment compareriez-vous les effets des champignons à ceux de la psilocybine synthétique?

— Roger Heim et moi avons tous les deux ressenti que le champignon était plus actif que la psilocybine de synthèse mais il se peut que ce n'ait été là qu'une réaction subjective de notre part. Pour Albert Hoffman, qui est un de nos grands amis à tous les deux, il n'y a pratiquement aucune différence entre les deux produits.

— Quels sont vos projets d'avenir?

— J'ai 77 ans mais j'espère bien terminer le livre que j'écris actuellement sur l'Amérique centrale, c'est-à-dire le Mexique et le Guatemala. Dans mon dernier livre, je donnais le texte intégral des velada de Maria Sabina, en mazatèque, en espagnol et en anglais. À lui seul, ce travail m'a demandé beaucoup de temps et d'énergie. Le livre auquel je travaille actuellement traitera des cultes rendus aux champignons en Amérique centrale depuis l'ère préhistorique jusqu'à aujourd'hui. J'en suis arrivé à un nombre de découvertes qui feront probablement sensation.

«Une nouvelle espèce nord-américaine de Psilocybe hallucinogène vient s'ajouter aux Psilocybes psychodysleptiques qui constituent un groupe important d'Agarics de la large coupure de Geophila Quél. la section (Caerulescentes Sing.) qu'on retrouve dans des pays tempérés ou sub-tropicaux à la limite des terres froides et des terres chaudes. Le Psilocybe quebecensis G.Ola'h et R. Heim est le premier représentant des Psilocybes hallucinogènes découvert au Canada, plus précisément dans la région de Québec (P.Q.). Il s'agit donc de l'espèce de psilocybe hallucinogène la plus septentrionale signalée à ce jour.»

Giorgy-Miklos Ola'h

— Que pensez-vous de la situation légale aujourd'hui faite aux champignons hallucinogènes aux États-Unis?

— Je crois que toute législation concernant ces champignons de même que celle touchant le cannabis sont aussi futiles que le fut la Loi sur la Prohibition de l'alcool. Ces lois ne peuvent que favoriser les pires abus. Toutes ces drogues devraient être légalisées et leur consommation, réglementée.

— La recherche médicale a prouvé que la psilocybine et d'autres produits psycho-actifs comparables pourraient être employés en psychothérapie. Que pensez-vous de l'avenir de ces produits?

— Je suis très partagé. Bien sûr, je suis contre la consommation de ces produits par les gens qui, agissant à la légère, ne cherchent en eux qu'une source d'excitation nouvelle. Les Indiens qui se servent des champignons depuis des millénaires savent qu'il faut avoir dans leur apprentissage beaucoup d'expérience, de patience et les conditions voulues lors de leur consommation. Or, je ne vois, autant chez les Européens que chez les Américains, que des signes infimes

323

du respect qu'ils devraient avoir pour les champignons sacrés, source possible de beaucoup de révélations.

(Choix de références d'auteurs et traduction libre d'une entrevue parue dans le High Times d'octobre 1976, par la Mère Michel.)

BIBLIOGRAPHIE GÉNÉRALE

On consultera avec profit la bibliographie donnée dans le *Jardin Naturel* et dont je ne répète ici que les titres ayant servi à la rédaction de ce livre. Je donne aussi des titres nouveaux qui, sans m'avoir directement servi, sont quand même venus me nourrir dans ma réflexion sur les plantes.

ALLAIRE DENISE, *Cuisinons nos plantes sauvages,* L'Aurore 1977.

BIANCHINI F. et PANTANO A., *Le guide vert des plantes et des fleurs, Solar* 1974.

BIRD ET THOMPKINS, *La vie secrète des plantes,* Laffont 1975.

BOEDYN K., *Les plantes sans fleurs* (tome 3 des *Plantes du Monde),* Hachette 1966.

BOUVIER R., *Les migrations végétales,* Flammarion 1946.

CROCKETT J.V., *Plantes d'appartement à feuillage,* Time/life 1977.

DARVEAU P., *Sur la piste des fleurs sauvages du Québec,* Éducom 1977.

DUVERNAY J.M. et PERRICHON A., *Fleurs, fruits, légumes,* Livre de Poche 2526, 1961.

EVANS C.M., *Multipliez vos plantes,* L'Étincelle 1977.

EVANS C.M. ET PLINER R.L., *Ma plante est malade,* L'Étincelle 1976.

FAUST J.L., *Le guide complet des plantes d'intérieur,* La Presse 1973.

FERNALD M.L. et KINSEY A.C., *Edible wild plants,* Harper and Row 1958.

FERRAN P., *Le livre des herbes étrangleuses, vénéneuses, hallucinogènes, carnivores et maléfiques,* Marabout 1969.

FRANCÉ R., *Le sens de la plante,* Adyar 1937.

GOETHE, *La métamorphose des plantes,* Triades 1974.

GROVES et WALTON, *Champignons vénéneux et comestibles du Canada,* Ministère de l'agriculture du Canada, Publication 1112, 1962.

GUSSOW et ODELLE, *Champignons comestibles et vénéneux,* Ministère de l'agriculture du Canada (livre probablement épuisé).

GUYOT LUCIEN, *La biologie végétale,* coll. Que Sais-je? no 492, PUF 1970 (le même auteur a publié dans la même collection, seul ou en collaboration, de petits livres très bien faits sur les noms des plantes, des fleurs, des arbres, etc.).

HEIM ROGER, *Les champignons d'Europe* et *Champignons toxiques et hallucinogènes,* Bourbée et Cie, Paris, 1963.

KRIEGER L., *The mushroom handbook,* Dover Pub., N.Y. 1967.

LAMB E.B., *Les cactées et les plantes grasses,* Fernand Nathan.

LAMONTAGNE M., *La multiplication des plantes,* Solar 1976.

LAMOUREUX G. et collaborateurs, *Plantes sauvages printanières,* Éditeur Officiel du Québec 1975.

LOUIS-MARIE, père, *Flore-manuel de la Province de Québec,* Institut Agricole d'Oka, 1931.

MATHON C.C., *La croissance des végétaux,* coll. Que Sais-je? no 772 PUF 1966.

MARIE-VICTORIN, *La Flore Laurentienne,* Presses de l'Université de Montréal 1964.

MEDSGER O.P. *Edible wild plants,* Collier books 1972.

MINISTÈRE DE L'AGRICULTURE DU CANADA, *Cueillette des champignons sauvages,* Publication 861.

MINISTÈRE DE L'AGRICULTURE DU QUÉBEC, *Guide du botaniste amateur,* 1976 (édition revue et adaptée de *Le botaniste amateur en campagne* du Père Louis-Marie).

MINISTÈRE DES TERRES ET FORÊTS, *Petite flore forestière du Québec,* 1974.

OLA'H G.M., *Le pleurote Québécois,* Presses de l'Université Laval 1976.

OLA'H G.M. et HEIM R., *Nouvelle espèce de la flore mycologique Canadienne,* dans *Le Naturaliste Canadien* 94, pages 573 à 587, 1967 (sur la découverte du Psilocybe au Québec).

OSBORN F., *La planète au pillage,* Payot 1949.

POULIOT PAUL, *Les plantes d'intérieur,* Éditions de l'Homme 1974.

RANSBOTTOW J., *Mushrooms and toadstools,* Collins Pub., 14 St-James Place, Londres.

ROTTENBERG H. et RIKER T., *Sex in the garden,* Gardener's Encyclopedia, 1976.

ROUSSEAU C., *Géographie floristique du Québec-Labrador,* Presses de l'Université Laval 1974.

SCHUBERT M. et HERWIG R., *L'encyclopédie des plantes d'appartement,* Denoël 1974.

SEIBOLD H., *Guide des plantes d'appartement,* Delachaux et Niestlé 1972.

STUPKA A., *Wildflowers in colors.* Harper and Row 1965.

UNIVERSITY OF NEW YORK STATE MUSEUM, *Wild flowers of New York,* 1921.

VEILLEUX C. et PRÉVOST L., *Les papillons du Québec,* Éd. de l'Homme 1965.

WASSON R.G., *Soma, divine mushroom of eternity,* Harvest (pas d'année de publication).

WYMAN D., *Wyman's gardening encyclopedia,* MacMillan, N.Y. 1972.

INDEX DES PLANTES ET DES CHAMPIGNONS SAUVAGES EXOTIQUES TRAITÉS DANS CE LIVRE

Note:

(v. ...): indique qu'il s'agit d'un nom populaire; la référence indique le nom officiel français de la plante.

(v.a. ...): voir aussi, (s.): sauvage, (v.): vénéneuse, (c.): champignons, (e.): exotique.

(Les plantes suivies d'un astérisque sont illustrées dans le hors-texte)

LISTE DES PLANTES D'INTÉRIEUR
TRAITÉES AU CHAPITRE CINQ
(Petit dictionnaire des plantes d'intérieur)

*Les plantes suivies d'un astérisque sont illustrées
dans le hors-texte*

TABLE DES RECETTES
PRÉSENTÉES EN ANNEXE

INDEX DES RECETTES
PRÉSENTÉES DANS LE TEXTE